OBJETIVO

4

GERMÁN
CASTRO CAYCEDO

O B J E T I V O

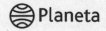 Planeta

© Germán Castro Caycedo, 2010
© Editorial Planeta Colombiana S. A., 2010
Calle 73 N.º 7-60, Bogotá

Primera edición: julio de 2010
Segunda edición: agosto de 2010
Tercera edición: agosto de 2010
Cuarta edición: septiembre de 2010
Quinta edición: septiembre de 2010
Sexta edición: septiembre de 2010

ISBN 13: 978-958-42-2420-0
ISBN 10: 958-42-2420-4

Impreso por: Worldcolor

A Maïa, mi nieta, con la ilusión de que
herede una Colombia diferente

Contenido

Presentación... 11

Objetivo 1 13

Objetivo 2 103

Objetivo 3 187

Objetivo 4 335

Presentación

Cuatro relatos en los cuales no se ha permitido ninguna concesión al imaginario, porque nuestra realidad es tan vital que supera cualquier esfuerzo por crear situaciones novelescas.

Se trata de historias basadas en el juego de ajedrez, el talento y la astucia natural del pueblo colombiano y el suspenso del trabajo de Inteligencia, en las cuales tampoco son recreadas escenas de violencia, entre otras cosas porque los personajes que cuentan jamás lo hacen.

En este libro cada secuencia ha surgido de las vivencias de miembros de algunos de los cuerpos élite de la Policía de Colombia que me abrieron sus puertas, gracias al asentimiento del general Óscar Naranjo Trujillo, director general de esa institución.

EL AUTOR

Objetivo 1

JOSÉ LUIS (Analista)

Para comenzar estábamos casi en ceros. No es extraño. Contábamos con algunos datos tan vagos como "Es un guerrillero viejo en las FARC" o "Un veterano que tiene línea directa con Tirofijo, el cabecilla", o "Un tipo que sabe mucho de guerra".

Luego de varias entrevistas tuvimos informaciones muy abiertas que hablaban de alguien de la cúpula de las FARC (Fuerzas Armadas Revolucionarias de Colombia) guerrilla, pero no sabíamos ni el nombre, ni el apodo, ni la edad, ni la estatura, ni la procedencia… A partir de ahí comenzamos a trabajar en la localización de este objetivo.

Desde luego, el primer paso fue buscar un nombre en los archivos. Primero consultamos todo aquello que había sobre Tirofijo: empezamos por leer y memorizar hasta puntos y

comas, si se quiere, y apartábamos lo que iba saliendo sobre
compañeros, guerrilleros antiguos, veteranos de los Bloques y
de los Frentes. Fue un trabajo de días. Al final encontramos a
diez de mayor edad.

Con esta guía le dijimos al jefe:

—Hay estos diez cabecillas que son viejos, más de veinte
años en la guerrilla de las FARC, y todos tienen contacto con
Tirofijo según nuestros registros.

Se imprimieron aquellos archivos, se le mostraron y sobre
ellos se continuó el trabajo.

Teníamos que conocer y saber quién era esa persona, por lo
cual sugerimos hacer una reunión con gente del área de Operaciones: gente que tiene que ver directamente con las labores
en el terreno. Necesitábamos armar un equipo para llegar a
este objetivo.

Sin embargo, con una información tan débil quedé insatis-
fecho y continué buscando, buscando, hasta encontrar que a
aquel le gustaba el alcohol.

Éramos un coronel de Operaciones, un capitán de Inteligencia y yo como analista. Les mostré la selección de los
diez cabecillas que habían durado doce, trece, quince y veinte
años en las FARC. Tenían contacto con Tirofijo, pertenecían a
un grupo que llamamos Marquetalianos, haciendo alusión al
comienzo de las FARC. Se trataba de personas muy disciplina-
das que conocían esa organización, conocían los estatutos de
las FARC, sabían qué significa una guerrilla, una columna, un
frente, un bloque.

En la reunión se acordó hacer contacto con una fuente que
podría hablar sobre un guerrillero con esas características y
se definió que yo manejaría la parte de análisis y Salomón, un
mayor, se pondría a la cabeza de Operaciones.

Poco después Salomón manejó aquella fuente, habló con ella pero no encontró nada concreto, aparte de que el guerrillero que buscábamos había nacido en el mismo medio de Tirofijo.

Una tarde, Salomón me llamó nuevamente:

—¿Qué más le puedo preguntar?

—¿Cómo es esa persona? Si la ha visto físicamente que la describa. ¿En qué zona se encuentra? ¿En qué municipio o qué región? ¿Cómo la conoció?

Dos días más tarde nos reunimos y me dijo que se trataba de un guerrillero de quince años en las FARC. Eliminamos los de menos tiempo en el listado.

—El de quince años también bebe trago y sabe de guerra —les dije.

Más adelante llamamos al Programa de Atención Humanitaria y como nos dijeron que el objetivo era del Tolima, una región al suroccidente de Bogotá, preguntamos por guerrilleros que se hubieran desmovilizado en aquella zona.

Localizamos a cuatro del Frente Veintiuno. Fuimos al centro de la ciudad y hablamos con ellos. Se trataba de mandos medios: siete u ocho años en las FARC. Sin embargo, tres aceptaron saber algo:

—Hay un señor al que le dicen Don Martín, que cuando iba a cierta zona, a la gente le tocaba guardar silencio y, además, prestarle seguridad. Es decir, irse a las afueras del pueblo, unos de civil y otros de guerrilleros y estar atentos a la llegada de ejército o de policía —dijo uno.

Otro de ellos —que estuvo en el primer anillo de seguridad— dijo que "cuando Don Martín salía al pueblo se demoraba dos días, pero eran dos días de rumba en una casa, con trago y mujeres jóvenes". Sin embargo, el tipo se mostraba reacio. Veíamos que sabía mucho más pero prefirió callar.

Como es costumbre, antes de buscarlo nuevamente repasamos la información que nos había dado, la analizamos y estudiamos de quién se trataba. En la base de datos supimos que efectivamente se había desmovilizado pero que no tenía ingresos. Solución: ofrecerle dinero.

Dos días después le dijimos:

—Bueno, queremos saber más sobre la casa de las fiestas… A propósito, ¿quiere desayunar? Vamos.

En el desayuno no le preguntamos nada. Después fuimos a un lugar que nosotros llamamos "con ambiente controlado", es decir, con cámaras y grabadoras de sonido y allá lo entrevistamos:

—Queremos que nos hable de la casa de las fiestas. ¿Dónde queda? ¿Usted qué vio allá? ¿A quién vio entrar?

—Mire, el que vi entrar, que llegó en una camioneta cuatro por cuatro, es un señor gordo, vestido con ropa de camuflaje: era el que mandaba.

—¿Ese es Don Martín?

—Sí. Ese era Don Martín. A mí no me lo dijeron pero él era quien mandaba. Cuando él entraba a la casa, dos horas después empezaba la fiesta. Dos días más tarde regresaba la misma camioneta y él se iba en ella. Nosotros nos quedábamos allí a la expectativa y a las dos horas nos daban la orden de volver a actividades normales.

—Descríbalo. ¿Cómo es?

—Una persona gorda, más o menos un metro con sesenta y ocho de estatura, cabello entrecano, tez morena, usaba gorra, es viejo.

A partir de allí abrimos una bitácora que registraba desde el instante en que empezó el trabajo anotando informaciones detenidas, día a día.

Esta vez abrimos una carpeta llamada *Objetivo Don Martín*. Dentro de aquella incluimos otra que decía *Avance con la fecha* y el texto de la entrevista. A partir de allí abrimos nuevos interrogantes.

Cuando supimos cuál era la casa de las fiestas, en Planadas, un pueblo en el Tolima a unas siete horas de Bogotá, se envió una comisión para que verificara el sitio exacto y diera una descripción lo más detallada posible, vecindario, cosas así, y le pedí a Salomón fotografías de la casa y de quienes vivían en ella.

Él envió a dos personas de su equipo y ellos llegaron, averiguaron cómo estaba la zona, si se podía entrar al pueblo o no. En la Seccional de Inteligencia en la capital del departamento del Tolima preguntaron por la situación de orden público en Planadas. Les dijeron que era muy insegura, que en el área había presencia de guerrilla y que por tanto ellos no podían ingresar.

Desde Bogotá les ordenaron entonces entrar como policías uniformados, trasladados a la estación del lugar para hacer todas las actividades de un policía, no de Inteligencia sino de agente normal en su estación y, por su seguridad, se hicieron todos los trámites para que en la base de datos no apareciera que pertenecían a Inteligencia. Desde luego, tanto el comandante como los efectivos de la Policía local desconocían el plan.

En la Dirección les habían explicado su intención:

—Identificar la casa donde estuvo Don Martín. Deben mirarla, tomarle fotos, averiguar quién vive en ella, quién ha estado allá e indagar sobre el mismo Don Martín.

A partir de allí ellos se comunicaban con Salomón a través de buzón muerto —sitio oculto para dejar comunicaciones— o por medios seguros, y él, a su vez, nos alimentaba a nosotros como analistas. Con ese fin se creó un período de quince días para obtener resultados positivos.

Inicialmente enviaron fotografías de la casa y con ellas realizamos otra entrevista con el desmovilizado, le mostramos varias y entre ellas la que mandaron los enviados. Buscábamos comprobar el grado de veracidad de su información.

Obviamente al ver la hoja y ver las fotos de las diferentes fachadas, señaló la verdadera. Sólo necesitábamos eso.

Con esa base se tomó contacto con los policías de Planadas y se les dio luz verde para que continuaran indagando.

En aquella casa vivía un señor canoso de treinta y cinco años, de nombre José Ortega, que se mantenía sentado en una silla mecedora en la puerta de entrada. Se veía que le llevaban mercado y parecía tranquilo. Él era quien recibía al personaje. Ahora se trataba de que nuestros agentes hicieran contacto con este señor y nos dijeran quién era Don Martín.

Pero empezó a correr el tiempo y durante el primer mes no se pudo tener contacto con el tal José Ortega porque era muy cerrado, no hablaba con nadie, menos con gente de la autoridad. Finalmente los policías dijeron que hablaba mucho por celular.

Su trabajo consistió entonces en continuar controlándolo y esperar, hasta cuando un día se alejó de la casa y caminó hasta una central telefónica. Cuando se alejó, comprobaron que había llegado al lugar y cuando ocupó la cabina, uno de los policías se coló y trabó conversación con la telefonista. Finalmente salió el hombre, miró al policía pero lo vio muy concentrado en la muchacha y continuó su camino.

Pero cuando se alejó, aquellos descolgaron el auricular y en la pantalla del sistema salió el número al cuál había marcado. Con ese dato iniciamos otra etapa de trabajo.

El número del celular nos llegó a través de un buzón muerto y con él la gente de Operaciones hizo un estudio de "la sábana telefónica", es decir, la lista de todos los abonados con que se comunicaba ese número, y a partir de allí vino un análisis.

A través de un *software* especial obtuvimos una matriz que nos dijo, por ejemplo, que ese número marcó veinte veces a este otro número.

X número le marcó setenta veces a tal...

Con esta información empezamos a indagar en torno a los que tenían mayores frecuencias para establecer a nombre de quiénes figuraban, quién era una persona, quién era la otra... Y con sistemas de ubicación miramos dónde estaban "pegando" los celulares: es decir, dónde estaban ubicados.

Se sacó un rango de una semana y en ese tiempo Ortega hacía treinta llamadas a un tres-diez.

De ese tres-diez hacían veinte llamadas a otro tres-diez, pero este sólo recibía y enviaba.

Total, sólo había comunicación entre ellos tres.

Eso nos causó curiosidad. Entonces, verificamos dónde "pegaba" el primer tres-diez de la firma Comcel y nos dio su ubicación en el mismo Planadas, pero en la zona rural.

Luego verificamos el segundo punto. Ese estaba localizado más hacia el sur de Planadas y en este caso también ubicamos su posición exacta y, desde luego, nos dimos a la tarea de monitorear las comunicaciones. Duramos un mes escuchando, pero siempre:

—¿Qué hubo? ¿Qué más?

—Sí, sí. Aquí descansando. Aquí esperando —le decía el hombre de Planadas al primer tres-diez

—¿Qué hay para hacer?

—Tranquilo que nosotros le avisamos.

Pero un día salió una comunicación del último punto que le decía al otro:

—Al final de la que estamos voy para allá. (Es decir, voy al final de la semana).

A los diez minutos, llamaron al señor de Planadas:

—Aliste todo que lo va a visitar el familiar.

Ese día no logramos contacto con los policías de Planadas, y enviamos a dos personas a Ibagué, la capital del departamento —es decir, empleamos cuatro horas para lograr contacto con ellos— con el fin de que "engancharan" al objetivo.

Los enviados llegaron a Ibagué y a través de la seccional de Inteligencia entraron también como agentes normales a pedir comunicación con la estación de Policía de Planadas y avisar que había un problema familiar en el hogar de uno de los dos muchachos. Que lo necesitaban urgente. Que se comunicara con la mamá.

Él se comunicó con nosotros, y le dijimos:

—Parece que su mamá lo va a visitar el fin de semana. Esté atento que ella se encuentra muy enferma y va para allá.

Llegó el sábado. A las ocho de la noche apareció la camioneta que confirmaba la visita: de ella salió un hombre vestido de paisano, con sombrero, un metro con sesenta y ocho, moreno, gordo y entró a la casa. La camioneta se fue. Dos horas más tarde empezó a escucharse música y luego entraron allí mujeres jóvenes.

El policía de Planadas tenía en la estación línea abierta por la enfermedad de su mamá, y nos informó:

—Bueno, mamá, aquí todo está bien. Estoy cumpliendo las indicaciones para no enfermarme yo también: me lo estoy tomando todo, pero me falta conseguir el nombre del medicamento más importante. Si lo encuentro, le aviso.

La rumba duró desde el sábado por la noche hasta el domingo sobre las once y media de la noche cuando llegó la camioneta por el señor. El tipo salió con su sombrero, y el policía nos contactó:

—Mamá, ¿ya se puso bien? Bueno, porque me tenía preocupado. Yo aquí no estoy tan preocupado. Ya conseguí su medicamento, se lo envío en una encomienda.

Eso nos obligó a tener más contactos de las líneas celulares. A los cinco días del contacto con Don Martín, salió otra comunicación:

—Sí, sí. Todo muy bien. Todo muy bien. Gracias por la reunioncita que hicimos allá.

El de "más al sur" le daba las gracias al segundo tres-diez y ese le comunicaba lo mismo a Ortega, el hombre de Planadas.

—Que muchas gracias, que sí, que más adelante le diremos cuándo va a volver a visitarlo su familiar.

Las fotografías: sí se las tomaron, pero para tener acceso a ellas debíamos esperar otro mes, hasta cuando los policías pudieran salir a descansar y fueran a visitar a sus familiares en la capital del departamento.

¿Por qué un mes? Por precaución, pues la guerrilla se les iba a meter a Planadas. En ese tiempo recibieron cinco hostigamientos y un día, estando de patrulla en la zona, los atacaron.

Mientras tanto, nosotros esperábamos, primero, que no les sucediera nada y, segundo, que pudieran salir cuando volviera la calma. (En lo que se llaman las estaciones de Orden Público o zonas de guerra, cuando la guerrilla está más activa no pueden ausentarse, es decir, no se baja la guardia).

Transcurrió el mes. Yo permanecía en nuestra Unidad de Análisis en Bogotá buscando información, pero cada vez que salía algún registro de aquellos celulares yo entraba en contacto con quienes estaban en el monitoreo y tenían la comunicación en tiempo real. En ese lapso no se presentó nada especial.

Finalmente nos llegaron los rollos fotográficos y empezamos a buscar en los registros a un guerrillero con las características anotadas. Reunimos más de diez mil archivos de imágenes y de videos y empezamos a buscar cronológicamente. Empleamos varios días en aquella labor pero no encontramos nada.

Una semana después de repasar tanto en video como en fotografías, llegamos a un archivo de lo que se llamó la Zona de Distensión —donde habían tenido lugar conversaciones fallidas de la guerrilla con representantes del gobierno en búsqueda de la paz—, archivos de imágenes conocidas e imágenes inéditas y por fin en una que captaba la alineación de varios cabecillas al lado de Tirofijo, encontramos a uno parecido a nuestro objetivo. Ese tenía las características de Don Martín.

Reprodujimos aquella foto, tomamos la que nos enviaron los muchachos de Planadas, se imprimieron y se enviaron al laboratorio técnico de imágenes de la Dirección de Investigación Criminal y allá hicieron el estudio de los rasgos, para saber si correspondían o no. Toda la información que teníamos sería valorada.

A la vez, con estas gráficas hicimos lo mismo que con la fachada de la casa, y entrevistamos nuevamente al desmovilizado. A él le llevamos dos hojas con fotografías y de forma inmediata identificó la que le habían tomado los muchachos al objetivo.

Ya sabíamos que él era, sabíamos que se trataba de un guerrillero importante, que estuvo con Tirofijo, pero ¿cómo era
su nombre completo?

Nos comunicamos con los archivos de inteligencia de la
Zona de Distensión en el sur de Colombia y pedimos que nos
enviaran todo lo histórico de aquel lugar. Todo.

—¿Qué están buscando?

—Envíennos todo.

—No, pero es que son más de cincuenta CD y más de
trescientas hojas.

—Pues envíenlas.

Efectivamente, la información llegó en CD y en sobres.
Duramos un mes revisando los discos y no encontramos nada.
Luego empezamos a leer. En un escrito de aquellos hablaban
de una ceremonia de condecoración. Decía que el camarada
Manuel (Tirofijo) con su plana mayor había asistido a una reunión de condecoración. Lo acompañaban, tal y tal. Nombraba
a los de la foto de la fila que ya habíamos visto y el sexto fue
identificado.

Inmediatamente llamamos a Salomón:

—Ya tenemos el nombre.

—¿Cómo lo lograron?

Le contamos lo del desmovilizado, lo de la revisión de discos y textos, lo que habíamos confrontado, lo que dijeron los
de Planadas, la revisión de mil quinientos archivos en Word,
tantos en Power Point, tantos en los CD, y finalmente llegamos
al objetivo:

—Se llama ¡Martín **Sombra**!

En primer término el equipo especial hizo un análisis de todo lo que significaba aquel hombre. Esa fue realmente la primera fase de la operación: su historia, quién era, cómo era, de sus familiares quién vivía, ir hasta el pueblo y ver si la cédula era verdadera o no, ir a la Fiscalía General de la Nación para saber si tenía órdenes de captura o no, entrar en contacto con Asistencia Internacional para saber si tenía alguna circular roja de Interpol o no.

SALOMÓN (Oficial de Inteligencia)

Identificado aquel seudónimo llegamos pronto al nombre verdadero: Helí Mejía Mendoza, digamos, un hombre de la cúpula de las FARC, un antiguo guerrillero que ingresó cuando niño a las filas de lo que llamaron en los años cincuenta "los bandoleros liberales", cuyo nombre real era Autodefensas Liberales de la región de Rioblanco: "Época de la violencia", una guerra civil con sus oponentes políticos.

Su padre fue superior de Tirofijo.

Más tarde, luego de ser infiltrados por el Partido Comunista, estos campesinos crearon la guerrilla de las FARC y Martín Sombra reingresó al grupo.

Desde entonces tuvo, digamos, línea directa con los cabecillas de esa organización. Fue creador de varios frentes, hizo cursos de conducción de tropas y Estado Mayor de Frente, dirigió más tarde la toma a la base militar de Girasoles en la serranía de La Macarena, al suroriente de Bogotá, y a raíz de esa operación fue distinguido con la máxima condecoración creada por las FARC para el caso: la misma de la fotografía.

Más adelante fue jefe de varios frentes guerrilleros.

En el marco de la Zona de Distensión fue encargado de recibir y guardar el dinero que ingresaba por concepto de narcotráfico y a comienzos del milenio recibió la custodia de militares, policías, políticos y "contratistas" estadounidenses secuestrados.

Posteriormente fue enviado a diferentes ciudades del país en busca de una intervención quirúrgica que lo curara de una lesión severa en una de sus rodillas.

Justamente como un paso dentro de los seguimientos que realizamos en su búsqueda y localización durante cerca de tres años, nosotros tuvimos a una pareja de agentes en las extensas llanuras al oriente de los Andes. La muchacha tenía el nombre de Sara. En esa operación su compañero de misión se llamó Samuel.

Ellos salieron para los Llanos Orientales, y se instalaron primero en un poblado infestado de guerrilleros llamado La Cooperativa.

La chica llegó allí con la historia de que había tenido que huir con su esposo por problemas personales, y Saúl, el del camión —un auxiliador de la guerrilla para tres frentes de las FARC—, los insertó en la zona.

Sara es una patrullera inteligente y llena de imaginación, que empezó a hablar de lo que creía era la filosofía de la guerrilla y así fue logrando acceso a ese mundo, de manera que le permitieron internarse y luego instalarse en una finca muy cercana al campamento de la guerrilla, ya en la costa de la selva amazónica.

Eso nos trajo muchas historias. Por ejemplo, Sara y Samuel entraron una tarde a uno de los salones de billares del poblado en busca de lo que llamamos un buzón muerto, y se encontraron allí con un grupo de guerrilleros.

Samuel contó luego que entre ellos había uno apodado Pija, un sicario, un matón de las milicias de aquella zona que, de acuerdo con lo que habíamos podido establecer, era enviado a diferentes lugares a matar gente.

Bueno, pues el tal Pija comenzó a beber cerveza y a jugar, y como era el bravero del pueblo, los miró mal, sobre todo a Samuel, y de pronto, soltó al aire:

—Pues aquí entra mucha gente, pero muy poquitos salen.

Le clavó la mirada a Samuel y colocó su pistola encima de una mesa.

Decían que a Pija no le importaba nada matar a una persona. Disparaba por disparar. Desafortunadamente la pareja tenía que permanecer allí para entregar un mensaje y el trámite era inaplazable.

Bueno, pues finalmente lograron sortear la situación y hacer lo del buzón.

No puedo continuar sin contar primero la historia de Saúl, el del camión, aquel auxiliador de la guerrilla que terminó siendo la pieza clave para que Sara y Samuel se ubicaran en la zona de La Cooperativa, ese poblado perdido en los Llanos Orientales.

Esa historia comenzó en Arauca con Diana, una señora de unos sesenta años, cabello negro, una llanera maciza, fuerte, muy activa, muy despierta que por esas cosas de la vida terminó enrolada como colaboradora de las FARC a lo largo de la llanura: desde Arauca, al norte —frontera con Venezuela—, hasta el sur, en la región del Meta, a cientos de kilómetros por caminos y sendas de tierra.

Ella tuvo un hermano secuestrado por la guerrilla, solucionó el problema entregándoles sus pocos bienes, pero se enamoró de un cabecilla guerrillero, vivieron un romance y eso le abrió las puertas al mundo de los secuestradores.

Por ejemplo, allí conoció a un tal Granobles, hermano del Mono Jojoy —uno de los jefes importantes de aquella organización—, y con el tiempo eso le permitió convertirse en un buen contacto en aquellos inmensos territorios.

Obviamente que como era una mujer que trabajaba para ellos, mi acceso no podía ser directo y decirle de entrada: "Yo soy de Inteligencia de la Policía de Colombia. Necesito que me ayude".

En aquel momento teníamos una comisión en Arauca —tierra de la vieja Diana— y otra en el Meta —tierra de Saúl, el del camión— y empezamos por hacer un trabajo para conocer quién era la señora y cómo se movía, pues informes de Inteligencia señalaban que ella intervenía en algunas cosas de la guerrilla, algo que llamamos la parte logística: comida, ropa de camuflaje, combustibles, medicamentos, esas cosas…

Inicialmente supimos dónde vivía, la individualizamos perfectamente, verificamos qué antecedentes judiciales tenía, si tenía órdenes de captura pendientes, pero no. En ese sentido estaba limpia.

Una cosa particular es que ellos cuidan mucho a esa clase de personas. Las FARC se preocupan por que tengan una hoja de vida judicial en blanco para que no despierten suspicacias y puedan moverse libremente.

De hecho, Diana, la de Arauca, se movía sin ningún problema, pasaba por los puestos de control de la Policía y del Ejército en el área rural, porque, como ya lo habíamos establecido, ella entraba a los campamentos de algo llamado el Décimo Frente de las FARC para entrevistarse, por ejemplo, con un tal Misael, el segundo al mando, o con Arcesio, el principal de esa estructura, hombres importantes para el desarrollo del narcotráfico y, desde luego, de las finanzas de un sector de la guerrilla.

Pero también, ella hacía tareas para el Frente Veintisiete y por eso se movía hasta el Meta —la tierra de Saúl, el del camión— en funciones específicas: "Necesitamos a una persona que nos consiga celdas solares…".

Ella hacía los contactos y por lo tanto nunca transportaba las cosas personalmente, como sí sucedía con Saúl, quien más tarde nos ayudó con Sara y Samuel, la pareja del cuento.

Total, colocamos a una persona para que empezara a hacerle seguimientos a Diana, la de Arauca, a dónde iba, cuándo salía a llamar por teléfono, las relaciones con su novio —era una señora entrada en años pero tenía su tinieblo—, mirábamos qué hacían los hijos, uno pequeño y otro mayor, es decir, estudiamos bien la composición de la familia, sus propios movimientos, su situación económica, de manera que cuando ya teníamos la información suficiente, viajé a Arauca.

El contacto inicial con Diana lo hicimos de manera que pareciera inesperado. Yo pasé por su lado y dejé caer algunas cosas que llevaba en la mano, la señora tuvo que detenerse y me ayudó a recogerlas y, bueno, empezamos a hablar.

—Mire —le dije—, yo vengo de tal ciudad, estoy aquí comerciando con teléfonos celulares, con baterías…

Inmediatamente me gané su atención porque sabía que eso era lo que ella le movía a la guerrilla.

Después la volví a buscar. Otro encuentro fortuito:

—Hola, ¿cómo vamos? Camine, tomemos algo.

Pedimos un par de cervezas, volví a hablar de las cosas que yo vendía, y de pronto le dije:

—Yo sé que usted necesita dinero. Usted no ha pagado servicios de agua y electricidad, está debiendo esto y aquello —porque a pesar de que le mueven muchas cosas a la guerrilla los guerrilleros son desagradecidos con quienes les ayudan. Luego le dije—: Usted lleva dos meses sin pagar el colegio de su niño. Su hijo mayor lleva tanto de…

Ella me cortó:

—¿Usted quién es?

—No se preocupe, yo soy un amigo suyo, yo quiero ayudarle y vengo a ofrecerle un negocio.

Ella se puso nerviosa, empezó a temblar, yo nunca le dije que era de la Fuerza Pública sino que estaba interesado en los amigos con quienes ella tenía contacto.

—Es más: para que tenga confianza en mí, permítame, yo la pongo a hablar con alguien.

Fue muy particular. Arauca es un pueblo pequeño y todo el mundo ve con quién se reúne uno. Allá es muy difícil hacer un contacto con una fuente porque todo el mundo está pendiente de todo.

Le marqué a un guerrillero desmovilizado que había tenido una relación no amorosa pero sí muy cercana con ella.

Un guerrillero que había sido supremamente violento en Arauca, pero al parecer se dio cuenta de que estaba en un error y se desmovilizó: dejó las armas y pactó la paz con el Estado.

El teléfono comunicó, y se lo alcancé:

—Hable con su amigo —le dije.

—Pero ¿quién es?

—Hable con él —le repetí.

Cuando el tipo le habló y Diana le reconoció la voz, se quedó fría y empezó a respirar fuerte y a sudar. Ese tipo era perverso. Tenía fama en aquella región.

—¿Ahora sí me cree? —le pregunté—. Yo no vengo a hacerle nada malo. Vengo a ofrecerle un negocio. Usted necesita dinero, yo se lo puedo ofrecer, vengo a buscar información de su trabajo. Empezamos a hablar:

—Bueno, dígame.

—Yo sé que usted va con frecuencia al Meta y que usted me puede ayudar a llegar a un señor importante que está allá con Efreén…

—¡Martín! —exclamó la señora.

—Sí, claro. Necesito saber cómo llegar a él.

Desde luego esa conversación fue la última de varias reuniones, al final de las cuales ella aceptó:

—Mire, tengo a un amigo que les lleva alimentos, les lleva muchas cosas. Él viene mucho aquí a Arauca, yo me veo con él en mi casa o en Villavicencio en la casa de un familiar mío. Él está entrando frecuentemente a esa zona. A él lo quieren mucho, sobre todo porque tiene mucha ascendencia con John Cuarenta.

Estaba hablando de Saúl, el del camión.

Bueno, después de aquella reunión nos fuimos con ella hasta Villavicencio, la capital del Meta, el centro de actividades de Saúl.

Allí lo vimos de lejos una tarde. Pero hay una cosa particular: Diana, la de Arauca, nos hizo una presentación indirecta porque entre ellos se tienen mucho miedo: en las FARC todo mundo tiene miedo de todo mundo, "que si de pronto este me entrega...".

Diana me dijo entonces:

—Yo voy y me reúno con él, se lo muestro y luego le digo quién es él.

A partir de aquel momento empezamos a averiguar quién era el tal Saúl y comenzamos un trabajo también dispendioso, parecido al que se hizo con la vieja Diana.

Por ejemplo, comenzamos por tratar de establecer los movimientos que hacía, pero él se nos perdía cuando pasaba por Puerto Lleras, un pueblo en el centro del Llano.

O cuando llegaba a Villavicencio, tomaba un avión, se iba para Arauca y lo seguíamos hasta allá, pero una vez entraba al área rural del Décimo Frente de las FARC o se pasaba para Venezuela, perdíamos contacto con él.

Pero ya, por lo menos, sabíamos que...

—Tal día, a tal hora usted se fue en tal avión, en tal ruta, llegó con tal camisa, mire esta fotografía: ¿Se acuerda cuando lo paró el ejército? ¿Se acuerda cuando lo paró la policía? ¿Se acuerda cuando tal señor le preguntó por la hora?

Cuando empecé a mostrarle las cartas una a una me pareció que había palidecido un tanto.

Hacer el contacto con él fue, digamos, fortuito: a este hombre le gusta ver fútbol y tomar cerveza. Y como tiene algún dinero se va a lugares exclusivos y se instala frente a una pantalla gigante en Villavicencio.

Una tarde llegó a aquel lugar y yo me senté a su lado. A mí no me gusta el fútbol, pero me puse a gritar con el tipo… ¡Gooool!, y brinqué.

Claro, él se dio cuenta de que yo estaba ahí, pedí una cerveza para todos, me dio las gracias:

—¿Qué hubo?

—¿Qué tal?

Ya por lo menos nos identificábamos visualmente.

En adelante empezamos a tener encuentros ocasionales, yo pasaba por su lado y él me veía como diciendo "A este tipo lo he visto en algún lado", yo no le hablaba, pero sabía que cada vez me le hacía más familiar.

Eso tomó su tiempo. Mi base es Bogotá, pero cuando sabíamos que él iba para Villavicencio yo también me iba a hacer la tarea del gol, pues no podíamos quemar las condiciones que habíamos creado en diferentes zonas porque los muchachos de Inteligencia hacen el trabajo a cubierta, hacen verificaciones, hacen control…

Digamos que el hombre público y el de los encuentros con Saúl, el del camión, era yo. Los demás permanecían a cubierta. La cara de la operación era yo. Los muchachos construían toda la información, fotografías, seguimientos, esas cosas.

Por ejemplo, para saber que él se llamaba Saúl lo hicimos a través de un puesto de control del ejército. Los muchachos tenían contacto con un teniente que comandaba una base, y le dijeron:

—En tal carro va una persona, por favor identifíquela.

Ese día él iba con Diana, la mujer de Arauca, y el teniente hizo lo que nunca se hace: tomó los documentos de identidad y se apoyó en el mismo carro para escribir la información. Eso le llamó la atención a Saúl, pero nosotros queríamos que él se diera cuenta de que había un control.

Bueno, pues cuando estaban en esa tarea le tomamos fotografías desde lejos... No resulta común que el ejército o la policía se pongan a la tarea de anotar, tomen un radio, pidan antecedentes a la base...

—¿La cédula tal, a nombre de quién figura? ¿Tiene requerimiento de alguna autoridad?

—Sin novedad, le respondieron.

Queríamos que él notara muy bien que había algo irregular, algo que se salía de lo cotidiano en aquel momento.

Después, cuando empecé a hacer el contacto con él, fui sacando poco a poco cartas para que se diera cuenta —como se hizo con Diana, la de Arauca— que yo sabía mucho más de lo que él podía imaginar.

¿Cuándo me le presenté?

El tipo es seguidor de cualquier equipo de fútbol: le gustan Millonarios, Nacional y los de Europa.

Una de las tardes de fútbol me le acerqué: estaban transmitiendo un partido en Italia, hicieron un gol y esta vez también lo celebré, me quedé mirándolo unos segundos y vi que él se dijo: "Me parece conocido".

Empezamos a hablar, me le presenté:

—Yo manejo baterías, tal, tal, tal, yo me muevo en Bogotá, en Villavicencio, en Cúcuta, frontera con Venezuela, traigo equipos de Panamá, vendo teléfonos celulares en Ecuador, de manera que, lo que necesite, con mucho gusto.

Yo había hecho imprimir unas tarjetas con un teléfono, le di una y Saúl me dijo:

—A usted lo necesito.

Así seguimos conversando y más tarde, le dije:

—Yo sé que usted habla frecuentemente con John Cuarenta, (cabecilla del Frente Cuarenta y Tres). Usted es muy amigo de John.

—¿De cuál John?

—John Cuarenta.

—Yo no conozco a ese señor. ¿Quién es?

—Ese señor es el comandante de tal estructura, tal, tal —le hablé como si fuera guerrillero—. No se afane, hermano, yo soy amigo suyo. No se preocupe que estamos entre amigos… Mire, le vengo a proponer un negocio —y destapé mi primera carta: hace un mes usted estaba en tal lado y se fue en avión para tal ciudad. Hace una semana vino aquí a Villavicencio, se vio con tales personas, llevó tales cosas de Puerto Lleras, Llano adentro. Usted se fue a ver con Efreén y a llevarle una encomienda tal día.

El hombre estaba paralizado:

—¿Usted quién es? —me preguntó.

—Me llamo Salomón Rodríguez y soy una oportunidad para que usted se gane un dinero. Yo represento al Estado. Usted no necesita saber nada más de mí. Quiero negociar con usted. Me urge encontrar a un señor que usted conoce.

—¿Quién es?

—Martín Sombra

Se quedó callado. Es que a Sombra le tenían mucho miedo. Uno percibe ese miedo en la gente.

—¿Ustedes quieren a Martín? —preguntó—. Nunca lo van a poder agarrar.

—¿Por qué no?

—Porque él es imposible de capturar. Él se ha escapado de veintidós combates con el ejército y no tiene ni una sola herida. A él le han matado a todos los hombres y el único que ha salido ileso ha sido él.

—Nosotros estamos a lo bien y le aseguro que vamos a hacer un buen trabajo —le dije, pero el hombre no quería, no quería, y finalmente abrió la boca:

—Si quiere, dígame y yo le ayudo a ubicar a otras personas para que ustedes hagan la misma operación y los capturen, pero es que a Martín Sombra nadie lo puede pescar... Mire una cosa. Una cosa muy seria: Martín Sombra tiene pacto con el diablo. Cuando alguien trata de seguirlo, él se esfuma, se convierte en arbusto, se transforma en un animal, en un perro, en un cerdo... Por favor.

Diez días más tarde volví a Villavicencio a cumplir una cita con él. Allí alguien le prestaba un automóvil y esa tarde casualmente vi que estaba saliendo del vehículo y lo llamé por teléfono:

—Qué hay, hermano, ¿dónde anda?

—Voy saliendo para Acacías —dijo.

—Pero usted está en la ruta para Restrepo, en sentido contrario —le respondí.

—¿Cómo así? ¿Usted dónde está?

Después cuando nos vimos con él comprobé que ya estaba reclutado:

—Mire, hermano —me dijo—, por favor, créame, yo le estoy siendo fiel, yo le estoy trabajando, pero por favor, no me sigan más. Mire, me estoy muriendo de los nervios porque a donde voy siento que ustedes me están siguiendo.

Era su psicosis porque ya no tenían tanta gente como para hacer un control veinticuatro horas al día. En ese momento me impresionó una vez más ver cómo con algunos elementos de información podía ser controlada una persona.

Bueno, pues lo que él nos decía era lo que realmente estaba haciendo, a tal punto que se volvió ciento por ciento fidedigno en la información que me suministraba.

Para reforzar el reclutamiento de Saúl, como se llama esa fase, yo le decía:

—Mire esta foto.

Era la fotografía de cuando el teniente del ejército le estaba pidiendo la identificación al lado de un carro, y él respondió:

—Yo sí sabía que allí había algo raro porque anotaron el nombre de todos los que íbamos en ese campero.

Pero como yo no quería que supiera quiénes éramos nosotros, si Policía, Ejército o seguridad del Estado, entonces saqué otra fotografía en la que estaba en un puesto de control de la Policía. Entonces él quedó mucho más loco:

—Pero, hermano, dígame usted quién es. Usted con quién trabaja.

—No, hermano. Lo único que necesito es que usted sepa que yo estoy con el Estado y que soy una solución para que usted cambie su vida. No quiero que sepa nada más.

—No, es que usted me está arriesgando porque pone gente a que me vigile para saber qué hago cuando vengo a Villavicencio.

—Usted sabe que esta es una ciudad muy delicada y hay mucha gente que lo cuida a uno para saber si está hablando con la Fuerza Pública, pero tranquilo que aquí nadie me conoce. Nadie sabe que yo pertenezco a un organismo del Estado, entonces no se apure: somos amigos comunes y corrientes. Como le dije, yo soy un empresario, yo muevo elementos de comunicación y tengo cómo sostener mi imagen de comerciante.

Le fui bajando la prevención y sobre todo el miedo que a él le daba esa relación conmigo, porque temía que yo lo ubicara y que lo matara. Le dije:

—Tranquilo, no vamos a trabajar sobre John Cuarenta sino sobre Martín Sombra, de manera que por ese lado esté más tranquilo… Yo sé que Martín se encuentra en tal rincón, de La Cooperativa para adentro. Ayúdeme a ubicarlo. En ningún momento lo voy a poner en riesgo.

Empecé a darle unas pautas de trabajo sobre la seguridad personal, sobre las comunicaciones, sobre otros aspectos en una primera fase. Es que cuando uno está reclutando gente no falta el espía frustrado o sea el hombre que se arriesga mucho y por tanto se hace evidente. Por ejemplo, copiar los números de un teléfono sin que se los hayan dictado para traernos la información y alguien se da cuenta de lo que está haciendo. Eso puede ser un error fatal…

Le di las pautas y le dije:

—Todo lo vamos a hablar personalmente, anote mi número telefónico. Cuando me llame, mi nombre es Salomón. En la próxima venida a Villavicencio nos veremos. Tranquilo que yo sé cuándo va a venir usted, no se afane que cuando llegue yo lo contacto.

Así ocurrió, él me avisaba de sus viajes y yo le llegaba a diferentes lugares de la ciudad. Algunas veces iba en su camión, se detenía en algún semáforo, yo me bajaba del carro o de una moto y le tocaba en la ventanilla,

—¿Qué hubo, hermano?

Me subía con él y nos íbamos. Así lo mantenía loco. Nunca sabía por dónde llegaba yo, ni a qué hora, ni dónde lo iba a contactar.

Poco a poco él fue tomando confianza porque se dio cuenta de que nosotros éramos serios y muy exactos. Una de las peculiaridades que tenemos en Inteligencia es la puntualidad con las fuentes y no les prometemos miles de millones de pesos cuando una situación amerita diez, veinte. No pintamos pajaritos en el aire ni les mentimos. Les decimos:

—Nosotros estamos en condiciones de hacer esto y aquello: ¿Le sirve? ¿No le sirve?

—No.

—Entonces cuando tenga una información que nos pueda brindar y que usted se sienta bien con nosotros, la trabajamos.

No es bueno obligar a las personas a que colaboren porque eso afecta mucho la seguridad y la información.

Cuando empecé a explicarle, preguntó:

—¿Y qué gano yo con la entrega de Martín Sombra?

—Martín está en un segundo nivel. Es la clasificación que tiene el Ministerio de Defensa. Por él se pueden pagar hasta mil setecientos millones de pesos.

Cuando le dije "mil setecientos millones de pesos", a pesar de que él movía dinero, se le abrieron los ojos.

—Pero… ¿Eso sí lo pagan? —preguntó.

—Yo me he encargado durante bastante tiempo de formar parte de un comité en el Ministerio de Defensa que se encarga de pagar las recompensas y a fe que el Estado paga como dice. Obviamente que el comité evalúa la información, los resultados y con base en eso se paga. Pero se paga en estas condiciones: yo dinero por adelantado no le voy a dar a menos que necesite para el sostenimiento, el transporte, alguna cosa urgente… Le daré ese tipo de apoyos, pero no le voy a dar un millón de pesos por adelantado o diez millones. Eso no lo hacemos.

Le expliqué muy bien todo, le dije cuáles eran los procedimientos, cómo se pagaba… Él, por su parte, sabía que éramos puntuales y que lo teníamos muy bien controlado.

A esa altura contábamos con la fortuna de comprobar qué cosas sucedían del pueblo La Cooperativa hacia adentro del Llano. Diana, la mujer de Arauca, u otra persona nos las contaba y sabíamos cuando Saúl entraba y se iba a tal finca a encontrarse con Efreén, el cabecilla guerrillero.

Por ejemplo, supimos que en alguna oportunidad entró y se emborrachó, y yo luego le dije sin que mediara palabra:

—¿Se acuerda de la noche que usted se emborrachó y les llevaron unas muchachas de Puerto Lleras?

Él volvía a quedar loco. Loco. ¿Este hombre por qué sabe eso?, se debía preguntar, y me decía:

—Bueno, si usted tiene tanta gente, ¿por qué me toca a mí? Hermano, ¿por qué me buscó a mí? ¿Por qué no buscó a tanta gente que hay por ahí? ¿Por qué yo? Dios mío…

—Porque usted es la persona más madura, más seria, de manera que cuando yo le dé su dinero no se va a enloquecer gastándoselo y va a seguir trabajando allá… No espero que se termine este trabajo y usted se pierda. No. Necesito que usted siga con nosotros.

Realmente sabíamos que él no iba a perder la cabeza gastando el dinero, como sucedió una vez que pagamos doscientos millones de pesos a una gente y a la semana ya no tenían plata. La derrocharon en seis días. Luego los mataron.

Bueno, pues Saúl, el del camión, sigue trabajando allá y ahora tenemos determinado otro objetivo para actuar en otro frente y está haciendo también un buen trabajo: es metódico, no tiene prisa.

Porque esa es otra cosa: el trabajo de inteligencia es pausado, tiene sus tiempos, así como la guerrilla dice que ellos son atemporales, pues nosotros también.

Bueno, cuando estuvimos seguros de que este hombre era fiel con nosotros, cuando corroboramos que lo que nos estaba diciendo era cierto, le propusimos que nos ayudara a entrar a la zona del campamento guerrillero a una pareja de muchachos jóvenes, pero con miras a que se internaran más en la llanura, donde estaba uno de los puntos de descanso de la guerrilla.

El lugar que Saúl debía escoger tenía que ser punto de tránsito de Efreén, de Martín Sombra y de Pitufo, el segundo al mando. Se trata de un lugar que tiene la guerrilla para tomar trago, para escuchar música, para llevar mujeres.

Afortunadamente las cosas nos coincidieron porque una de las fincas aledañas a esa zona quedó desocupada, y él me dijo:

—Los voy a meter primero al poblado, pero un mes después o algo así, mientras Pitufo, el que maneja el dinero y las cosas de la cotidianidad de esa estructura, me da la entrada de los muchachos a la finca desocupada, los ubicaremos allá. Esa casa está muy cerca del anillo exterior de la guerrilla.

—Listo, hagamos eso —respondí.

Unos días después le presenté a Saúl, el del camión, a Sara y a Samuel, su marido, puesto que aquel iba a poner la cara por ellos ante la guerrilla. Efectivamente Saúl los introdujo en ese medio.

Saúl es un hombre muy suspicaz y por tanto lo prueba mucho a uno. En esa oportunidad me dijo:

—Estimo que usted no me va a quedar mal. Vamos al campamento y yo lo llevo para que vea qué es lo que hago por allá.

—Estoy listo, entremos.

Nos fuimos preparando porque eso no es tan fácil: se montó una barrera electrónica para seguridad mía. La operación debía durar un día y medio, es decir, entrada por salida.

Nos fuimos. Yo llevaba el cuento de que iba a ayudarle a introducir baterías y cosas de esas. En el sitio hasta donde entramos había una construcción, si se puede decir construcción: una habitación, una especie de cocina, todo a medio hacer con tablas burdas, un cuarto grande donde se reunían los guerrilleros, un cuarto pequeno para un mando medio y un baño para el cabecilla.

Pero así como cuando uno de policía ve a un delincuente encuentra que no mira a los ojos y uno dice "Esta persona tiene algo. Algo le pasa a ese tipo… Ese tipo es un bandido", ellos también desarrollan ese instinto.

Me acuerdo tanto, pues yo había entrado con Saúl y a él todo el mundo lo conocía y todo el mundo lo quería y nadie lo molestaba porque es amiguísimo de John Cuarenta, no nos requisaron a pesar de que yo llevaba un morral. Nadie miró el morral, nadie me tocó para saber si iba armado. Nada. Absolutamente nada.

Saúl entró a hablar con algunos de ellos y yo llegué hasta ese punto en aquella oportunidad. Eso al fin y al cabo me sirvió porque más tarde buscaríamos ingresar algunos elementos especiales.

En este primer viaje un guerrillero indígena empezó a mirarme y si yo me movía él se movía, y empezó a meterle el dedo al disparador del fusil. Eso es inquietante. Cuando vi que la cosa estaba tensa, me le fui y le dije:

—Hermano, usted tiene esa fornitura —el arnés que llamamos nosotros— muy vieja. ¿No necesita que se la cambie? Yo le consigo una nueva y usted me da una platica, no mucha pero yo le consigo algo bueno y nuevo, hermano. Porque eso está muy molido, muy viejo.

De una vez el muchacho bajó la guardia, y yo seguí hablando:

—No, pues yo vengo aquí con Saúl. Díganme qué necesitan y yo se lo traigo. Yo vengo dentro de un mes y medio, dos meses…

Y empezaron los guerrilleros:

—A mí tráigame tal cosa…

—A mí tal otra…

—A mí tal otra.

Saqué pluma y papel y comencé a hacer una lista y de paso me quité al tipo de encima, pero fue un momento tensionante, tensionante, porque, ¿qué? Le pegan un tiro a uno y muerto se queda.

Aquella vez fuimos en un campero pequeño porque, ante todo, Saúl quería probarme en el sentido de si yo era capaz de ir con él. Obviamente yo ya estaba seguro de que el tipo no me iba a entregar. Por eso fui.

Allí Saúl me dijo:

—Martín Sombra va a venir por plata porque Efreén no le está mandando y lo citó para que viniera personalmente, sobre todo porque el Mono Jojoy —*mono* le dicen en Colombia a quien tiene el cabello claro— está exigiendo que le entreguen los dineros al viejo.

De hecho, el Mono Jojoy giraba dinero para Martín y Efreén se quedaba con él. Como quien debía responder era Pitufo, el de las finanzas, Efreén le exigía silencio o de lo contrario lo mataba.

Bueno, resumiendo, supe que Martín Sombra iba a salir a un sitio accesible para Sara y Samuel.

Como decía, la primera entrada fue en un campero, llevamos las cosas pequeñas que se podían entrar: unas baterías para linterna, unas linternas, unas medias, bueno… Llevábamos también avituallamiento, pero no mucho. En esa oportunidad le encargaron a Saúl que llevara comida en mayor cantidad.

Poco a poco la información de la gente nos fue trazando un perfil de Martín Sombra. Casi todos los que hablaban de él decían que aquel hombre rezaba a las muchachas para que se acostaran con él, y Saúl, el del camión, les dijo a Sara y a Samuel:

—Tengan mucho cuidado porque Martín tiene pacto con el diablo.

La gente estaba convencida, pero absolutamente convencida de que Martín era un demonio y que la Fuerza Pública, a pesar de que le había hecho tanta operación, no lo había cogido porque él se convertía en muchas cosas… Y si le gustaba una muchacha terminaba acostándose con ella. Y si ella no le hacía caso, él la rezaba y le trastornaba la razón por un tiempo.

Contaban, por ejemplo, que una muchacha del poblado bajó al campamento donde estaba Martín y a él le gustó la niña. Le gustan mucho las jovencitas.

Entonces la niña con su ímpetu de juventud no le puso cuidado al viejo, gordo, barrigón, barbado, y a él no le gustó el asunto. Decían que la niña se quedó en el patio de la finca y Martín se fue hacia el monte, y desde allá empezó a mirarla, la rezó y luego se fue.

Después contaron que la niña de un momento a otro empezó a gritar y a correr como loca y partió dando voces por todo el patio y se fue desnudando y luego caminó hacia el monte, al lado contrario para donde salió Martín Sombra. Supuestamente ella perdió la razón y después la encontraron túmbila, como aturdida, pero ya le había pasado la locura.

Ese fue el preámbulo.

Una vez llegó Sara, le dijo:

—Cuando se vea con Martín, no lo vaya a hacer poner de mal genio. Llévele la corriente, pero, ojo que ese señor sabe embrujar a las mujeres y termina por acostarla.

SARA (Inteligencia)

Yo había realizado actividades de Inteligencia en las selvas del sur del país, en la Amazonia, también en el Pacífico, en el Caribe, como enfermera, como vendedora ambulante: relojes, teléfonos, antenas, y luego me enviaron a los Llanos Orientales.

En el Área de Operaciones de Inteligencia en Bogotá nos explicaron el trabajo que debíamos hacer. Sobre un mapa nos mostraron el sitio hasta el cuál debíamos penetrar: una zona de difícil acceso, porque según informaciones se trataba de un sector controlado por la guerrilla, y allí nadie podía entrar *porque sí*.

La idea inicial era mirar qué mecanismos podíamos implementar para poder llegar y ganar la confianza de la gente y una vez allá poder informar qué se estaba moviendo, cómo se estaba moviendo, qué clase de personas se veían y, desde luego, ubicar al objetivo principal que era un tal Martín Sombra.

La idea fue entrar con Samuel, otro agente de Inteligencia que hacía las veces de mi esposo. Nos dieron documentos, me quité los *brackets*, me teñí el cabello y fui bajando el perfil, porque una mujer con el pelo claro es posible que llame más la atención en aquellos lugares.

Nosotros creamos una historia sobre la vida de cada uno, porque en cualquier momento me iban a preguntar cómo se llamaban mis padres, donde estudié, dónde había trabajado y en qué, es decir, todos los antecedentes de mi vida, porque si Samuel era mi esposo tenía que conocerlos y lo mismo yo de sus cosas: cuántos años llevábamos viviendo, dónde nos habíamos casado, fotos del matrimonio...

De todas maneras, la idea era tratar de dejar las cosas sin detalles, de manera que él no tenía papá, nuestro matrimonio había sido difícil porque la familia mía no lo aceptaba y nos tocó casarnos a las escondidas. Por eso no teníamos fotografías.

Nosotros cuidamos mucho los detalles porque allí es donde uno cae. El libreto de cada uno tenía, qué se yo, veinte, veinticinco páginas, que aprendimos con puntos y comas, y repetíamos una y otra vez.

Terminadas las primeras dos semanas de preparación viajamos a Villavicencio donde nos presentaron a Saúl, que tenía un camión y nos iba a introducir a la zona.

Se trataba de alguien que haría el papel de familiar mío, que conocía las condiciones difíciles de nuestro matrimonio por aquello del rechazo de mi familia, que estábamos mal económicamente y que él nos había llevado para vincularnos a la zona y así permitirnos que consiguiéramos algún trabajo.

De todas maneras Saúl, el del camión, sabía que yo tenía la ideología de la guerrilla y siempre me había gustado ese cuento, porque yo le comenté que me gustaría irme para esa zona.

Entramos a Puerto Lleras y de allí seguimos a La Cooperativa, un poblado más pequeño y, como dicen, en el confín de la llanura, en el que la gente se acostumbra a vivir en malas condiciones.

Ellos, por ejemplo, tienen sus cultivos, sus cositas, algunas veces consiguen un dinerito y ese se queda en los salones de billar... El poblado son casuchas de madera y salones de billar. Los fines de semana la gente va a gastarse lo que tiene, y lo que no tiene también, en juego y en licor, de manera que cada vez están más hundidos en la pobreza. En sus casas no tienen nada, los pisos son de tierra y las cocinas de leña. Desde luego, fuera de huecos en el suelo, no conocen un sanitario...

A nosotros nos tocaba adoptar esa vida. Desde el primer instante comenzamos a mirar cómo podríamos, aparte de estar en el pueblo, entrar un poco más a la zona rural. Saúl, el del camión, habló de una finca a la que podíamos ir y arreglar y asear y tratar de vivir allí porque se trataba de un lugar abandonado.

En la casita hasta hacía unos meses había vivido una familia formada por la pareja, dos niños y una niña, pero resulta que los guerrilleros llegaron un día a llevarse a los niños para la guerrilla y el papá no accedió. Y como no accedió le mataron a los niños y lo dejaron solo con la niña.

Saúl nos contó que el guerrillero que había matado a los niños había ido una noche borracho a la casucha, había tratado de violar a la niña y el papá le dio una golpiza tremenda y ese día, del mismo miedo, este hombre agarró a su esposa y a su niña, huyeron desterrados y dejaron abandonada la finca.

Total, cuando nosotros llegamos encontramos una casita de tablas saqueada, no tenía puertas ni ventanas, la letrina estaba destruida, la cocina también, el piso de la habitación era tierra pisada como el de las casuchas del pueblo.

El lugar parecía tranquilo en medio de una llanura formada en aquella zona por colinas, digamos dunas, que se repetían en la distancia, y a unas dos cuadras de la casa una zona tupida de árboles. Cuando uno llega allí ve que se trata solamente de un bosque alargado de unos cien metros de fondo que allá llaman "mata de monte". Son los comienzos de la selva.

A veinte minutos de camino hacia el fondo de la planicie están las primeras construcciones en tablas que anteceden al campamento de la guerrilla: anillos de seguridad. Más allá se encuentran el campamento y, en otras áreas, laboratorios de procesamiento de cocaína, de manera que por el camino que pasa frente a la casita se mueven no solamente guerrilla sino traficantes y gente de la droga en camperos, camiones, cosas así.

Nosotros llegamos y tratamos de medio arreglar la casa porque la idea era que como estábamos económicamente mal, no teníamos cómo emprender una obra grande, aunque de Bogotá nos apoyaban para todo lo que necesitáramos, pues se trataba de todo menos de aguantar hambre ni necesidades.

Sin embargo, no podíamos dejar ver que teníamos dinero y una parte de nuestro trabajo era mantener el mismo perfil de los demás habitantes de la región, de manera que no podíamos conseguir una computadora portátil y comunicarnos vía Internet o algo así. Si algún día la guerrilla llegaba a entrar, lo que era muy seguro, nos iban a encontrar aquello y ese sería el final.

Yo tenía experiencia en antenas de celular, le di una idea a Samuel y él respondió:

—¡Perfecto!

Samuel es suboficial y en aquel sitio era como mi jefe; de todas maneras le expliqué cómo podríamos instalar una antena en un árbol o en algún sitio camuflado, porque necesitábamos tener alguna comunicación en caso de una emergencia.

No debería ser algo constante, diario o a cada rato, pero saber que si se presentaba algo importante podíamos acudir a eso.

Saúl, el del camión, nos trajo la antena y la camuflamos, y el teléfono lo escondimos, la batería a un lado, la tapa en otro, de manera que estuviera repartido en diferentes puntos.

Yendo un poco atrás, aún estábamos en el pueblo en las coordinaciones de nuestra operación y escogimos un buzón muerto en uno de los salones de billar. Una tarde entramos allí, nos sentamos y pedimos un par de cervezas, mientras recibíamos alguna seña o un mensaje importante.

Unos minutos después entraron unos guerrilleros, ocuparon una mesa, bebieron algo y comenzaron a jugar, pero uno de ellos me clavó los ojos, me miraba, me miraba y a Samuel, mi marido, lo miraba muy mal y empezó a decir cosas:

—Aquí entran muchos, pero casi nadie sale —y cosas así.

Samuel era moreno y se puso blanco, y yo le decía "Tranquilo, tranquilo".

Mi idea era aprovechar el contacto con el sujeto, pues no sabíamos en qué momento nos lo íbamos a volver a encontrar, y se trataba de no hacer enemistad con nadie. Pero con nadie. Eso es parte de nuestro trabajo, de manera que llegó un momento en el que Samuel me dijo: "Finjamos que estamos peleando y yo me largo".

—Perfecto.

Hicimos la pantomima varios minutos y al final le di un golpe en la cara:

—Váyase, lárguese de aquí que no lo quiero ver.

Él se fue. Me quedé allí callada con lagrimones en los ojos. El guerrillero, un tal Pija, el matasiete del lugar, estaba allí parado y yo me le acerqué un poco y dije en mi rabia de mujer:

—¿Qué tal? Con otra vieja.

Pija se me acercó:

—Ah, tranquila, todos los hombres no somos así. Tranquila, no se ponga en eso porque se amarga.

—Es que él es mi marido, ¿cómo es posible? Mire dónde estoy por él…

Mi cuento era que yo andaba en problemas económicos por culpa suya pues mi familia no lo aceptaba y yo me había venido con él…

—¿Cómo me va a hacer eso? —dije y guardé silencio.

—Venga, tomémonos una cerveza —dijo Pija.

Nos sentamos a beber con calma, y preciso, él comenzó preguntándome por qué estaba ahí, y yo le conté mi caso, le conté también que un familiar mío nos había traído, y que si la falta de oportunidades, y la injusticia social…

El tipo abría los ojos y yo hablaba, fingiendo que no sabía quién era él, pues en ese momento no estaba vestido como guerrillero.

Sin embargo, nosotros sabíamos perfectamente quién era el *man*, porque dentro de la preparación previa vimos áreas, ubicaciones, perfiles biográficos, estudiamos sus movimientos en la zona… En una palabra, nosotros ya teníamos muy buena información de inteligencia del sector porque la Policía de Colombia tiene una información amplia de la situación en cada punto del país, de manera que habíamos estudiado cuanto nos suministraron, memorizamos imágenes, nos grabamos caras…

En cuanto a Pija, nos habían dicho que era bueno ubicarlo y nosotros lo teníamos muy presente desde cuando llegamos.

El tipo se movía en una moto y una mañana bajé al pueblo a comprar algunas cosas y me pidió que le diera el número del teléfono. Le dije que no tenía. La verdad es que yo utilicé las escenas de aquella noche, pero el *man* nunca me invitó a nada. Al parecer yo no era su tipo, o no era la imagen de la mujer sumisa y obediente —¿qué tal?— que a ellos les gusta. Era como tal vez un coqueteo que nunca va a nada concreto. Siempre estuvimos en la misma situación.

Ya en la casa de tablas, a unos quince minutos del pueblo en campero, él algunas veces pasó por el frente y me saludó y así se fue haciendo cierta confianza:

—Mírela, tanto que lloró ese día y ahí está otra vez con él —me decía.

—Ah, pero así somos las mujeres —le respondía.

Después pasaban de largo, nos saludaban, nosotros les colaborábamos en algunas cosas, que bajáramos al pueblo a comprarles algo, que si teníamos algún medicamento y nosotros que sí, que claro… Nuestra idea fundamental era integrarnos.

Claro que tampoco los buscábamos para evitar que se preguntaran cuál era nuestro interés en ser tan agradables con ellos. Fueron pocas veces las que les ayudamos. Otras les decíamos que no podíamos porque estábamos ocupados, o algo así.

La casa era de madera y Samuel trabajaba en el arreglo, para que quedara por lo menos en las mínimas condiciones de orden y aseo y yo le ayudaba en algunos detalles.

Trabajando me cortaba las manos, me raspaba la piel, me comenzaron a salir callos en los dedos… Hoy aún conservo cicatrices de aquella época. Es que estuvimos más de medio año viviendo prácticamente a la intemperie.

En una mancha de bosque cercana habíamos hecho una pequeña letrina más decente que el hueco que encontramos, pero igual, seguíamos viviendo en condiciones críticas. Empezando porque yo era una mujer que casi nunca cocinaba y allá me tocaba hacerlo, no en una cocina sino sobre unas piedras y además, con leña.

Nosotros de todas maneras tratábamos de organizar nuestras vidas sin mostrar lujo. Por ejemplo, Samuel hizo una pequeña mesa para que yo pudiera de pronto apoyarme y no tener que agacharme tanto. El fogón para cocinar me lo puso más o menos alto… Se trataba de utilizar las cosas del medio.

Allá no hay agua potable, entonces buscamos campo adentro un sitio y abrimos un pozo hasta cuando brotó agua, pero era un líquido turbio. No había más y a mí me dio una infección en un oído. Quedé prácticamente sorda. A la larga aprovechamos la enfermedad para tomar una determinación importante.

Además me dieron hernias en la columna vertebral porque nosotros tratábamos de que nos vieran trabajando la tierra con una pala y otra herramienta y creo que esos malos esfuerzos fueron la causa. Pero todo buscaba que los guerrilleros nos vieran en actividad, nunca sin hacer nada, pues se suponía que veníamos de familias de trabajadores del campo. El no parecer urbanos nos ayudaba a ganar confianza.

Cocinábamos allí mismo. Fuera de la casa hicimos un fogón pequeño con ladrillos y piedras que encontramos por allí y como habíamos comprado algunas ollas y se veían nuevas, las golpeamos un tanto para darles apariencia de usadas y las rayamos con arena.

Habíamos comprado un colchón de inflar, pero igual no podíamos darnos ese lujo, y entonces por las noches teníamos que inflarlo con la boca y por las mañanas desinflarlo y guardarlo, de manera que si alguien entraba en la casa, veía que dormíamos en unas colchonetas feas, raídas, sucias, a las que les poníamos toldillos para protegernos contra las nubes de insectos. Una vez nos salió una tarántula grandísima. Él comenzó a tratar de matarla con un machete, pero por los mismos nervios no era capaz de golpearla, y le dije:

—Venga, yo le ayudo.

—No. A usted le puede pasar algo, váyase para allá.

Finalmente cogí una piedra, se la solté encima y la reventé.

Otro día encontré una culebra muerta… No, uno vivía con pánico en aquel medio, salvaje si se quiere para alguien acostumbrado a vivir en una ciudad.

Y de otro lado, con cualquier ruido, con cualquier ladrido de un perro nos timbrábamos. En fin, no pudimos nunca dormir en paz, nunca. Sin embargo, nos convenía estar ubicados en aquel punto. A los guerrilleros los podíamos ver en el pueblo hasta donde ellos bajan a descansar, pero lo nuestro era observarlos en plan de trabajo, de actividades de su oficio, en movimientos, en costumbres.

Más o menos a los seis meses de estar allí tuvimos una enorme sorpresa cuando supimos que Martín Sombra iba a llegar a la zona en cosa de una semana.

Nosotros informamos y la idea fue armar un operativo especial con un grupo de comandos antiterroristas y el primer paso, desde luego, fue introducir el armamento y esconderlo allí. Debíamos recibir a seis comandos para hacer un asalto al campamento guerrillero y capturar al objetivo.

Como teníamos el apoyo de Saúl, el del camión, que supuestamente era familiar mío, y como era tan amigo de los cabecillas de los frentes Primero y Dieciséis, podía transitar libremente por la zona sin que nadie mirara qué llevaba en el vehículo. Entonces en un ingreso de comida él llevó los fusiles y los equipos de los seis comandos, más dos fusiles y arreos para mí y para mi pareja.

Era una situación muy tensa, muy difícil saber que teníamos ese pequeño arsenal allí guardado, si pensábamos que era arriesgado, incluso tener un simple colchón de inflar.

SALOMÓN (Oficial de Inteligencia)

Una mañana partimos con la comida que había pedido la guerrilla. Saúl cargó el camión, él mismo lo manejó, cosa que no era habitual, y partimos.

El camión llevaba oculta una caja en la que acomodamos ocho fusiles, los arreos, granadas, es decir, el material para los comandos. La caja no era muy grande de manera que cabía muy bien, y encima de ella, sobre el planchón del carro, cargamos la comida y quedó bien camuflada.

Llegamos al lugar por la noche, bajamos el armamento y los complementos, Sara y Samuel los recibieron, no entré a la casa, continuamos y a siete minutos de allí nos esperaba una comisión de las FARC.

Seis guerrilleros se encargaron de bajar la comida en plena llanura, porque ellos no permiten que alguien ingrese hasta los campamentos. Cuando nos recibieron eran más o menos las once de la noche. Descargaron, Saúl saludó a algunos muchachos que lo conocían y regresamos.

SARA (Inteligencia)

Bueno, de todas maneras mientras el armamento estuvo allí escondido no sucedió nada, nosotros lo camuflamos realmente bien, que no se notara algo sospechoso, y ya.

Como teníamos aparte un gallinero, de verdad bastante feo, armado con palos y astillas, allí precisamente guardamos el armamento aprovechando, entre otras cosas, que el lugar no olía bien. ¿Quién iba a imaginar que dentro de un criadero de pollos en esas condiciones había un pequeño arsenal?

Después, la idea era mirar cómo íbamos a esconder a los muchachos del comando. Nosotros habíamos advertido que tenían que ir llegando a la casa uno a uno: más de dos hombres al tiempo era ostensible.

Empezamos a observar en qué horarios no se veía gente por allí para que ellos pudieran moverse con más confianza. Desde luego, nos cuidamos de anunciar que en cualquier momento llegaría un familiar porque, de todas maneras ya me tenían confianza. Ahora nos conocíamos con Pija desde aquella tarde en el salón de billares y sonaba entonces natural que yo de pronto pudiera invitar a algún amigo. Pensaba que ya la confianza me daba para eso. Pero igual, la consigna era tener la suficiente imaginación para lograr que nadie los viera.

SALOMÓN (Oficial de Inteligencia)

Salimos con los seis muchachos en el camión hasta llegar a la zona de la casa ocupada por Sara y Samuel. Pero como por allí cruza una senda para vehículos pues se trata de una zona de mucho comercio, en puntos determinados ellos se iban bajando del carro y como tenían las coordenadas de la casa caminaban de a uno en uno hasta llegar al punto donde los esperaban Sara o Samuel.

SARA (Inteligencia)

Cuando ya estuvieron allá los comandos, como primera medida, se abstuvieron de hablar y de hacer movimientos, ruidos, dejarse ver a través de la puerta o el par de ventanas…

Como yo cocinaba en el fogón habitualmente para dos personas y ahora tenía que hacerlo para ocho, tuvimos que armar otro más pequeño adentro y, claro, la casita se llenaba de humo.

El baño estaba entre la casa y el galpón de las gallinas con un pequeño espacio descubierto en medio de los dos, de manera que para ir allí tocaba salir y volver a entrar. Entonces hicimos un hueco a través de las tablas que los separaban y lo disimulamos con algunas latas que se podían quitar y poner para evitar el paso al baño por el exterior.

Una vez instalados los comandos en la casa, yo les preparaba el almuerzo, y ellos callados, coordinaban la manera como iban a moverse durante el asalto. Eran reuniones importantes porque cada uno tenía su misión: uno era el francotirador, otro el de las comunicaciones, otro el enfermero… Cada uno juega un papel en esas operaciones, pero nuestro cuento era cómo manejar cada detalle para que no los vieran. Una mañana empezamos a observar movimiento de guerrilleros. Ellos normalmente pasaban por allí, pero esta vez eran bastantes, y Samuel me dijo:

—Sara, ¿qué está sucediendo?

—No lo sé. Voy a salir y hablar con ellos para enterarme. Son demasiados.

"¿Será que nos detectaron y nos están rodeando?", pensé, y empecé a mirar por dónde iba a partir en caso de emergencia, pues sentía que todo había terminado para nosotros. Sin embargo, tomé fuerzas y reaccioné.

Arreglé mi fusil, lo dejé en un sitio donde lo pudiera coger fácilmente, y salí calmada, tranquila, pensando que una persona nerviosa es una alarma.

Ellos ya me decían camarada.

—Ah, ¿qué hubo, camarada? Lo que sucede es que parece haber mucho movimiento de ejército y nos estamos alistando.

Fueron diez minutos, creo yo, en los cuales pensé: "Nos detectaron, nos están rodeando y nosotros no somos sino ocho. ¿Qué vamos a hacer?".

Por la noche se sintieron combates en la distancia.

Bueno, pues nos tocó deshacer el ejercicio porque por los mismos movimientos de tropa y por todo lo que pasó ese día, ya Martín Sombra no bajó. Tuvimos que esperar a que Saúl volviera a entrar con el camión un par de veces para evacuar a los comandos y su armamento. Lo importante era que se había podido entrar y se había podido salir de allí sin ningún sobresalto.

Bueno, finalmente el objetivo llegó al campamento guerrillero. La idea de que nosotros entráramos allá surgió cuando Inteligencia supo que Martín Sombra se encontraba en aquellos territorios y confirmó que sí se hallaba lesionado en una pierna y estaban buscando la manera de hacerle una cirugía en cualquier ciudad cercana, pero que se mantenía con la gente del Frente

Veintisiete con Efreén, aunque la responsabilidad directa recaía en Pitufo, el segundo cabecilla.

Saúl, el del camión, iba algunas veces en plan de ayudarnos, pero muy pronto nos dimos cuenta de que Martín Sombra estaba en el campamento y que caminaba mucho porque tenía la orden médica de adelgazar antes de la cirugía y un buen día cruzó por el frente de nuestra casa y miró con insistencia pero, al parecer, resolvió no acercarse.

Esta era la tercera vez que lo veía, pero no me había atrevido a abordarlo. ¿Por qué? Ahora pienso que a lo mejor se me salió aquello de ser mujer y de lo del pacto con el diablo y la acostada a la fuerza, o por lo menos, bajo cierto estado de inconsciencia, de manera que es posible que el temor me hubiera hecho arrugar el alma.

El *man* andaba con bastante gente a su lado, lo que quería decir que se trataba de una ficha importante y los demás eran su escolta.

Pero resulta que unos días más tarde me encontraba en el pueblo visitando el buzón y comprando algo de mercado, arroz, papa, yuca, siempre lo mismo, pues la idea tampoco era mostrar que teníamos para comprar carne todos los días, y algunas veces Saúl me ayudaba a llevar las cosas, especialmente porque ya sentía el resultado de las lesiones en la columna vertebral.

Ese día justamente Martín Sombra se encontraba allí con un grupo de amigos y nosotros pasamos con Saúl y cuando él lo vio, me dijo:

—Camine le presento a este camarada para que él sepa que usted está por estos lados, que usted es mi familiar, y que…

Saúl era muy importante. Sin él no hubiéramos tenido las relaciones ni conocido a las personas que conocimos allá. O de pronto las hubiéramos podido contactar, pero entonces hubiéramos generado desconfianza. Lo cierto es que mi pariente le contó a Martín Sombra la historia de Samuel, mi marido, y el de mi familia, y Martín me dijo:

—Venga, hijita, ¿qué quiere tomar?

—No, gracias —le respondí pues continuaba muy precavida con él por aquello de la rezada a las mujeres y todas esas especulaciones, y pensé: "Nooo, Dios mío, a lo mejor no es fanfarronería de la gente ignorante. Qué miedo".

Yo tengo una táctica para que me crean lo que digo, entre otras cosas miro fijamente a los ojos, pero resulta que ese día no era capaz de hacerlo. Me vencía el temor, pensaba que me podría hacer algún embrujo, de manera que no me le acercaba, y cuando me tocó darle la mano, ay, Dios mío.

Yo no creo en espantos pero se trataba de una convicción general y todo el mundo murmuraba tanto de su amistad con el Diablo, de su fuerza satánica, que había terminado por dejarme influenciar.

Bueno, finalmente le conté cómo era mi situación, le dije que allá en esa casita estábamos hacía unos meses, que el lugar me gustaba, me hacía sentir bien lejos de las ciudades, y luego me le fui metiendo por el lado de las ideas comunistas o *mamertas*, como decimos en Colombia.

—La ideología de las FARC es algo que me ha llamado la atención desde cuando era pequeña, pero a pesar de que he leído algo sobre eso, no entiendo muy bien la parte política. Entonces me gustaría que usted fuera como mi profesor, que me hablara de todo aquello, que me encarrilara más en el tema.

Abrió más los ojos. Pensó unos segundos. Escupió:

—Bueno, mija, para eso sería bueno que usted se fuera para el monte con nosotros. Allá se hacen cursos, se hacen prácticas, allá les damos clases, a mí me gusta mucho enseñar, porque yo desde niño, desde que nací he estado en esto. Esta es mi convicción…

Cuando me preguntó por qué no me iba para el monte le respondí:

—No, es que yo ya tengo mi compromiso aquí. De pronto más adelante. Ahora la idea es estar en este sitio, conocer un poco más…

Bueno, me le salí por el lado del compromiso… Aunque mi esposo me apoyaba en mis ideas, a él le faltaba convicción, pero aún así me apoyaba y también le parecía bien que yo continuara con mi cuento de la izquierda.

Martín estaba silencioso. Me miraba fijamente. Quería saber quién era yo, qué pensaba y qué estaba haciendo allí. Ese día no hablamos nada más. La idea no era quedarme con ellos en aquel momento sino lograr el primer contacto con Sombra y que él me conociera y escuchara mi cuento. Creo que ese día le quedé en la mente, porque me vio dos veces más y ambas me saludó muy amable.

La segunda vez fue una mañana cuando cruzó por la senda frente a la casita, se me acercó y empezó a dar pasos de felino. Eso ya uno lo conoce de memoria. Decía que yo era una mujer muy linda, que esto, que lo otro. Hablaba en tono poético: "Esas miradas…". Hablaba, no como cuando un *man* le suelta a uno los perros normalmente, sino como más pausado, como más cursi, como si estuviera recitando alguna poesía: "El encanto de la luna…, sus ojos…".

Desemboqué inmediatamente en el tema de la revolución, de la pobreza, de la diferencia de clases y claro, lo bajé de la luna de un golpe porque cambió inmediatamente y vi que había clavado los pies en el suelo y me miraba a la cara, ya no como un *tumbalocas*, sino, de verdad, como un revolucionario.

Alguien me había dicho que el tipo era el único revolucionario que quedaba en el país, y me parecía que sí: es que escuchaba con atención. Dejaba pausas antes de hablar y entonces, ya no más el encanto de la luna, ni los ojos como dos luceros. ¡Al carajo ese cuento!

—Camarada: el enemigo directo de los proletarios del campo como ustedes…

Me parece que terminó por verme como un prospecto de alumna y con una buena dosis de discursos, a lo mejor como un buen cuadro de su revolución.

—Me gustaría que me utilizaran en la parte urbana —le dije luego—, en aquello de reclutar masas porque soy buena para convencer a la gente. Ustedes me dan las pautas…

Ese día quedamos como a la espera del adoctrinamiento que en realidad nunca llegó porque muy poco después tuvimos información de que planeaban moverlo de allí en busca de la clínica con todas las seguridades que no habían podido encontrar hasta ahora.

En aquel punto, la idea fue planear cómo teníamos que salir de allí, porque a esa altura, se suponía que ya deberíamos estar adaptados a aquel rincón del Llano, o por lo menos, queríamos que la gente pensara que nos estábamos integrando.

En aquella zona se movía una guerrillera que sabía cositas de enfermería y ella pasaba de vez en cuando a mirarme el oído, porque lo de la hernia discal en la columna vine a saberlo después. En aquel momento estaba concentrada en el dolor de la espalda. Algunas veces me quedaba tiesa, sin movimiento y cuando pasaba por allí, la mujer me daba analgésicos.

Un día me examinó el oído y me dijo:

—Eso también está muy, muy mal.

A esa altura yo ya no escuchaba. Si estaba de espaldas y alguien me llamaba, no lo oía. Era como tener un algodón que me tapaba el oído. El asunto era que no me dolía, o me dolía de vez en cuando, o sentía algunas explosiones internas, y una tarde ella le dijo a Samuel:

—A esta muchacha hay que sacarla para que le revisen ese oído o si no va a perder la audición. Y lo de la espalda, no sé… Puede ser algo más complicado.

Esa fue nuestra gran oportunidad, porque supuestamente yo salí a que me viera el médico. Salimos los dos. Dejamos allá todo lo que de pronto habíamos arreglado o habíamos conseguido. Dejamos seis meses de trabajo al cabo de los cuales ya teníamos algunas cositas: lo de la cocina, un par de camitas, cosas muy sencillas. Todo lo dejamos allá. Nos fuimos con un poco de ropa. Salimos y ya nunca volvimos a entrar.

¿En qué pensaba entonces? En que ahora todo era muy diferente. En un principio detectamos que nos estaban vigilando. Una vez en el pueblo descubrí a un señor mirándome fijamente, siguiendo mis movimientos sin pestañear, volviendo la cara cuando yo lo miraba… Es que el primer mes estuvimos en constante acecho por parte de ellos: observaban qué hacíamos, con quién hablábamos, cómo nos comportábamos, y por supuesto a uno le queda la psicosis de que siempre va a ser así.

Sin embargo, a partir del primer mes yo nunca más vi a nadie, ni sentí a nadie que me estuviera mirando, pero igual seguí con aquella sensación.

Mire, aquí en la ciudad todavía camino por algún lado y siempre estoy pendiente de que alguien me esté vigilando.

Por eso, cuando salimos de allá y llegamos a Villavicencio, que es la primera ciudad que se encuentra en el camino hacia Bogotá, yo traía paranoia, pensaba que alguien nos seguía, calculando que nos íbamos a escapar.

En Villavicencio nos quedamos una noche en un pequeño hotel, pero no dormimos por la tensión. Nosotros teníamos dinero para pagar un sitio mejor, pero nos alojamos allí para continuar de alguna manera con nuestro perfil, calculando que nos vigilaban.

Al día siguiente partimos para Bogotá. Teníamos instrucciones de no llegar a nuestra base, de manera que sólo a los dos días fuimos allí y empezamos con el relato de nuestro trabajo. Nos confirmaron que nuestra salida obedecía a que Martín Sombra se había movido de zona y que era perdido seguir allí arriesgándonos.

OFICIAL

Cuando ellos salieron estaban irreconocibles. Ambos con las manos ampolladas como cualquier peón, flacos, la piel quemada…

SALOMÓN (Oficial de Inteligencia)

Cada día sabíamos más y más sobre nuestro objetivo.

Sabíamos también —eso ya lo había dicho— que en lo que se llamó Zona de Distensión —esa área de miles de kilómetros despejados por las fuerzas del gobierno para un proyecto de diálogos de paz con las FARC— Sombra fue el encargado de guardar el dinero que ingresaba por concepto de narcotráfico. Eso dejaba entrever dos cosas: una, su relación directa con cabecillas representativos y emblemáticos como Tirofijo, Timochenco o el Mono Jojoy, y dos: confirmaba la confianza que le brindaba la cúpula guerrillera.

Estando en esa labor, contrataba gente para que contara el dinero, pero llegó el momento en que no daban abasto y empezaron a pesar las cargas de billetes y luego obtener su equivalente en dólares o en pesos.

A comienzos del milenio recibió la custodia de los secuestrados y más tarde le dieron la instrucción de formar parte del Frente Veintisiete en los Llanos Orientales, por la edad y por sus condiciones físicas, ahora disminuidas.

¿Qué había sucedido? Martín se hallaba en su campamento en la selva y se presentó una operación intempestiva: el ejército asaltaba el lugar.

En la escapada lo tenían muy presionado y como él era tan gordo, saltó al fondo de una cañada y se lastimó la rodilla derecha. Desde ese momento no quedó bien de aquella pierna.

En el Frente Veintisiete donde el cabecilla era el tal Efreén… Hay una cosa particular: a donde llegaba, Martín Sombra asumía el mando por más cabecilla que tuviera el Frente que fuera. ¿Por qué? Por su autoridad y por la importancia que él revestía, de manera que todos le obedecían. Martín Sombra era un mito dentro de las FARC.

Obviamente a un tipo con el perfil de Efreén eso de un bandido narcotraficante no le gustaba, y la llegada de Martín le cayó como anillo porque el médico le dijo:

—Usted tiene que ir a operarse esa pierna, porque de lo contrario se la va a terminar de lastimar y el daño va a ser irreversible. Pero como usted está tan gordo yo no lo puedo intervenir. Haga una dieta, adelgace y retírese del monte mientras baja de peso. Con una recuperación de seis meses usted va a quedar en buenas condiciones para regresar a la selva.

Le informaron aquello al Mono Jojoy y él ordenó que le pusieran todo lo que necesitara para que saliera a la ciudad y se mantuviera como un rey en los cascos urbanos mientras lograba adelgazar. Entre tanto, estaban determinando dónde se efectuaría la cirugía, si en Colombia o en un país vecino.

Se supo también que a raíz de aquel anuncio, Martín empezó a adelgazar, pero llevaba una vida licenciosa y alcohólica. Obviamente con las nuevas medidas de seguridad creía que bajaba el perfil y se movía mucho y así le dio a Efreén oportunidad de sacarlo del medio.

Una vez que nuestras áreas de Producción e Inteligencia habían hecho lo suyo, empezamos a estructurar los nuevos pasos de la operación. Ya teníamos elementos compendiados a través de la historia que conocíamos y comenzamos a buscar nuevas fuentes humanas.

Acudimos a guerrilleros desmovilizados, a personas desterradas de las áreas de las cuales sabíamos que habían salido por acción de la guerrilla, ubicamos residentes de la Zona de Distensión donde Martín presionaba muy fuertemente a la gente. A él no le gustaba que le tomaran fotografías, y sobre todo a los profesores los trataba mal porque tenía la idea fija de que su trabajo consistía en entorpecer la mente del pueblo para evitar un movimiento revolucionario.

Buscamos también guerrilleros capturados para que nos contaran muchas más historias y de la mano del área de Producción lo que íbamos a hacer era construir un perfil de este individuo para profundizar más en cuáles eran sus energías y sus debilidades, sobre todo calculando cómo podíamos fortalecer la parte judicial de su caso.

Es que si no tenemos un mandato para capturar a la persona por más perversa que sea, no la podemos poner en manos de la justicia. Entonces, también trabajamos mucho en ese sentido.

Adicionalmente nos fuimos introduciendo en el campo de los Departamentos de Policía en diferentes partes del país, para conseguir más fuentes humanas en cada sitio, de manera que se determinó establecer unas condiciones especiales en áreas por las cuales calculábamos con buenas bases que se iba a mover en adelante.

Ya en la parte operacional éramos veinticinco hombres y se establecieron comisiones permanentes en Arauca, Casanare y Meta —en los Llanos Orientales—, y Cundinamarca y Boyacá —en el centro del país.

Es que, de acuerdo con la dinámica de lo que venía ocurriendo, vislumbramos que a partir de los problemas de salud debería moverse más o menos en torno a la capital del país y en esas zonas ubicamos a una comisión volante de agentes de Inteligencia.

Dentro de aquellas actividades empezamos a conocer a mucha gente en los sitios donde nos hablaban de guerrilleros que habían tenido contacto con Martín Sombra.

Mire, este trabajo es de tiempo largo. De gran paciencia. De cuidar detalles aparentemente inverosímiles. Un ejemplo es la manera como finalmente localizaron a Abimael Guzmán en el Perú: establecida el área donde parecía encontrarse, barrieron calle por calle, incluso revisando de forma minuciosa las canecas de la basura.

Una película muestra cómo los investigadores van y revuelcan los desechos y encuentran dentro de una caneca, por ejemplo, los restos de un cigarrillo que solamente fuma Abimael. Y hallaron empaques de unos medicamentos que solamente él utiliza.

Obviamente eso no le sirve a la Policía Judicial porque un fiscal no le va a decir a un reo "lo condeno por fumar tal marca, o por usar tales camisas". Pero para nosotros esa información es sumamente valiosa porque nos orienta. Al encontrar aquellos elementos, los hombres de Inteligencia del Perú dijeron: "Aquí tiene que estar Guzmán", como en efecto sucedió.

Volviendo a la historia, dentro de nuestro trabajo supimos de la existencia de un hombre en Bogotá que recibía gente, digamos, de cierto nivel dentro de la guerrilla, cabecillas de cuadrilla, cabecillas de los frentes, cabecillas de su Estado Mayor, si lo podemos llamar así, de manera que si algún mando importante tenía que salir, este se encargaba de recibirlo y llevarlo a algún lugar específico, por ejemplo, para que lo atendieran los médicos.

Este hombre finalmente vino a jugar un papel determinante: era un verdadero bandido que, entre otras cosas, trabajaba para las FARC en la capital.

El problema era controlar su casa, pues vivía en un barrio muy intrincado, con áreas de pequeños comercios en las cuales todos se conocían con todos, con áreas menos concurridas por las que se movían unos pocos, ya controladas por el bandido y su gente. Allí, al final de una calle cerrada por un espacio un poco más amplio, digamos, una pequeña plazoleta o algo así, estaba la casa del bandido. En aquella área no podíamos operar de forma normal.

De allí surgió la idea de crear un personaje que se insertara silencioso y lograra integrarse a la zona sin despertar sospechas. Finalmente ese personaje fue un indigente vicioso, tal vez alcoholizado, que aquí llaman con crueldad "un desechable".

Desde luego, se trataba de preparar a un muchacho que fuera tomando la fisonomía de alguien descuidado, desaliñado, el pelo largo, sin peinarse, sin bañarse, sin afeitarse, sucio, las uñas negras, oliendo muy mal, muy mal.

Los hombres que trabajan en la sección de Caracterización en nuestro servicio, por ejemplo, le pidieron que usara Boxer —un pegante— en las manos para que se le percudieran mucho más de lo normal, que dejara que la cara se le fuera cubriendo por verdaderas costras de mugre, la ropa debía ser de verdadero vagabundo…

El proceso buscaba su transformación total, de manera que si alguien se detenía a mirarlo, cosa improbable, no encontrara por ninguna parte un milímetro de aseo o de detalles de un corte de cabello… La ropa, además de raída, tenía que estar absolutamente sucia y desde luego, lo más maloliente posible. Luego hicimos unas pruebas con él.

Una vez transformado, Caracterización lo insertó en un sector ocupado por indigentes y viciosos donde comenzó a moverse con cautela y digamos, a hacer un entrenamiento previo a la operación. No podíamos infiltrarlo de lleno en aquel barrio porque era sumamente peligroso teniendo en cuenta que el bandido, por ser bandido tenía que ser muy habilidoso y de un gran recorrido criminal, por lo cual podría detectar al muchacho, un estupendo policía.

Durante el tiempo que tomó aquella caracterización realizamos pruebas como la de traerlo cerca del edificio de Inteligencia y hacerlo pedir dinero en las vías aledañas. Cuando sabíamos que por algún punto de aquellos iban a cruzar oficiales que lo conocían, él se acercaba a sus automóviles, pedía una moneda y ni los mismos oficiales lograban identificarlo. Una mañana se detuvo en un semáforo su propio comandante, el muchacho se cruzó por frente al carro, hizo lo necesario para que se fijara en él, y el comandante no lo reconoció.

La idea era que si el delincuente común era tan importante en los bajos mundos y que si Martín Sombra también era muy importante en los otros bajos mundos de la subversión, tenía que llegar a donde el bandido, quien lo recibiría en su propia casa o lo albergaría en algún lugar que pudiéramos controlar. Ubicar al muchacho cerca del bandido era vital.

El paso siguiente fue empezar a que el muchacho se fuera insertando, poco a poco hasta lograr localizarse en aquel rincón tan limitado donde vivía el bandido, pidiendo limosna, desde luego, durmiendo en el suelo, hablando con él mismo durante las mañanas y por las tardes y al comienzo de las noches. Ese trabajo lo fue haciendo de la periferia hacia adentro.

Resultado inicial: al cabo de las primeras semanas, cuando la gente lo veía por allí, ya no le parecía algo extraordinario. En la zona llegó a verse normal observar a aquel desechable que al comienzo dormía debajo de un puente, o que se dejaba caer por las noches en el piso de algún espacio más amplio en las aceras, o finalmente debajo de una lámpara del alumbrado público.

Él tenía un pequeño equipo de comunicación tan camuflado y, si se quiere, tan protegido por su mal olor, que si se aventuraban a registrarlo, no lo fueran a encontrar. Luego, cuando llegó el momento determinado le montamos una cámara táctica para que filmara aquellos lugares.

Obviamente el bandido tenía gente de su seguridad que en un comienzo se acercó, alguno de ellos le dio patadas, otro le golpeó la cabeza:

—¿Usted qué hace aquí?, ñero hijueputa.

A pesar de su olor apestoso trataron de registrarlo para ver qué llevaba encima, pero el pequeño equipo de comunicación no era perceptible y lo único que le encontraron fue basura que llevaba en parte de la ropa, el pegante Boxer —que, además es característico de los vagabundos porque con él *se traban* cuando lo inhalan— y, claro, también le encontraron aquellas capas de mugre que lo cubrían de pies a cabeza.

—Este desechable hijueputa huele a porquería, váyase de aquí, ñero malparido —le decía la gente del bandido, luego lo empujaban, algunas veces lo golpearon, pero muy pronto él se hizo parte del entorno y dejaron de maltratarlo.

Poco tiempo después se había integrado tanto que terminó haciéndose conocer por los mismos bandidos a quienes llegó a ofrecerles sus servicios:

—Ñero —le dijo una tarde al más matón—, si se mueve algo raro en esta calle, yo les aviso. Vamos pa'esa, ñero.

En esa forma empezó a facilitársele mucho más el trabajo cotidiano, que por lo menos nos permitió establecer que, efectivamente, el bandido movía muchas cosas, movía droga, desde luego, algunas veces comerciaba con partes de carros robados, mucha gente lo buscaba porque era un contacto clave. Incluso, pudimos determinar que había personas de lo que llaman el Bloque Oriental de las FARC que iban a hacer coordinaciones personalmente con él.

Lo complicado es que uno puede saber que una persona que viene de la guerrilla a la ciudad, efectivamente es guerrillero porque lo tenemos identificado en nuestros archivos, pero si no hay orden judicial no podemos hacer absolutamente nada.

Nuestras actividades tenían lugar en el área rural y en la urbana luego de confirmar plenamente que el bandido era una de las personas claves para recibir a cabecillas y mandos medios de las FARC.

En este país, la guerrilla se apoya en la delincuencia común para moverse, pues les resulta mucho más rentable, mucho más práctico, por ejemplo, no secuestrar ellos directamente sino comprar secuestrados. En ese sentido, el bandido se movía en algo similar a una red internacional del delito, lo que determinó que siguiéramos haciendo controles sobre él.

Se trataba de un tipo hábil, desligado de lo que llaman el menudeo, es decir, hacer las cosas directamente, porque como capo tiene una legión de hombres, mujeres y niños que trabajan para él. En un comienzo no pudimos llevarlo ante la justicia porque teníamos otras prioridades —Martín Sombra— pero luego lo logramos con base en las confesiones de varios de sus cómplices.

VAGABUNDO (Inteligencia)

Se trataba de convertirme en un indigente o desechable, como les dicen a las personas que andan por los basureros, por ciertas zonas de vicio y de hampa como una calle que fue historia en el centro de la ciudad, la calle del Cartucho.

Ese era el mundo de los vagabundos que duermen a la intemperie, se traban aspirando Boxer, el pegante que yo me untaba en las manos algunos días, o fumando marihuana, robando, violando. Lo más difícil al entrar en ese mundo es acostumbrarse a la suciedad, pero mucho más al desprecio de la gente. Por eso les dicen desechables: parece que no existieran para nadie, nadie los mira, la gente siente asco cuando se le acercan… Y el mal olor a toda hora: la ropa parece de cartón por la costra de mugre… ¿Usted conoce el engrudo con que pegan cosas? Así es el pelo: engrudo, pero con… No sigamos, ñero.

El trabajo comenzó cuando el analista tuvo conocimiento de que la actividad rural y el resto de las actividades de Inteligencia que se estaban desplegando indicaban que Martín Sombra no se hallaba ya en la provincia y que posiblemente iba a ubicarse en un barrio, como dicen, en las goteras de Bogotá.

Parecía extraño, era difícil de creer que un cabecilla de ese nivel estuviera en la zona urbana. Es que todas las informaciones que veníamos manejando y todo el compendio de datos sobre él indicaban que estaba liderando un grupo especial de las FARC que tenía como función principal cuidar secuestrados de alto nivel: se hablaba en ese caso de Íngrid Betancourt, de militares y policías y de tres "contratistas" estadounidenses en manos de la guerrilla.

El cuento es que me asignaron la tarea de estudiar primero el rincón de un barrio, un punto ideal para esconderse porque en pocos metros se podía controlar lo que sucediera a cada metro, y yo tenía que comenzar como por experimentar lo que pasaba de día y lo que pasaba de noche en el último rincón de una calle ciega.

Para ese trabajo no pudimos utilizar un equipo elemental pues el lugar no lo permitía: era un barrio muy encerrado, muy lleno de gentes, de mucho comerciante pequeño con la costumbre de conocerse todos con todos y eso nos obligaba a imaginarnos algo que no despertara sospecha pero que nos permitiera hacer un trabajo eficiente, digamos, a corto plazo.

En otras palabras, en ese rincón no se podían realizar actividades de inteligencia abiertas y por tanto tenían que entrar, por mucho, dos personas. Luego se determinó que allí debía ir una sola. Se trataba de mantener controlada las veinticuatro horas del día una casa determinada.

El estudio previo del lugar nos mostró varias posibilidades para entrar al lugar como, por ejemplo, comerciante, pero los que había por allí no lo permitían y eso planteaba entrar a la fuerza y se trataba de todo menos de eso; otra, como un habitante común y corriente, pero las casas estaban más que ocupadas, muchas veces hasta con dos parejas por habitación, y ni modo de alquilar un rincón por allí, de manera que la mejor fórmula resultó hacerlo como vagabundo, porque observamos muchos indigentes en las calles y eso nos llevaba a desempeñar el papel de algo más o menos común en el sector.

Otra salida era utilizar como fachada un grupo de taxis, pero salía muy costoso y a ciencia cierta no se sabía si en verdad nos iba a arrojar algún tipo de información valiosa.

¿Cómo fue el trabajo previo? Dentro de mi rol como hombre de Inteligencia me costaba mucho trabajo cambiarme a la personalidad de vagabundo, y lo primero que hicieron los jefes fue entrar en contacto con un psicólogo y a la vez con un sociólogo que nos orientaran un poco. Ahí comenzó el esfuerzo para perfilar al personaje.

El sociólogo me decía, por ejemplo, que una de las situaciones más trascendentales para las cuales me debía preparar era al rechazo de la gente. Rechazo total. Lógicamente yo no estaba acostumbrado a eso por mi mismo trabajo, pero hizo mucho énfasis en la preparación psicológica.

El psicólogo barajó inicialmente una serie de situaciones como que no me afanara, que pensara que sólo iba a durar un tiempo muy corto, un abrir y cerrar de ojos de mi vida haciendo ese papel... Bueno, pues a la hora de la verdad fue un papel que se convirtió en una eternidad, porque el cuento duró unos cuatro meses y medio, desde el día que dejé de bañarme el cuerpo y afeitarme.

También me dijo que tenía que prepararme para los problemas que se me iban a presentar con mi familia, "por lo cual tenía que interiorizar el comportamiento, el funcionar, la actitud y el lenguaje de los indigentes", eso en cristiano quería decir, integrarme totalmente al mundo de los vagabundos comenzando por la suciedad, el mal olor, hablar con sus términos, agarrar el mismo acento, las reacciones, los gestos...

No había tanto tiempo para dejarme crecer el pelo y fue necesario utilizar una fachada, fabricando una peluca con cabello de verdad.

Inicialmente me había colocado una peluca, pero no... Se notaba lo artificial, se veía claramente sobrepuesta y por eso comenzamos a ir a las peluquerías a buscar especialmente cabello de mujer y a unirlo con un pegamento especial que tienen en la sala de caracterización de la Dirección de Inteligencia.

El encargado del trabajo que sabe de estas cosas, porque además de haber estudiado tiene una gran experiencia, comenzó a unir el cabello recolectado y armó finalmente lo que se buscaba.

Lógicamente sometieron la peluca a una especie de baño con cualquier cantidad de porquerías y además de tierra y aceite, para que adquiriera la forma del pelo de los rastas.

La cabellera fue tal vez lo principal dentro de aquella caracterización, porque para determinar el tiempo que esas personas llevan en la calle en una condición física ya degradante, el largo es como un reloj. Como un calendario. Un indigente no se concibe con un pelo corto porque desentona, deja ver lo falso del personaje y se trataba, precisamente de no generar la mínima sospecha.

A la calle del Cartucho entramos al comienzo con la fachada de trabajadores sociales buscando compenetrarnos con sus sistemas, con sus costumbres, con sus actitudes y poder comenzar a adquirir el lenguaje, el significado de las palabras según el acento con que se dijeran, cómo les llaman a las armas, cómo le llaman al vicio, cómo le llaman a la marihuana, al bazuco, al crack, al pegante Boxer, a una serie de sustancias alucinógenas, digamos, de batalla, porque, ni modo que allí tuvieran con qué comprar lo que "meten" en los clubes. Toda una terminología que tuve que comenzar a estudiar, a interiorizar, a aprender, a pronunciar practicándola a toda hora. Ese fue otro proceso.

En ese trabajo duramos dos meses… ¿Un abrir y cerrar de ojos?, pero mientras tanto nos llegó la información de algo que llamamos Control Técnico sobre la casa y el barrio, según la cuál aún existía la posibilidad de que llegara Martín Sombra. En ese momento la personalidad del indigente o desechable era definitiva.

Cuando ya tuvimos la seguridad de que me podía mover como mi personaje se tomó la decisión de conseguir las herramientas: el vestuario, el ajuste en mi parte familiar, porque lógicamente duré mucho tiempo sin ir a mi casa… La verdad es que me tocó vivir días y noches en la calle, mientras la familia desconocía qué actividad estaba realizando. Por reserva nuestra y por protocolo no podemos comentar con nadie particularidades de nuestro trabajo.

Bueno, pues finalmente me vi enfrentado a la realidad, porque hasta ese momento yo mantenía la esperanza de que —según los controles que se estaban realizando— ya no fuera necesario lo del vagabundo, pero igual, cada día que pasaba me estaba preparando para aquella situación.

Hasta ese momento en el fondo estaba y no estaba seguro de lo del vagabundo. ¿Por qué? Porque a ciencia cierta sabía que tendría que dormir en la calle en una ciudad tan fría por las noches como Bogotá, sabía que tenía que ir a aquel barrio y que tal vez muy pocas veces iba a encontrarme con compañeros que me podrían apoyar llevándome comida o ropa vieja, como realmente resultó.

¿Por qué no se podía realizar el trabajo solamente con una vigilancia mediante "línea de vista" durante ocho, diez horas? Pues porque la idea era que aquel lugar estuviera vigilado las veinticuatro horas.

Si sometíamos a un grupo a realizar esa actividad, muy posiblemente la rutina y una serie de situaciones terminarían poniéndonos en evidencia o haciéndonos perder detalles y cosas puntuales que nos indicaran con exactitud qué semana o qué día o a qué hora iba a llegar el objetivo, cómo iba a llegar, vestido de qué. ¿Solo o con escoltas? ¿Con una mujer?… Por eso era fundamental trabajar de día y de noche.

Cuando ya me caractericé, cuando definitivamente tomé la decisión, me llevaron a la Escuela de Carabineros, entramos a donde están los caballos, tuve que pasar por una brecha, arrastrarme sobre el barro con residuos de los animales, y tal.

La ropa que llevaba era la que tiraban los vagabundos de la calle del Cartucho y yo había comenzado a usarla sin que la lavaran primero.

Bueno, pues todo se fue facilitando porque con tanto tiempo sin bañarme, ya había comenzado a adquirir los olores normales de una persona que lleva semanas en la suciedad.

Incluso, me tocaba en ciertos momentos —porque yo mismo lo veía necesario— orinarme en la ropa para que adquiriera con más perfección las características que se necesitaban.

Con el paso de los días ya la misma ropa y mi mismo olor comenzaron a fortalecer el olor de mi ambiente natural. Esa fue toda una travesía… Es decir, algo más que una aventura.

Así tuve la oportunidad de entender qué es la indigencia y qué es lo que de verdad puede vivir una persona de aquellas, y créame que no es nada fácil. Sentir el rechazo de la sociedad y sentirse como lo peor, y como el estorbo, y sentirlo y vivirlo a través de todas las personas a las que uno trata de acercarse y de las cuales posiblemente le gustaría siquiera recibir un saludo… Eso generó una serie de situaciones en mi mente que obligaron a madurar, a reflexionar, a interiorizar cantidades de facetas que se viven hoy en la sociedad…

Algo que me pareció curioso fue una señora que, desde cuando me vio por primera vez, me hizo una mirada que me llamó mucho la atención. Con el tiempo vi que no se había comido del todo el cuento de mi papel, hasta que un día me preguntó:

—¿Y usted?

No le respondí.

Es la señora María, dueña de un restaurante llamado La Casona, que al poco tiempo empezó a darme sobrantes de comida después de la hora del almuerzo: claro, comida fría en un tarro con los bordes oxidados, cosas mezcladas tal como iban cayendo al fondo después de sacudir allí cada plato, pero, bueno, al fin y al cabo, comida; y al fin y al cabo parte importante de mi papel, porque en ese momento, ya lo mío era hacer un buen personaje, como dicen los teatreros.

El restaurante estaba situado a una distancia perfecta del objetivo, ni muy cerca, ni tampoco lejos, y eso me permitía tenerlo en la mira de forma permanente sin hacer ningún esfuerzo y saber cuándo entraba o salía alguien de aquella casa, y cómo era esa persona, cómo caminaba, cómo iba vestida, más o menos en qué plan podía andar…

Lo tedioso era que el objetivo presentaba muy poco movimiento. Al parecer allí no vivía mucha gente, fuera de dos personas de aproximadamente unos treinta y cinco, cuarenta años que algunos días salían y entraban, otros no.

Eso me cansaba, porque estar mirando un punto durante todo el día y toda la noche, sin tener la posibilidad de ver por lo menos un movimiento que me diera la esperanza de que posiblemente allí sucedería algo, y que lo que yo estaba haciendo podía arrojar algo productivo, podría desmoralizarme si no me metía bien en la cabeza cuál era mi verdadero trabajo: un hombre de Inteligencia. Pero al mismo tiempo tenía como la energía o la vitalidad o la fuerza que me daban confianza para continuar allí y no irme por la línea fácil de decirle un día a mi jefe: "Allí no hay nada".

Eso fue complicado, porque, al fin y al cabo, la situación me llevaba, especialmente a las madrugadas, a tener la idea de que realmente allí no sucedía nada. Es que transcurrió otro mes, luego dos meses y nada de nada y nada de nada, pero a mí me habían enseñado, al fin y al cabo, que nuestro trabajo es largo, es de paciencia: ahí está parte del secreto.

A la vez, las informaciones de la zona rural que enviaban otros agentes de Inteligencia, indicaban que el personaje sí iba a llegar a aquel sitio, pero que había situaciones, movimientos de guerrilla y otras cosas que Martín Sombra estaba cuadrando para que en el momento en que tuviera oportunidad de salir para llegar a esta casa, lo haría, y lógicamente ellos tenían que hacer lo mismo que yo: esperar. Y Martín Sombra me imagino que andaba en lo mismo: esperando.

Bueno, a todas estas, otra tarde la señora María me volvió a decir un par de palabras que me parecieron extrañas, en el sentido de que alguien me había hablado por fin, pero que me hicieron volver a creer que yo sí era una persona normal: seguía sin creer del todo que yo era un indigente genuino. Es que fue tanta la fijación y la interiorización de lo que era el rechazo de la sociedad, que creo que nunca llegué a acostumbrarme. O haciendo un esfuerzo, me traté de adaptar y fui entendiendo lo que significaba el desprecio, hasta el punto que ya, de verdad, me comportaba como un desechable, más allá de la satisfacción de estar manejando un papel bien representado, porque precisamente en eso consistía mi trabajo.

Esa tarde la señora María me llevó la comida a la puerta y me dijo:

—A mí se me hace extraño, pero usted no parece que fuera indigente. ¿Sabe una cosa? De verdad es extraño. Usted tiene algo raro, pero… No me parece… Aunque, a veces pienso que tal vez sí… ¿O tal vez no? En todo caso le voy a regalar la comida. Pase también después del desayuno y después de que se haya ido la gente que viene a comer. Yo le doy un bocado.

Eso de las tres comidas me dio la posibilidad de estar cerca del objetivo con menos necesidades, pero me cuidé de no incomodarla quedándome cerca de la puerta del restaurante y continué en la acera del frente, desde donde también podía vigilar bien la entrada a la casa.

El sector era el único punto de comercio en esa cuadra medio solitaria la mayor parte del día y yo tenía en cuenta no causarle problemas por mi imagen. Pero aquel era un punto estratégico para mí.

De ahí hacia el centro del barrio, a partir de la cuadra siguiente había varios negocios, se movían algunos vendedores ambulantes, llegaban de pronto algunas camionetas trayendo mercancías, zona, digamos que bastante comercial, en donde se movía uno que otro indigente.

Ahora, ¿qué fue lo complicado de mi papel? ¿O de mi fachada, como decimos nosotros?

Las noches.

Mi jefe me preguntaba cómo dormía, dónde dormía… Eso fue realmente una aventura severa, ruda.

Esa es una historia que yo nunca jamás voy a olvidar: ubicarme y dormir prácticamente tres meses al lado de un poste donde, en las madrugadas yo me untaba el dedo con saliva y lo levantaba para saber hacia donde soplaba el viento y según la dirección que llevara, trataba de cubrirme con el poste.

En aquella cuadra venteaba bastante y pronto me enviaron una segunda frazada. ¿Qué hacía yo? Mis compañeros iban hasta allá a auxiliarme y a pedirme información… En esos casos me retiraba unos minutos del lugar pensando, sin embargo, que en esas pausas podría suceder algo en la casa.

Me retiraba y a las cuatro y treinta y cinco minutos de la mañana regresaba un servicio especial, a una hora específica y en un punto determinado. Un punto hasta donde podía retirarme unos cinco, seis minutos como máximo.

Un mes y veinte días después comenzó a atacarme la tos, me comencé a enfermar, a sentir la garganta congestionada, el pecho se me había constipado mucho, dejé de fumar… En mi vida normal yo fumo y dejar de hacerlo fue muy difícil porque el cigarrillo era como el refugio que encontraba en ciertos momentos, pero había comenzado a fumar más de lo normal y ya con el frío y el sereno, con el paso de las noches me resentí.

Eso se lo manifesté a mi jefe en un papel a través de los agentes de las cobijas, pero, igual, las informaciones que recibía cada día iban siendo más certeras y más sólidas y más veraces indicando que en un noventa y cinco por ciento Martín Sombra iba a llegar a aquel punto.

A los dos meses y diez días, cuando ya sentía que la situación se había puesto muy tesa, que tendría que venir otra persona a reemplazarme, especialmente por la rudeza de las noches, y en segundo lugar por algo muy duro que nadie puede imaginarse, como es el rechazo de la gente, me mandaron un mensaje que decía que tuviera esperanza, pues en el transcurso de los siguientes seis días iba a llegar el objetivo.

Eso me dio moral. "Lo que va a llegar es el producto del esfuerzo y de la fe en mi trabajo", pensaba, y del aguante, porque además de todo, se presentaban una serie de situaciones, especialmente por las noches. Es que no eran solamente el frío, la incomodidad, el dolor físico; era defenderme de los viajes que me pegaban los bandidos; una noche fue un violador que tuvo que regresar sin el único par de dientes que traía en la pianola, como decimos los ñeros.

Yendo atrás, cuando ya me llegó ese papel y me dieron la esperanza de que podríamos materializar de forma positiva aquel trabajo, comenzó a moverse el mundo: al tercer día llegaron a la casa seis personas que me parecieron sospechosas desde cuando dieron los primeros pasos. Primero fueron cuatro, al día siguiente una y al día y medio, otra.

Cuando me vieron, inicialmente intentaron requisarme, me golpearon pero luego desistieron, primero por el olor y segundo por el rechazo que generaba este personaje. Así calculé que estaba por llegar el objetivo. Luego, cuando comenzaron a hacer cosas de guardaespaldas y de observadores de lo que sucedía en esa cuadra me lo confirmaron.

Lo curioso es que mantenían una disciplina de vigilancia frente a la casa: salían tres, se ubicaban en la esquina, iban al restaurante de la señora, me miraban, comían, se paraban en la otra esquina, miraban puerta, ventana por ventana, parecía que olfatearan las paredes…

Me pareció especial porque ellos, definitivamente, habían llegado a la casa y se presume que deberían haber permanecido adentro. Sus características físicas indicaban que posiblemente fueran guerrilleros. ¿Por qué? Por la forma de moverse, por la forma de actuar, la forma de vestir, la forma rutinaria y particular de manejar horarios y disciplinas exactas en cuanto a salir a las esquinas y observar hacia todos los puntos cardinales, recorrer la vista de los techos hasta los pisos una vez y otra, pero a la vez su aire campechano.

Otra cosa curiosa era que quienes trabajan en la parte urbana siempre cumplen un horario en una empresa, o por lo regular si están en vacaciones anda uno por un lado y otro por otro, pero allí siempre había tres en cada turno. Y otra cosa rara: se cruzaban entre ellos, sin mirarse, sin decirse una sola palabra, unos autómatas. Sin embargo, no logré descubrir cuál era el que mandaba, o quién era el cabecilla del grupo.

El problema comenzó cuando ellos empezaron a verme muy de seguido frente al restaurante y le preguntaron entonces a la señora María cuánto tiempo llevaba yo allí.

La señora me hizo el comentario. Yo le había dicho que me llamaba Rodolfo:

—Yo soy Rodolfo pero no me acuerdo qué otros apellidos tengo porque la verdad es que estoy consumido en la droga.

—¿Pero usted no se acuerda de otro nombre?

—Yo soy Rodolfo, lo único que me acuerdo es que era psicólogo.

A partir de allí comenzó una especie de empatía con ella.

El primer día la señora me entregó la comida en una bolsa y la bolsa dentro de una olla rota; me acuerdo mucho porque aquella fue otra experiencia difícil: comer sobrados. Eso fue mortal para mí, pero tenía que hacerlo porque debían verme manejando labaza. Es que era eso: labaza.

Al fin y al cabo, mi trabajo no solamente consistía en guardar una apariencia, sino en comportarme e interiorizar que realmente era un vagabundo y debía hacer todo lo que hacen los vagabundos: comer sobrados, orinarse en la ropa, abrir las bolsas de la basura, de manera que no diera lugar a despertar una sospecha, ni entre la gente ni mucho menos ante los vigilantes de esa casa.

Aquel día la señora me dijo:

—Hay unas personas que están preguntando quién es usted.

—¿Quiénes?

—No, pues una gente, esos señores…

En mis adentros tomé la decisión de trabarles conversación y cuando llegaron a las seis de la tarde a comer los esperé y al salir uno le dijo a otro: "Carlos, mira al tipo", y me hablaron:

—¿Qué hay, loquito, qué está haciendo?

—Aquí esperando comer algo porque estoy llevado y tal, y no le he visto la cara a una papa en todo el día.

El tipo me tiró un billete de mil pesos. Lo recogí, le agradecí y ahí comenzó como una conexión con ellos. Empezamos a cambiar palabras y algunas veces me daban algunas monedas. Para mi eso fue positivo porque habían visto que yo no era una persona que pudiera presentarles problemas.

Al tirarme el billete de mil pesos, entendí que estaban completamente convencidos de que yo era un indigente y no una persona de Inteligencia. Es que parte de lo que ellos miraban alrededor les inspiraba desconfianza, pero también tenían al frente a una persona que permanecía veinticuatro horas allí clavada.

Se lo hice saber a mis jefes. Ellos eran uno de los puentes que tenía a mi alcance para poder proyectar lo que se estaba dando en el día a día en la vida rutinaria de esa casa.

Las instrucciones que me dieron claras y precisas eran que no hablara mucho con la gente de aquella vivienda porque algo se me podía salir, algo podía yo comentar, algo podía insinuar o un término normal se me podía escapar, o de pronto el acento se desdibujaba y ese sería un principio de desconfianza.

Un poco después me hicieron llegar un dispositivo adaptado para filmar y grabar. Era algo diminuto que me ajustaron en una chaqueta que olía horrible: la habían embadurnado con Diablo Rojo, una sustancia que se usa para destapar cañerías, de manera que la prenda rechazara cualquier intento de esculcada. Cuando me la entregaron, me parecía imposible aguantar el olor… Eso me comenzó a afectar los bronquios.

La chaqueta tenía en uno de los botones una cámara más pequeña que la cabeza de una tachuela y dentro de ella un punto diminuto de color rojo: un señalador en miniatura. Eso me daba la oportunidad de filmar con alta resolución.

La sorpresa fue cuando una mañana a las cuatro y treinta y cinco me entregaron un mensaje:

"El personaje llegará hoy".

Le pedí a Dios que fuera verdad porque ya estaba llegando a mis límites. En aquel momento llevábamos dos meses y veinte días. Todavía recuerdo aquella madrugada: una hoja cuadriculada blanca, escrita con letras azules. Me acuerdo como si hubiera sido ayer. Entonces, dije:

—Dios, dame fortaleza para poder aguantar y que llegue este señor y que mi trabajo se vea recompensado.

¿Cómo comprobé unas horas después que realmente iba a llegar? Cruzó una camioneta de nuestro grupo y, claro: "Es hoy".

Eran las once y treinta y cinco de la mañana porque me hice al frente del restaurante y le dije a una mesera:

—Ñera, regáleme la hora.

Ella me miró levantando la cara:

—Las once-y-treinta-y-cinco, ¿bien?

Después de la camioneta comencé a ver uno que otro movimiento de gente de Inteligencia muy esporádico. La casa tenía terraza y en ciertos momentos uno de los guardias se ubicaba allí y miraba hacia el final de la calle y parecía detallar a quienes pasaban, a quienes se movían, así fuera al comienzo de la cuadra siguiente. Los tipos eran tan, cómo decir, tan quisquillosos, que incluso, hablaban con la Policía. En la esquina hacían detener el carro patrulla ordinario y trababan conversación con los ocupantes.

A eso de las dos y cuarenta minutos según el reloj de la señora María, pasó una camioneta roja con un compañero mío. Cuando lo vi, él me miró y dijo con señas:

—Ya lo tenemos controlado. Ya viene.

Entendí que ya tenían una información puntual.

A eso de las cuatro y media de la tarde vi que se acercaba una persona, pero apoyándome en las características físicas que tenía de Martín Sombra hice comparaciones y realmente el personaje no se me hacía parecido a nadie.

"No creo que ese sea Martín", pensé, pero sin embargo, me llamó la atención que cojeaba. No mucho, pero cojeaba. Un caminado como cuando le incomoda a uno la rodilla y trata de cuidarla.

Había llegado de forma desprevenida en un taxi, bajó tres maletas, lo miré mejor pero en las fotografías tenía bigote y ahora no; tenía más cabello y ahora no. Tenía sí más entradas en la frente, era más canoso y tal vez lo vi más bajo de lo que lo describían, y ahora pensé: "Pero si en los archivos dice uno setenta y algo de estatura" y yo veía a una persona más o menos de uno sesenta y ocho, uno sesenta y seis… "No puedo creer que sea él".

Llegó en un taxi Atos, se bajó, se bajó también el conductor y le ayudó a descargar las maletas… Lo que sí me causó curiosidad fue que en el momento en que él llegó, golpeó la puerta y casi inmediatamente reaccionaron en el tercer piso y los escoltas bajaron apresurados, recibieron las maletas, lo hicieron entrar, no lo abrazaron pero sí le dieron un saludo de respeto. Eso despertó en mí la duda, pero sin embargo, ese mismo día no confirmé: no estaba absolutamente seguro.

Yo sabía que si buscaba algún canal de comunicación o una llamada en lugar de dejar que transcurriera el tiempo hasta las cuatro y treinta y cinco de la mañana siguiente, era anticiparme mucho. Esperé.

El suspenso duró tres días. En aquellas madrugadas los papeles que me entregaban mis compañeros preguntaban qué sucedía, que si había llegado, que si no había llegado, porque, tanto las informaciones en manos de Inteligencia como las de la parte técnica indicaban que él estaba ahí, y posiblemente como producto del seguimiento que comencé a realizarle a las salidas y entradas de aquel hombre, empecé a pensar que... Que sí. Que era muy posible que se tratara de Martín Sombra.

Luego tuve la idea de pedirle a Inteligencia que vinieran y tomaran fotografías de una manera más práctica, pero hasta no estar absolutamente seguro, no lo hice.

¿En qué momento entendí que era él? Primero, porque salía muy poco; segundo, porque se asomaba por la terraza, duraba dos, tres minutos y se quitaba de allí; tercero, porque solamente salía a las seis de la tarde y caminaba hasta el restaurante de la señora María, y cuarto, porque las seis personas sólo iban a la hora del desayuno y del almuerzo y le llevaban la comida en una olla. "¿Por qué sale tan poco? —me preguntaba—. ¿En verdad es él?".

Al tercer día tomé la decisión y a las cuatro y treinta y cinco de la madrugada siguiente les dije a mis compañeros:

—Pienso que Martín Sombra está en la casa.

Habían entrado licor algunas veces, y la segunda tarde llegaron unas muchachas muy buenas, con pinta de universitarias, tal vez de modelitos de la televisión. A esas las llaman "prepagos": Algunas veces son escogidas en álbumes fotográficos y después las matronas que las manejan dicen el precio de la visita. Uno las conoce a cuadras, especialmente porque la mayoría tienen una delgadez anoréxica, usan ropa fina, cinturitas apretadas, senitos parados de vez en cuando. Otras veces planos, pero, de todas maneras, mujeres buenas y jóvenes… La verdad, dos eran atractivas y la tercera una gorda, con pinta de… ¿Cómo dicen los viejos? …De cabaretera. Esa debía ser la matrona que cobraba el dinero, se quedaba con buena parte y el resto se lo entregaba a las muchachas.

En esa oportunidad, las chicas y la gorda duraron tres días sin salir de la casa.

En adelante se desencadenaron otra serie de situaciones: entró a apoyarme un grupo operativo, pero de una manera externa a través de un micrófono que ahora utilizaba para comunicarme con ellos. Ese era el comienzo de una serie de controles más minuciosos.

Martín Sombra permaneció doce días en la casa del bandido y al número trece se fue en otro taxi, acompañado por los dos escoltas de mayor edad, pero ya sabíamos cuál era su rumbo.

Cuando él desapareció se acabó mi trabajo. Dejé la caracterización de vagabundo, y emprendí otra jornada en la terminal de buses en la ciudad de Tunja, a un par de horas o algo así, al nororiente de Bogotá, hacia donde sabía que había partido el objetivo.

En esa segunda fase trabajábamos por la parte humana y por la parte técnica. O sea, estábamos moviéndonos con dos brazos que nos permitían relacionar la información que nos indicaba dónde se encontraba, con la parte técnica en cuanto al control. Todo eso nos permitía actualizar información en la medida en que él iba cambiando de sitio.

Quitarme la peluca y aquellos harapos fue comenzar todo un proceso de readaptación a la vida normal. Nunca se me olvidará el día que me coloqué nuevamente debajo de una ducha, que volví a saber a qué olía el jabón y qué se sentía cuando me frotaba con él. Los harapos terminaron dentro de una bolsa para basura.

Habían pasado dos meses y veintiséis días desde cuando llegué a aquel barrio y al salir de la ducha se me humedecieron los ojos: se había acabado el esfuerzo. Luego los compañeros me felicitaron por la perseverancia y por las situaciones tan complejas por las que tuve que pasar durante ese tiempo.

Terminado el trabajo me volví a entrevistar varias veces con el psicólogo y el sociólogo, y después de escucharlos una semana, de volver a tomar la apariencia, de volverme a mirar en un espejo y volver a comer comida caliente y convencerme de que era nuevamente el mismo de antes, empecé a superar las huellas del oficio.

Toda una película porque cuando me miré por primera vez en el espejo me sentí muy extraño, no era yo. Tenía que volver a mi ritmo laboral, a entender lo que realmente era, y eso resultaba complicado porque la personalidad del vagabundo me había absorbido hasta el punto de costarme mucho, muchísimo trabajo vencer una voz interior que me decía que, en el fondo, yo continuaba siendo un indigente.

El psicólogo y el sociólogo decían que tenía que divorciar esos dos escenarios y poner entre ellos una frontera y entender que el capítulo anterior ya estaba cerrado, que yo era un hombre de Inteligencia y que cualquier adversidad se la fuera comentando a ellos, lo que realmente hice posteriormente.

En los momentos en que me puse una corbata y más tarde tomé mi computadora y comencé a escribir, me sentí muy extraño; era rarísimo sentarme nuevamente frente a una mesa, poder tener unos cubiertos en la mano, tomar una comida que olía saludable.

Algo muy extraño también fue volver a dormir en una cama. Estaba totalmente desadaptado. Y todavía más extraño fue volver a saludar a la gente y sentir que la gente me respondía el saludo.

Otro proceso de varios meses en el que no fue fácil volver a entender mi vida.

SALOMÓN (Oficial de Inteligencia)

Realmente el bandido movió luego a Martín Sombra por el centro del país, lo tuvo un tiempo en el campo, de finca en finca en la zona semiurbana, pero como el viejo es tan indisciplinado en ese sentido, por ejemplo se escapaba a hoteles de mala reputación para no dar un alto perfil, conseguía un par de modelos prepagos, les daba dos, tres millones de pesos y pasaba con ellas noches completas.

Cuando empezamos a tener cierto control sobre el bandido, determinamos que él personalmente, o por interpuesta persona, movía a Martín. Pero, repito, el viejo es muy mujeriego. Por eso trataban de que no se quedara en Bogotá.

Por ejemplo, en ocasiones repetidas un delincuente al servicio del bandido lo estaba acompañando y cuando se daba cuenta, ya se le había evaporado, y los rateros lo buscaban como a una aguja… Cuando aparecía estaba borracho, de manera que llegó un momento en el cual ya la gente no quería andar con él porque, además, se ponía a vociferar.

Una vez estaba cerca de un puesto de la Policía, y dijo:

—Habrá que ponerles una bomba a estos policías.

Lo decía delante de todo mundo y los bandidos se alteraban.

A raíz de su salida de la casa en Bogotá, el bandido la pasó mal, pues sabía que si Martín se le perdía, las FARC lo matarían. Entonces empezó a buscar contactos hasta que finalmente habló con alguien en Cúcuta, a cientos de kilómetros al oriente, en la frontera con Venezuela:

—Sí, el viejo está aquí y va a salir para allá. En estos días. Yo le aviso cuando él salga.

Inmediatamente enviamos una comisión a Cúcuta para tratar de rastrearlo luego de establecer la dirección del delincuente en aquella ciudad. En adelante, eso nos dio los movimientos de Martín Sombra hasta cuando emprendió el regreso, nuevamente hacia el centro del país, haciendo algunas escalas.

Siguiendo sus pasos por el oriente de nuestra geografía, nuestros problemas eran ubicar a los muchachos y a las chicas de Inteligencia en áreas rurales para ampliar nuestra acción, porque Martín Sombra era muy escurridizo. Entonces para determinar con mayor puntualidad cuáles eran sus desplazamientos exactos, apelamos todavía a más fuentes humanas.

Una comunicación decía que había pasado por un puesto del ejército y los soldados lo ayudaron a bajar porque él se hizo el enfermo y les dijo que no podía caminar.

—Muchachos, regálenme agua —les dijo.

Ellos lo auxiliaron y lo bajaron del carro. Estaba jugando con el cuento de la clandestinidad.

Empezamos a hacer el trabajo con información de la célula de Boyacá, a tres horas al oriente de Bogotá, con información del bandido que lo había tenido en la capital, a través del hombre de Cúcuta, y finalmente tocamos tierra cuando Diana, la mujer de Arauca, me dijo:

—Aquel va nuevamente para Bogotá.

Nos concentramos en la capital pero pronto supimos que no iba a quedarse allí sino a hacer tránsito, evitando conectarse con el bandido. En ese momento se iba acercando, pero esperaba detenerse algunos días en Boyacá, y nosotros montamos dispositivos en diferentes puntos de aquel departamento, de acuerdo con lo que ahora conocíamos de sus planes.

En esta forma se empezó a cerrar el cerco hasta cuando lo localizamos en un pueblo llamado Saboyá, aun más cerca de la capital, pero entonces no daba señales y, claro, planeamos nuestro trabajo mucho más "de forma física", seguimientos, cosas así, a través de medios técnicos. Eso significaba trabajar con nuestros agentes, más o menos cuadra por cuadra.

Finalmente, una mañana supimos que Martín Sombra se iba a reunir con alguien en un lugar público y eso nos obligó a mirar en cafeterías, en la misma alcaldía, en el puesto de salud, en restaurantes… Luego hicimos un barrido más, lugar por lugar, hasta que por fin lo encontramos en compañía de dos viejitos que conformaban una pequeña célula de la guerrilla y conseguían algunas cosas para ellos. Cerca del mediodía, los tres estaban sentados a la mesa de un pequeño salón tomando café, nuestra gente entró y lo capturó.

Así, en pocas palabras: lo capturó.

Luego, en una dependencia de la Policía, le dijeron nuevamente:

—Identifíquese, usted es Helí Mejía Mendoza, alias *Martín Sombra*.

—Yo no soy ese. Aquí está mi documento de identidad —respondió.

Su cédula de identificación figuraba con otro nombre. Sin embargo, hicimos la verificación de sus huellas digitales y confirmamos que él era, pero continuaba negándolo, allí, sentado frente a un joven policía que registraba una serie de diligencias. Lo cierto es que Martín miraba la pantalla de la computadora, y de pronto un policía judicial dijo a sus espaldas:

—¡Martín!

Y él volvió a mirar.

Al ver su reacción nosotros nos reímos y él empezó a temblar, pero de forma impresionante, como si le hubiera dado un infarto. Pese a todo seguía insistiendo que él no era Helí, que él no conocía al tal Martín.

Luego empezó a ofrecerles dinero a los policías:

—Les doy cinco millones de pesos si me dejan ir… No, les doy diez… Les doy veinte… —finalmente dijo—: les ofrezco mil millones de pesos. Déjenme llamar a Jorge, el Mono Jojoy, que él me hace llegar el dinero aquí, pero no me lleven a donde me van a llevar. Déjenme salir de aquí.

Partimos de allí, llegamos a Bogotá a eso de las diez de la noche y empezamos a traer guerrilleros desmovilizados, campesinos desterrados de las zonas de combate… Frank Pinchao, un policía que se había escapado de un campamento de secuestrados por las FARC en la selva amazónica, también fue a mirarlo, pero como otras personas, no lo reconoció inicialmente porque en aquella época él era más gordo y cuando lo capturamos había bajado de peso pensando en la intervención quirúrgica en su rodilla.

Martín Sombra se hallaba entonces en un sitio en el cual lo divisábamos con claridad, pero él no podía ver a quienes estábamos observándolo desde un lugar oscuro.

Me acuerdo que teníamos allí a un señor que había estado en la Zona de Distensión, y él me dijo:

—No. Ese no es.

—¿Seguro que no es Martín Sombra?

Pero en ese momento Martín mencionó algo y cuando habló, el señor empezó a temblar. Entró como en un *shock* nervioso:

—Sí. Es él. Es él. Me va a ver, me va a ver.

—Tranquilo, nosotros estamos en un lugar seguro, él no nos ve.

—No. Sáqueme de aquí, me va a matar.

El miedo que le tenían los testigos se percibía en el ambiente una vez que alguien lo reconocía.

En aquel lugar estábamos también con dos guerrilleros que habían sido de la estructura de Martín y difícilmente lo reconocieron por su cambio físico. Luego, mirándolo mejor, uno de ellos lo identificó por la mirada:

—Esos ojos no los cambia nadie. Los ojos y las cejas son absolutamente particulares en él. Sí, está muy flaco pero ese es Martín Sombra —comentó.

A Frank Pinchao le dije primero:

—¿Cómo era Martín?, descríbalo. Hábleme de él, cómo era, su comportamiento —pero cuando más tarde lo vio, respondió lo mismo de aquellos:

—Ese no es Martín Sombra.

—¿Seguro que no es Martín?

—No. Él no es.

Como el hombre del Caguán se había asustado cuando lo escuchó hablar, le dije a uno de los muchachos:

—Póngalo a hablar. Llámelo para que le de algún dato y hágalo que hable en voz alta para que Frank lo escuche.

Cuando Martín habló, Frank se quedó callado, agachó la cabeza, levantó la mirada y me dijo:

—Ese es Martín Sombra.

Al día siguiente, a eso de las once de la mañana, el director de Inteligencia lo fue a entrevistar en una segunda fase y le dejó ver una orden de captura con algunas fotografías suyas. Él se quedó mirando el papel mientras el coronel y otro oficial se retiraban un poco, y luego bajó la mirada, respiró profundo y ante la evidencia, le dijo:

—Coronel, yo soy Martín Sombra.

Luego nos preguntó:

—¿Cómo me tomaron esta fotografía? ¿Cuándo la tomaron? ¿Ustedes cómo llegaron a este documento si casi nadie sabía de esto? ¿A qué horas me la tomaron?

Es una foto en la que aparece con bigote, hecha unos años antes de la existencia de la Zona de Distensión.

Transcurrieron varios días y Martín vio que no le enviaban a un abogado, ni tampoco dinero, sintió que lo habían dejado solo, y yo le dije:

—Oiga, viejo, mire: tan bien que habla usted de la organización y ¿qué le han dado? —luego me dediqué a hacerle un recuento de su pasado porque ahora nosotros sabíamos muchas cosas suyas.

Lo cierto era que en aquel momento, a pesar de que el Mono Jojoy —aquel cabecilla de la cúpula de las FARC— estimaba mucho a Martín Sombra, también había gente que no lo quería, como el tal Efreén, quien lo despreciaba y una vez salió enfermo dejó de enviarle dinero a pesar de las órdenes de Jojoy.

En dos palabras, aquel bandido recibía dinero para enviarle a Martín, pero de un momento a otro dejó de hacerlo y ya el hombre no podía entonces estar con las mejores prostitutas, ni tenía la botella de licor a la mano, y lo que para él tenía que ser el fruto de la revolución, resultó ser su propia indigencia: ahora tenía que vivir de lo que le regalaran.

Era la historia patética, digo yo, de un hombre que debía tener mucho dinero enterrado y mucho poder, pero de un momento a otro por la mala intención de un envidioso se había quedado solo y con la preocupación de su tratamiento médico para regresar pronto a reintegrarse a la guerrilla. Pero la verdad es que él no se enteró de la envidia de Efreén sino que creyó que el abandono partía de la cúpula, es decir, de su gran amigo el Mono Jojoy.

Un tiempo después cuando fue capturado en Bogotá, aquel sujeto apodado Pitufo, segundo al mando de un frente de las FARC, explicó cómo Efreén por celos y envidia había impedido que le enviaran plata, abogado y ayuda. Él contó una tarde:

—Efreén decía que ese viejo tal por cual se debía morir pronto, y luego me decía a mí: "Pitufo: si usted cuenta algo de esto, lo mando matar".

Sin embargo, Martín Sombra decía a la vez:

—Yo le había hecho un juramento a mi papá antes de morir: le juré que iba a ser revolucionario toda mi vida, pero si las FARC me traicionaron, yo me les voy a voltear a las FARC.

A partir de allí asumió ya abiertamente que él era Martín Sombra y empezó a contarnos su vida.

Contaba, por ejemplo, cómo aún siendo niño el papá era un "bandolero liberal". Lo llamaban el Tigre.

Desde entonces, "los bandoleros" lo conocieron porque enfrentaba las cosas con mucha valentía y llegó a convertirse en la mascota de aquella gente. Con ellos marchaba también otro niño a quien más tarde llamaron Tirofijo: era uno de los subalternos del Tigre.

Martín se ganó su primera arma siendo un niño, luego de un combate con la Fuerza Pública. Era una carabina.

—¿Por qué lo llaman Martín Sombra?

Había un bandolero liberal, un negro, a quien le decían Sombra y le tenían miedo porque era más grande y los atropellaba a todos, y a quien reaccionaba, lo mataba. Desde luego, cada vez que veía al niño lo desafiaba, le daba golpes en la cabeza o lo empujaba.

Una mañana se repitió la escena y el pequeño le dijo:

—No me moleste.

—¿Entonces qué va a hacer? —respondió el negro.

Ese día el pequeño ya tenía un arma. Siempre la llevaba consigo entre las manos, y cuando el negro fue a tomar su revólver para matarlo, el niño levantó primero el suyo y disparó.

El negro era el más malo de los malos.

—¡Este niño es más rápido que Sombra! —dijo alguien.

En ese momento nació Martín Sombra. Tenía nueve años.

Pasó el tiempo. Al Tigre lo mataron en un enfrentamiento. Entonces los bandoleros liberales habían comenzado a ser infiltrados por el Partido Comunista y el papá en su agonía le pidió al niño un juramento: que el resto de su vida viviría como un revolucionario.

Martín se aisló unos años y luego regresó al grupo. Lo recibió Tirofijo.

Con el paso del tiempo, se fue volviendo cada vez más importante dentro de las FARC y se dedicó a organizar frentes: tiene la malicia del campesino colombiano, la astucia, la iniciativa, el talento de nuestros campesinos.

Algunos guerrilleros con quienes hablaron los agentes de Inteligencia durante la búsqueda decían que Martín Sombra tenía una puntería increíble. Era un gran tirador y también por eso lo admiraban. Y también por su gran vitalidad. Realmente sí, es un hombre muy vital. Y tiene gran capacidad de liderazgo. Y también orientación revolucionaria, porque es un hombre de ideales.

Me parecía curioso que los guerrilleros le tuvieran miedo porque decían que él había hecho un pacto con el Diablo. Entre otras cosas porque en enfrentamientos con la guerrilla, algunas veces uno se puede esconder detrás de un árbol y no lo ven. Muchas veces los guerrilleros nos han dicho después de capturarlos:

—Yo estaba en tal punto. Ustedes pasaron cerca de mí y no me vieron.

Entonces lo que los subversivos decían en su afán de fortalecer la leyenda y sostener el mito viviente era que él no se escondía en la selva sino que realmente se transformaba en cosas o en objetos, y algunos nos dijeron más de una vez:

—A mí me da mucho miedo que ustedes vayan a capturar a Martín Sombra.

—¿Por qué?

—Porque cuando lo vayan a coger se va a transformar en algún animal agresivo —el hombre lo decía absolutamente convencido y agregaba—: he hecho con él muchas operaciones y, que yo sepa, nunca lo han herido. La lesión en la pierna, pues sí, porque fue una caída. Pero no tiene heridas.

Diana, la mujer de Arauca, me decía que una tarde Martín se encontraba con doce guerrilleros y se emborrachó. Estando allí llegó el ejército abatió a once de los doce y él salió corriendo. Se salvó…

—Pero, entiéndame: en ese combate, borracho o no, Martín Sombra se transformó en un murciélago —repetía la mujer.

Cuando yo hablé con él, me dijo:

—Aquel día la culpa fue mía porque me emborraché y bajé la guardia. Yo no tenía que haber hecho eso, pero dio la casualidad de que llegó el ejército, nos hizo la emboscada, pero me dejaron una brecha por la que pude escapar. Salí corriendo y cuando me di cuenta miré hacia atrás y la gente que venía conmigo había desaparecido.

De la información que recopilamos, otra parte que llamaba mucho la atención eran los métodos que tenía para conducir a los secuestrados: Íngrid, Betancourt, los políticos, los policías, los soldados, los "contratistas" estadounidenses…

Obviamente él no me iba a decir que era tan rudo, pero todos los que lo habían conocido decían que era muy tosco en la disciplina. No descuidaba la seguridad, los movía mucho. Me contaron que siempre se preocupaba por mantener cubiertas, por lo menos, las necesidades básicas de los secuestrados: alimentación y la salud en la medida de las posibilidades.

Pero, por ejemplo, según contaban algunos liberados, en las oportunidades en que la Fuerza Pública estuvo tan cerca, ellos se aferraban al mundo con el cuerpo a tierra, bien pegados al piso y cubiertos con plantas, y desde allí veían pasar la tropa cerca y permanecían en absoluto silencio. Ellos sabían que si producían algún ruido serían los primeros en morir, pues le ponían a cada uno un guerrillero con el arma contra la cabeza. Martín Sombra les decía:

—Aquí nos podemos morir todos, pero yo no voy a permitir que alguno de ustedes sea liberado. Esa es la orden que tengo.

Él le decía siempre que le habían puesto aquella tarea porque era el hombre más preparado para eso. De hecho él fue quien diseñó los corrales cerrados con tramas de alambre de púas donde aprisionan a los secuestrados.

—Yo crié cerdos y construía los chiqueros en esa forma —explica.

A todo esto súmele que tiene el sentido del campesino, tan rico, tan lleno de imaginación. Dos o tres veces me contaron los guerrilleros, y el mismo Martín, que se movía fácilmente porque conocía muy bien la selva.

Me contó que hubo épocas en las que se quedaron sin comida por los movimientos de la Fuerza Pública, pero, sin embargo, él movía con éxito cuarenta, cincuenta personas entre secuestrados y guerrilleros y los sacaba del cerco del enemigo.

Me contaban también que por la lesión en su pierna había estado en una escuela de guerra de guerrillas que dependía del Frente Veintisiete con unos quinientos niños entre doce y dieciséis años. Se lo preguntamos y obviamente no lo admitió. Sin embargo, eso correspondía justamente a su concepción revolucionaria.

Yo le decía:

—Y cuando usted tenía la escuela… —pero él interrumpía:

—No, señor. Yo allí tenía gente que había ido de forma voluntaria. En una ocasión entró la Fuerza Pública, los muchachos se asustaron y salieron corriendo, y tuvimos que cerrar temporalmente mientras recogían otra vez a parte de ellos.

Aquel día el tema era la formación de guerrilleros.

—Yo he formado combatientes muy buenos, pero el Mono Jojoy se los tiró. Mejor dicho: los echó a perder, como dicen ustedes.

—¿Cómo?

—Me los volvió narcotraficantes.

Mencionaba por ejemplo a Efreén, a John Cuarenta, a Zarco Aldinevar… Le alcanzó a dar instrucción al famoso narcotraficante Negro Acacio.

Uno estudia la trayectoria criminal de aquellos bandidos y encuentra que todos le han hecho mucho daño a la sociedad. Por ejemplo, Aldinevar hoy es otro narcotraficante que trabaja con las FARC.

Realmente Martín conoce a la mayoría de los cabecillas. Nosotros estructuramos una tabla con fotografías de varios de ellos y cuando se la mostramos, decía señalándolos con el dedo:

—Ese es un paquete. Este es bueno para pelear. Este es narcotraficante. Aquel es un tonto. Ese otro es muy inteligente…

Después de la captura, Martín criticaba fuertemente a John Cuarenta. Decía que se trataba de un bandido que había perdido el norte de la causa:

—¿Cómo es posible que lleve mujeres prepagos al campamento? ¿Cómo es posible que un hombre que yo formé y que es un buen combatiente, se mueva ahora como un capo pequeño? Cuando yo lo solté era un revolucionario puro. ¿Cómo es posible que el Mono Jojoy los haya corrompido?

Martín formó a aquella gente con la esperanza de obtener comandantes revolucionarios puros que pudieran cambiar al país.

Es que él tenía entonces otra forma de ver a las FARC, pero se desilusionó cuando sintió que lo habían abandonado. Sin embargo, recién capturado pensaba lo contrario.

Después analizaba el narcotráfico desde su punto de vista y no parecía caberle en la cabeza cómo se trastoca la idea revolucionaria para constituirse exclusivamente en mafiosos.

Martín Sombra tiene aún la concepción de un movimiento en armas que defendió al campesinado bajo unas ideas de igualdad, y entonces habla de historias que vivió a partir de la muerte del Tigre, su padre: Riochiquito, Marquetalia, Jacobo Arenas, Guayabero… El nacimiento de las FARC.

Luego califica las fortalezas y las debilidades estratégicas de cada cabecilla.

Sobre lo que él había percibido respecto del negocio de la droga, que no es mucho porque se marginó de él por tratarse de algo antirrevolucionario, repetía siempre:

—Narcotráfico es comerciar con los ideales.

Luego agregaba:

—Las FARC no son lo que fueron antes de la cocaína. Hoy a ellos ya no los motivan las causas revolucionarias.

Objetivo 2

Más que un bandido, aquel guerrillero fue todo un karma. No. Fue la llaga más grande, representó la peor maldición con que cargó un sector de Antioquia —unos cuatrocientos kilómetros al noroccidente de Bogotá—, cuando terminaba la primera década del siglo veintiuno.

Este hombre vivió años pisando el barro de la selva, y para algunos de los que recién lo conocían tenía una aparente veleidad de invertido porque se mandaba cortar y pintar las uñas con esmalte transparente, se podaba el cabello con una navaja, utilizaba desodorante, y según Marcela —una mujer prepago que venía del barrio acomodado de la capital de Antioquia—, "se echaba talcos de marca donde sabemos" antes de descargar su cuerpo sobre unas tablas y ejercer muy rápido, rapidísimo, su condición de macho.

—Luego volvía a bañarse las vergüenzas con agüita tibia —cuenta ella.

Sin embargo, once meses más tarde o algo así, se logró establecer que prácticamente todas las mujeres de su estructura pasaban por él, a pesar de que tenía una compañera permanente, y cuando había embarazos mandaba llevar parteras para que practicaran abortos en el mismo campamento.

Marcela es una rubia de unos veintitrés años que estudió Administración de Empresas, pero por las leyes de la oferta y la demanda prefirió las camas de los tipos al manejo de otros bienes. Allí comenzó ganándose un dinero curioso, pero pronto halló el camino a la carta y se volvió una prepago.

Las cosas cambiaron: ahora se trataba de dos o tres millones de la época, a cambio de un buen rato en el elegante barrio El Poblado, o cinco o seis por un ratico en la selva, luego de recorrer kilómetros en bus, camión, mula y bote antes de llegar al escondite del Paisa, como le decían a aquel karma.

A él unos pocos lo habían oído mencionar cuando secuestró a Guillermo Gaviria, un gobernador de Antioquia, y a Gilberto Echeverri Mejía, ex ministro de Estado y su asesor de paz, y luego los sacrificó a balazos.

Pero los que realmente conocieron su pelambre fueron miles de seres a quienes extorsionaba a lo largo de municipios y veredas, gracias a que sus jefes lo habían alejado del alcance de la Policía de Colombia, pasándolo a algo así como a un tercer plano dentro de sus estructuras, y lo arroparon por varios frentes de guerrilla. En esa situación se movía sin descanso en una selva muy espesa y muy virgen.

ROBERTO (Oficial de Inteligencia)

El Paisa se convirtió en un objetivo de alta prioridad para el mismo Estado a partir del secuestro de los dos personajes durante una marcha por la no violencia.

Por trabajo de Inteligencia posterior, se estableció que él había sido el secuestrador de acuerdo con su área de influencia. A partir de allí se comenzó a mirar realmente quién era ese personaje dentro de la estructura guerrillera.

Un año después se materializaron las muertes de los secuestrados y de miembros de la Fuerza Pública, y este hombre fue determinado como un blanco importante dentro de la delincuencia.

A partir de allí pasaron algunos años en que estuvieron Ejército, Policía y Fuerza Aérea buscándolo, pero todas las operaciones resultaron fallidas pues la gente comenzó a verlo por todos lados y resultaba muy difícil empezar a valorar información porque los testigos decían que lo veían en Urrao un día, en Frontino otro —poblaciones en Antioquia—, o en Vigía del Fuerte, hacia el litoral del océano Pacífico.

Cuatro años después se comenzaron a tener informaciones un poco más concretas sobre su ubicación, pues había retomado las actividades de extorsión directamente y ningún comerciante, transportador o dueño de algún vehículo en el área se salvaba de sus exigencias.

Por ejemplo, él y su grupo manejaban un censo de los carros que transitaban por las vías de la región y debían pagar lo que la guerrilla llama "vacuna". Una vez entregaban el dinero, les daban un papel con la matrícula del carro, certificando que estaba al día en sus obligaciones.

En ese momento comenzamos nuevamente a enfocar esfuerzos en aquella zona, después de tres años de una información fraccionada y sin operaciones de éxito.

Como en buena parte de estos casos, el grupo de agentes de Inteligencia encabezado por un oficial partió de una pobre base de datos cuando llegaron a sus manos arrumes de documentos y de grabaciones con comunicaciones radiales en torno al objetivo, realizadas durante siete meses.

En el centro del grupo se movía Mariela, una analista que recibía la información y tejía con ella una telaraña compleja y extensa, con base en la cual sus superiores planificaban las jugadas en cada paso de una verdadera partida de ajedrez.

MARIELA (Analista)

Eran páginas y páginas de transcripciones de comunicaciones entre varios cabecillas y guerrilleros que se enlazaban con la operadora de radio de un tal Isaías Trujillo, cabecilla de un bloque guerrillero. Los bloques están formados por frentes.

Recuerdo que sólo un documento de aquellos contenía setecientas y tantas páginas, y este primer paso consistía en revisar todo y localizar dónde era mencionado el Paisa o dónde podían estar refiriéndose a él. Este hombre nunca hablaba por radio.

Aquel mes de enero, el Paisa ocupaba más o menos el tercer o cuarto lugar del frente guerrillero, pues le habían bajado el perfil para protegerlo, luego de la muerte de los dos personajes tras su secuestro.

Se nos hacía raro que él prácticamente no utilizaba la radio, como lo hacía Pedro Baracutado, cabecilla del frente. Por tanto, si había comunicaciones del número uno y también del segundo, llamaba la atención que el objetivo no utilizara ese medio de forma personal. De todas maneras se notaba la protección que le tenían: había una restricción manifiesta en mencionarlo o en hacer alusión a él, y cuando lo tocaban, hablaban del Loco.

Quienes más se referían a él o hacían algún tipo de comentario eran Baracutado y Rubín Morro, alias *Anderson*, cabecilla de otro frente. Eso le daba forma a un triángulo geográfico que mostraba que ellos eran los encargados de protegerlo.

Inicialmente con ese cúmulo de comunicaciones comenzamos a reconstruir una red de nombres, de apodos, de referencias, de ciertos lugares no muy precisos, no muy exactos, que, sin embargo, ya estaban mostrando un panorama, es cierto, muy vago y muy general sobre la situación, pero se trataba de un primer paso.

El segundo nos señalaba una extensa zona en torno a tres poblaciones en la que posiblemente se estaba moviendo y por lo tanto se trasladaron allá varias comisiones en plan de policías uniformados y solicitaron en los departamentos de Antioquia, Chocó y Risaralda, al noroccidente de Bogotá, información sobre una estructura guerrillera denominada el Frente Treinta y Cuatro.

En Antioquia barrimos las poblaciones de Urrao, Frontino y Vigía del Fuerte.

En aquel recorrido se confirmaron una serie de hipótesis que fueron centrándonos aún más en torno a unas coordenadas realmente muy amplias y logramos allegar diez archivos de voz obtenidos por radio y algunos por celular que tenían las seccionales de Inteligencia de cada departamento.

Así, la red crecía con nombres, lugares, fisonomías, fechas, historias, referencias, señalamientos, explicaciones… Escucha-

mos de forma repetida, por ejemplo, la voz de un tal Pedro.
Había un archivo de la voz del Paisa, teníamos la de Anderson,
la de Román Ruiz del Frente Dieciocho, la de Paola —la operadora de radio de Isaías Trujillo, el cabecilla del frente—, y
bueno, pues comenzamos a tratar de que nuestra gente a cargo
de las salas de trabajo tuviera esos materiales para cuando se
diera un nuevo paso en los planes.

En ese punto, nos estábamos familiarizando con todo un
mundo hasta ahora desconocido por nosotros.

De aquel recorrido también nos trajeron archivos de unas
cien entrevistas con guerrilleros desmovilizados hechas durante
medio año. Aquello significaba, desde luego, grandes cantidades de material, porque todo era físico: cintas, transcripciones,
casetes…

Dentro de ese gran volumen se trataba especialmente de
estudiar cuáles eran las más recientes, quiénes habían estado
con el Paisa, dónde, por qué, cuándo, en busca de algo que
nos pudiera señalar un sitio geográfico en el cual fuera posible
ubicarlo de forma más o menos reciente.

A esa altura, completábamos entonces algo más de cuatro
meses de trabajo y aún no sabíamos el sitio preciso por donde
comenzar, pues las fuentes que consultábamos terminaban invariablemente hablando de las medidas de seguridad que había
tomado el cabecilla después del secuestro y posterior asesinato
del gobernador y del ex ministro de Estado.

De todas maneras, la red continuaba expandiéndose. Por
ejemplo, obtuvimos cerca de mil fotografías de guerrilleros
desmovilizados que habían pactado la paz, capturados, evadi-
dos o lo que sea… Se hicieron álbumes con fotos de los que se
conocían y de los que aún no estaban identificados.

Una técnica es que cuando se realizan nuevas entrevistas se llevan aquellos registros y uno comienza a enseñárselos a las fuentes de información y ellas van señalando a quién conocen y qué importancia tiene cada personaje.

Allí había una ventaja: en Antioquia, tal vez por las operaciones militares, se obtienen muchos archivos digitales de las columnas guerrilleras y existen millares de registros muy bien llevados y apoyados por magníficas bases de datos. Eso fue de una gran ayuda para nosotros.

Sin embargo, el balance de este último ejercicio fue realmente pobre para nosotros, pues la mayoría de la información de los desmovilizados hablaba del Frente Cincuenta y Siete y del Frente Dieciocho, que se encargan especialmente del narcotráfico. El Frente Cincuenta y Siete era algo importantísimo para ellos porque sacaba en ese momento la cocaína hacia Panamá, y a la vez entraba al país armas de contrabando.

No obstante, al quinto mes de actividades, continuábamos sin una información absoluta y concreta sobre la ubicación del objetivo: generalmente cuando un cabecilla comete un tipo de magnicidio o una gran matanza, los demás lo recogen; como que lo dejan por allí a la expectativa mientras baja la presión de la Fuerza Pública. Eso sucedió con él y muchos desmovilizados coincidieron en lo mismo.

Bueno. Llegó el sexto mes. Las informaciones conducían definitivamente al occidente de Antioquia en torno a una extensa área y por tanto en aquel junio se tomó la decisión de enviar otro tipo de agentes —comisiones a cubierto les decimos nosotros—, a las poblaciones de Urrao y Frontino y también a Vigía del Fuerte, aparentemente menos clave que las anteriores.

En Vigía del Fuerte fueron ubicados agentes vestidos con uniformes de policías corrientes y no se presentaron como miembros de Inteligencia. Llegaron allá con una orden de traslado y ni el comandante sabía cuál era su misión real.

En Medellín se ubicó otra que operaba a cubierta o a descubierta, según las estrategias, y tenía contactos con la Policía uniformada, con el comandante del departamento de Antioquia y con el de Medellín, la capital. Tenían acceso a información en archivos judiciales, penales, a las cárceles, al centro donde están los guerrilleros desmovilizados, hacían las verificaciones que fueran necesarias dentro de la ciudad, ubicaban gente… Ellos no manejaban una fachada determinada, pero obviamente no iban uniformados y utilizaban sitios seguros para trabajar.

En Urrao surgió pronto alguna información importante acerca del Paisa, porque allí fueron localizadas muchas víctimas de la guerrilla, y luego del trabajo inicial comenzamos a saber qué comerciantes estaban siendo más extorsionados.

La estrategia fue entonces ubicar allí a un par de agentes de Inteligencia que ingresaron como comerciantes en granos para buscar algún tipo de acercamiento con la gente del gremio, inicialmente con el propósito de que fueran extorsionados. Ellos se ubicaron en una casa-bodega para almacenar las mercancías que les llegaban cada semana en un camión desde Medellín. "Los socios" —esa era su fachada— se llamaron entonces Antonio y Fernando.

ROBERTO (Oficial de Inteligencia)

Una vez estudiamos las áreas de injerencia del Paisa, determinamos en qué puntos debíamos ubicar nuestras comisiones.

Primero fue Frontino, posteriormente Urrao, que nos generaba más información cuando empezamos a manejar las cosas.
Se había hecho el cruce de señales de comunicaciones de radio,
de presencia, de zonas, y eso determinó que la mayor importancia para nuestro trabajo la representaba Urrao.

Cuando la guerrilla utiliza radios, las señales marcan áreas
muy extensas que, sin embargo, señalan la región en la cual están
activos sus grupos. En aquel momento vimos la importancia
de esta población, teniendo en cuenta la presencia del objetivo.

Cuando decidimos ubicar en cada poblado una comisión
pensamos en la manera de entrar a mantenernos de forma
permanente en los dos lugares. Los días de mercado en ambos son los domingos y buscamos algo que fuera común en la
zona. Nuestros agentes llegaron primero a estudiar cómo era
el movimiento en cada uno de aquellos días.

En el proceso de integrarlos y comenzar a entrar en el negocio se emplearon un poco más de dos meses, al cabo de los
cuales vieron que la mayor necesidad de la región era arroz,
arvejas, frijoles, cosas de esas; se inclinaron por ese tipo de
negocio y empezaron a distribuirles granos a las tiendas y a los
pequeños supermercados, y fueron asentándose en el lugar.

Finalmente ellos mismos resultaron extorsionados, pero no
directamente por el Paisa. Les mandaron mensajes diciéndoles
que tenían que entregarles una colaboración a las FARC, pero
no lo hacía el cabecilla en persona.

En esa forma, poco a poco comenzamos a conocer cuáles
eran los bandidos que cobraban y recogían los dineros para el
Paisa. Urrao era el epicentro del chantaje —le dicen boleteo—
como sucedía con todos los fenómenos de la zona, y allá se
ubicaron Fernando y Antonio, nuestros comerciantes que
se presentaban como socios.

ANTONIO (Inteligencia)

El primer paso fue estudiar qué perfiles servían para ir allá y teniendo en cuenta la región, o sea, Antioquia, seleccionaron a Fernando, quien me iba a acompañar. La gran ventaja era que él conocía toda esa región, las costumbres, hablaba el mismo lenguaje y con el mismo acento, por lo cual iba a pasar desapercibido.

Como yo soy de otra zona del país fue necesario crear una historia para justificar cómo nos conocimos, de dónde nació nuestra amistad, por qué nos hicimos socios, etcétera.

Inteligencia hizo un libreto extenso y muy completo con la historia de cada uno de nosotros. Eso quería decir que teníamos que aprendernos la vida propia y luego la del compañero, partiendo de cero, es decir, desde cuando nacimos, los nombres de los supuestos padres, de los hermanos, de los tíos, de los primos de ambos, sucesos de mi vida y sucesos de la vida de Fernando…

Aprendernos aquel libreto nos costó más o menos un mes y medio: la orden era practicarlo en todo momento, trabajo difícil ese de manejar otros apellidos, muchos nombres nuevos, fechas de cumpleaños…

Con ese fin nos caracterizaron las nuevas personalidades. ¿Qué es caracterización? Dejarme crecer el cabello, mi socio se dejó la barba, logró engordarse de la barriga para parecerse a un camionero, y bueno, nos hicimos quemar del sol como cualquier trabajador raso. Además, en la oficina simulamos muchas escenas afrontando situaciones difíciles: ¿Qué pasaría si nos detuvieran en un retén? ¿Qué actitud tomaríamos en tal o cual caso?

La historia comenzaba por un viaje que hice a una región determinada y allí, trabajando en el entorno de alguna plaza de mercado nos conocimos y a fuerza de coincidir en nuestras labores decidimos asociarnos.

No teníamos un conocimiento exacto de la zona para donde íbamos y nuestra misión inicial fue trasladarnos al lugar, comenzar a explorar y a planear en qué íbamos a trabajar, fundamentalmente buscando un oficio que nos pusiera a nivel de los comerciantes que, al parecer, era uno de los el gremios más castigados por la guerrilla.

En un comienzo no íbamos al pueblo todos los días para evitar sospechas. Simplemente aparecíamos por allí los fines de semana —domingo, día de mercado—, aprovechando, además, que aquella es una zona turística en la que aparece mucha gente de los lugares vecinos. De esa forma pasaríamos inadvertidos.

Cada fin de semana nos íbamos en bus por diferentes caminos porque a esa zona se puede llegar de muchas maneras. Nunca llevábamos papeles que hablaran de la Policía y viajábamos como simples parroquianos. Por ejemplo, en la billetera yo tenía tarjetas de almacenes en una ciudad lejana, para respaldar el cuento si por alguna casualidad tenía que decir que venía de allá.

En el pueblo empezamos a observarlo todo, una gente muy amable por cierto, muy hospitalaria. Era un domingo día de mercado, gran movimiento, gente caminando con rapidez, cargamentos, personas que se bajaban de carros, de buses, otras que se subían a ellos.

Allí tuvimos nuestra primera experiencia negativa. Nos acompañaba una cámara digital que supuestamente era la mía en plan de turista. No llevábamos cámaras de video, ni maletines, ni nada. Solamente aquella camarita y empezamos a tomar fotos para enviarles a Bogotá una idea de cómo era el lugar y como ayuda para escoger la actividad que íbamos a realizar. Aún no sabíamos si venderíamos helados, pasteles o si íbamos a traer un carro rojo que dijera "Merengón".

Las fotos recogían algo así como una lluvia de ideas sobre lo que más se movía allí. Tomamos varias, registramos algunas caras y llegó un momento en que nos sentamos a esperar qué línea de transportes nos servía para regresar. Pero al poco tiempo nos pusimos de pie y olvidamos la cámara sobre la silla de la cafetería. Esa nunca apareció. Apenas era el tercer fin de semana que visitábamos el lugar.

No había problema, pensamos, cualquiera que se la encontrara podría ver imágenes captadas por cualquier turista, pero sabíamos perfectamente que era un descuido preocupante pensando en que después nos pudiera suceder algo parecido con algún trabajo más delicado. Era una alarma que comprobaba que cualquier descuido por pequeño que fuera podía ser fatal para nosotros y para la seguridad de todos los que nos movíamos ahora en busca del mismo objetivo, y desde luego, para la misma operación. Eso nos llevó a buscar sistemas más seguros en todo.

En aquella observación general establecimos finalmente la actividad que podríamos desempeñar en el pueblo que justificara el quedarnos allí, o sea, trabajar especialmente los días de mercado y vender lo que una parte de la gente vendía: granos.

Todo el equipo participó en planificar la vía por la cual nos iban a hacer llegar esas mercancías, cómo íbamos a montar nuestro negocio, dónde íbamos a embodegar las existencias, etcétera, y eso se demoró un poco mientras lo planificábamos.

Como complemento, se tomó la decisión de que nos harían llegar las mercaderías de forma periódica, a bordo de un carro controlado por satélite.

En las siguientes idas nos dedicamos a establecer cuál podría ser el lugar donde íbamos a vender aquellas cosas y además, lo ideal era que pudiéramos vivir allí mismo.

Buscábamos sitios pero la mayoría quedaban lejos del mercado. Bueno, pues nos demoramos un poco porque no siempre uno llega y encuentra lo ideal, hasta que finalmente dimos con una casita no tan grande como la queríamos, pero bien ubicada para poder observar todo lo que sucedía alrededor. Era una casita de dos pisos. La señora en un principio parecía negarse a dejárnosla, y… "¿A ustedes quién me los recomienda? ¿Ustedes de dónde vienen?".

—Estamos empezando una sociedad para comerciar.

Finalmente logramos convencerla y, además, le prometimos que le pagaríamos tres meses por adelantado. A ella se le iluminaron los ojos. Luego hicimos un contrato a mano, sin notaría de por medio, sin misterios, y ya.

En primer lugar nos tocó reparar un poco aquella casa, especialmente porque tenía goteras, humedades y defectos que no podíamos exigirle a la señora que los solucionara porque no tenía los medios para hacerlo.

Nuestra explicación era que nosotros corríamos con esos gastos porque no podíamos permitir que se nos dañara la mercancía.

La casa era de dos plantas. En la primera se adaptó lo que iba a ser el local, se organizó de la mejor manera algo llamativo, algo bonito, y en la segunda acomodamos algo como una pequeña sala, un comedor, un televisor y un par de camas.

Obviamente nos tocaba cocinar y la mayoría de las veces nos turnábamos porque acondicionamos la casa con todo lo necesario, muy sencilla, sí, pero completa: un pequeño refrigerador, licuadora, cositas de esas.

Mi socio sufría de calor y yo de frío, y me tocaba aguantar un ventilador toda la noche. Son cosas que uno debe estar dispuesto a afrontar.

Los primeros meses nuestro trabajo era, además, detectar más personas que estuvieran siendo extorsionadas y recibir información que ya se conocía en Bogotá y que nosotros podíamos verificar. Entonces, aparte de ser una comisión que iba a explorar, debía confirmar datos que estaban apareciendo por controles técnicos, por informes de guerrilleros que habían pactado su desmovilización con el Estado.

En Bogotá nos decían, por ejemplo:

—Ojo, allá hay unas personas a las que les dicen Tal y Tal. Deben trabajarlas —así comenzó un interés muy especial, pero muy especial por un chocoano, dueño de un camión—: traten de conseguir la mayor información acerca de ese chocoano, dónde vive, con quién vive, qué costumbres tiene —cosas de ese tipo para finalmente pensar en infiltrar en aquel pueblo a una tercera persona.

Después de montar el negocio nos llegó el primer cargamento de granos. Ahora teníamos que salir a ofrecerlo y optamos por la gente que bajaba del campo. Las personas que piensan y planean, o sea el equipo, buscó dónde conseguir aquellas mercancías y la manera de hacérnoslas llegar. Nosotros simplemente recibíamos un pequeño camión frente a la casa.

En ese vehículo entró a actuar Rodrigo, el nuevo agente de Inteligencia que iba a jugar a la larga un papel clave. Lo hizo como cargador de bultos o como ayudante del chofer, o como le dicen en todo el país: como cotero y se trataba de que no lo relacionaran con nosotros.

MARIELA (Analista)

Ese mismo mes de junio, la comisión de Medellín obtuvo dos números telefónicos del Paisa. ¿Cómo? A través de víctimas que pusieron sus quejas. Según dijeron, la gente no podía llamarlo a él. El Paisa era quien se comunicaba con ellas.

Pedimos los reportes de las llamadas desde aquellos números durante esa primera mitad del año, pero los aparatos ya no se hallaban en funcionamiento. Esa era una de las tácticas del Paisa ahora conocida por nosotros: él usaba un teléfono celular para extorsionar hoy —algunas veces él llamaba, otras ponía a sus colaboradores a hablar— y luego botaban el chip del celular o lo cambiaban.

Todos esos números y todas esas llamadas estaban en nuestras bases de datos. Eso era como lo preliminar acerca de información técnica, digamos, y quedó allí guardado para comenzar a integrarlo a todo lo que fuera apareciendo posteriormente.

El 26 de junio recibí información del Costeño, un miliciano —guerrillero que se movía en la urbe— que proveía a los frentes subversivos de medios de comunicación y artículos de tecnología, y les entregaba, además, material explosivo. Nos habían comentado que delinquía, tanto en Barranquilla, Bogotá y Medellín como en el norte de los departamentos de Antioquia y Chocó, una extensa zona donde se movía el objetivo.

El Costeño estaba recluido en una cárcel de Medellín… Al analista le llega información de muchas partes y todo lo que estuviera asociado al frente Treinta y Cuatro, al Paisa, al bloque respectivo, terminaba en nuestras manos.

Una semana después se tuvo información acerca de la posible área de ubicación del Paisa en aquel momento, un rincón conocido como Bocas del río Murrí, cerca de Vigía del Fuerte. También nos llegaron números de algunos celulares con los que estaría realizando las coordinaciones para conseguir elementos logísticos y realizar las extorsiones.

La comisión de Medellín, a su vez, comenzó un trabajo de identificación de la familia del guerrillero y localizamos, por ejemplo, a una de sus hermanas, comerciante en un municipio lejano al río Murrí, realizamos controles sobre ella y comprobamos que nunca se comunicaba con el Paisa.

La comisión de Urrao recolectó información en cuanto a encargados de recoger los dineros de las extorsiones y terminando julio identificó a algunos de ellos por sus apodos. ¿Qué hacían? Extorsionaban desde Frontino y la gente de Urrao iba y cobraba. Se hacían llamar, por ejemplo, Arturo, el Chinche, Torombolo, Ninfa, Brother…

Igualmente nuestros agentes consiguieron algunos números de celulares de los extorsionistas e hicimos lo mismo: pedimos llamadas y comenzamos a integrar toda esa nueva información. Ahora corría agosto, mediados del mes.

Para esas fechas, o sea, siete meses y medio después de haber comenzado la operación, por fin fue verificado el nombre real del Paisa: Aicardo de Jesús Agudelo Rodríguez, y los de su núcleo familiar.

Con esa base se solicitó su partida de nacimiento en un municipio llamado San Jerónimo y supimos que había nacido cincuenta y tres años antes.

Más tarde entrevistamos a un guerrillero desmovilizado que había permanecido tres años a su lado y nos dio información un poco más precisa sobre él: al parecer, se movía por los alrededores de un río llamado Mandé. Ahora teníamos dos puntos: Bocas de Murrí y el río Mandé.

Según él, en aquel frente se levantaban más o menos a las cinco de la mañana, desayunaban a las siete, almorzaban al mediodía y la comida dependía del lugar donde estuvieran reunidos. Se acostaban más o menos a las ocho de la noche y sobre el cambio de campamento daban aviso un día antes de abandonar el lugar donde se asentaban.

Aquel hombre dijo también que algunas veces regresaban a los campamentos abandonados si no habían sido intervenidos por la Fuerza Pública y que permanecían más o menos dos semanas en cada sitio. Eso era favorable para nosotros porque en una operación como la nuestra, quince días pueden representar tiempo suficiente.

Las tácticas de la guerrilla habían cambiado luego de la muerte de un par de cabecillas importantes llamados Raúl Reyes y, más tarde, Iván Ríos. Antes confiaban más y ocupaban ciertas áreas durante más tiempo.

Lo llamativo es que el guerrillero desmovilizado contó que dos años atrás habían llegado al frente del Paisa tres extranjeros a darles instrucción militar. Aquellos se habían reunido con los cabecillas del frente, incluido el objetivo, a quienes les entregaron películas sobre entrenamiento y manejo de armas.

Según él, los mercenarios habían ingresado por el departamento del Chocó, tierra de selvas y grandes ríos en el litoral Pacífico, por un punto conocido como San Antonio, cercano al campamento que estaban ocupando en aquella época.

A mediados del mes de agosto fuimos a la región en compañía de nuestro jefe y allá nos esperaba una persona de cada una de nuestras comisiones: una de Vigía del Fuerte, otra de Urrao y otra de Frontino, que se habían unido a los de la base en Medellín.

Allí comenzamos a escuchar —porque es muy diferente estudiar un documento a oír directamente cómo están viviendo las condiciones específicas de cada lugar y dónde están los riesgos o dónde las vulnerabilidades del trabajo—, y con estas bases estudiamos los pasos para continuar.

Analizamos nuevamente la información obtenida hasta ese momento, cuando ya conocíamos diferentes ángulos del Paisa y sabíamos, gracias a la información de guerrilleros desmovilizados, que el bandido contaba con gente cercana que lo estaba abasteciendo.

Por ejemplo, el Paisa nunca se comunicaba con su familia que en realidad vivía muy mal, o sea que no estaba sacando dinero de sus fechorías para ayudarlos.

¿Qué creíamos? Que tenía prohibido mantener contacto con ellos y a su vez ayudarlos, precisamente por lo que él representaba para el frente.

Sabíamos que Paola, su compañera, durante los últimos años había permanecido a su lado y que las personas que estaban más cercanas a él en cuanto a colaboración en Frontino y Urrao eran cinco, pero de toda la información acerca de ellos nos atrajo de forma especial aquel a quien llamaban el Chocoano.

Ocho meses después de haber comenzado la operación, supimos también que el bandido hacía ir prostitutas al campamento, algo que hasta entonces ignorábamos, lo que indicaba que los controles no habían sido suficientemente estrechos y que lo que obteníamos por interceptación era realmente poco. Las comisiones en la zona estaban obteniendo mucho más.

Como una de las consecuencias hicimos una especie de hoja de vida por cada persona de las allegadas al Paisa, así sólo conociéramos el alias, y cuanto iba apareciendo en torno a ellas lo organizamos por fechas.

Como conclusión confirmamos de forma definitiva que realmente el más importante de todos sus auxiliares parecía ser el Chocoano y los socios que se movían en la población de Urrao debían concentrarse en él. Luego confirmamos que sus negocios reales eran, desde luego, transportar carga y participar de un porcentaje del dinero de las extorsiones.

De aquella investigación surgió que inicialmente este hombre había sido víctima del Paisa, pero que gracias al tiempo y al acceso a los diferentes rincones en la zona rural donde el guerrillero estaba ubicado, ganó mucha confianza… Y dinero. Ante todo, dinero. También se supo que les llevaba explosivos.

Otro guerrillero desmovilizado había dicho que ellos recibían, por ejemplo, estopines o iniciadores y cable detonante de manos del Chocoano quien guardaba ese tipo de materiales en un sótano de su propia casa. Finalmente que aquel también le prestaba ayuda al cabecilla principal del bloque, el tal Isaías Trujillo…

Luego establecimos que el Chocoano utilizaba dos celulares que tuvo activos prácticamente durante todo el tiempo, y en las comunicaciones que recibía del Paisa le decían Lupo. Nunca otro nombre.

Otro de los contactos especiales del guerrillero se llamaba Javier y estaba ubicado en Cúcuta, frontera con Venezuela. Se escuchaba mucho su nombre, pues mantenía contactos en el país vecino y le enviaba aparatos de radio al objetivo a través de Medellín.

Ya finalizando ese agosto, hicimos comparaciones de voz, gracias a que obtuvimos una comunicación entre el Chocoano y el Paisa que, como cosa rara, habló en aquella oportunidad. Tomamos la voz del guerrillero y la comparamos con una que teníamos desde cuando iniciamos el proceso, se le hizo algo llamado Estudio Técnico Acústico Forense que confirmó que aquella voz era realmente la del cabecilla. Con esa información, por lo menos confirmamos que el objetivo continuaba vivo.

A mediados de septiembre, el quince, se hizo un control físico y se identificó al Chocoano: había nacido en Domingodó cincuenta y cinco años atrás y tenía afiliadas a dos personas en un servicio de salud. No había información de esposa, ni de hijos. Para entonces, la comisión continuaba analizándolo muy bien, sin descuidar a otras personas que venían siendo objeto de extorsión.

Al día siguiente hicimos la verificación de un número en Medellín, puesto que en la comunicación con el Chocoano, el Paisa le había indicado que debía entrar en contacto con Carlos porque habían perdido su número.

Cuando el Chocoano cortó, hizo una llamada a un número fijo en Medellín y fue localizado por la comisión en un barrio determinado. Allí se estableció que vivía una señora de setenta años, ama de casa, madre de un tal Carlos, empleado de unas bodegas en la misma ciudad.

Resultaba curioso que trataran de ubicar en la ciudad a una persona de parte del Paisa. Se hizo la verificación y a partir de allí sostuvimos aquel control.

Un punto clave era que mientras el trabajo avanzaba, se destacaba más y más la cercanía del Chocoano con el Paisa y por tanto la importancia de aquel parecía cada vez más estratégica para nosotros.

Efectivamente, para finales de septiembre la comisión de Frontino —como tenía identificados a varios de los milicianos que recogían el dinero de las extorsiones— confirmó que los auxiliares de aquel pueblo tenían en su poder una suma importante que debían entregarle al Chocoano.

La comisión les hizo seguimiento de Frontino hacia Urrao y, desde luego, captó el momento en el que el Chocoano se reunió con ellos y recibió el dinero.

Detalle importante porque se trataba de obtener pruebas físicas que iban a servir para un posible reclutamiento —convencerlo para que trabajara para nosotros—, pues estábamos elaborando un perfil muy completo de aquel hombre, de manera que en un momento determinado pudiéramos decirle "Usted ha hecho esto, mire las fotografías, mire las consignaciones, usted recibió dinero tal día a tal hora, en tal punto…".

En la elaboración del perfil del Chocoano la comisión nos informaba periódicamente qué hacía, qué rutinas tenía, qué días bebía, si salía con mujeres o se veía que de pronto conviviera con alguna, cosa que no resultó así. Se trataba de un hombre muy solo y no había otra forma para presionarlo que no fuera a través de sus nexos con la guerrilla.

Sin embargo, el tipo era muy osado. En muchas de sus conversaciones decía, por ejemplo, "Si me van a coger, pues que me cojan. Yo no tengo nada que perder". Ese era un punto en contra de nosotros, porque decíamos "pues si lo vamos a amedrentar con esto y si eso no le importa…", pero sí sabíamos que le gustaba mucho el dinero y su realización era estar viajando, comprando, vendiendo y a la vez le gustaba el riesgo y como que lo apasionada el hecho de ser colaborador del Paisa. Eso parecía alimentarle el ego.

Por aquellos días nuestro jefe analizó una vez más lo que teníamos en cuanto a la personalidad del Chocoano, de sus gustos, de su trabajo con el camión y fue cuando empezamos a idear la forma de poner en escena a otra persona de nuestro lado, de comenzar a prepararla y de trabajar por un flanco diferente. Por ese motivo variamos un tanto el rumbo y decidimos no hacerle ninguna propuesta directa.

Ya para finales de septiembre se optó por elegir a alguien que reuniera ciertas cualidades asociadas al perfil del objetivo: cualidades era que no le molestara beber, que fuera alegre, muy buen conversador, que supiera cómo hablar cosas de guerrilla sin levantar sospechas, que ya tuviera experiencias en infiltraciones… Había dos muchachos.

Entonces, tras analizar la personalidad de uno llamado Rodrigo, que debía integrarse como cargador de camiones —o cotero—, entró en una etapa de preparación, pero no se le dieron muchos detalles del objetivo. Nos reunimos con él un día y se le indicó que debía hacer un nuevo trabajo de infiltración, que ensayara la manera de beber bastante sin llegar a emborracharse, tal y tal y tal…

"Hay que idear la forma de llevar consigo un localizador en algo que usted esté usando siempre, pero que no sea una prenda sospechosa", le dijeron antes de enviarlo a Caracterización. No le dieron más detalles. El trabajo de preparación lo comenzó a hacer el mismo Rodrigo.

RODRIGO (Inteligencia)

Lo primero fue prepararme físicamente para cargar bultos, mirar cómo me iba a vestir durante la operación, qué debía portar, qué no debía portar, y buscar la manera de camuflar un GPS pequeño dentro de algo que fuera común en ese gremio. Me ordenaron también que me preparara en elementos de mecánica automotriz —que ya de por sí algo sabía— y retomara alguna habilidad en manejo de lanchas con motor fuera de borda.

El primer paso fue inscribirme en un gimnasio para buscar un estado físico óptimo, con rutinas en la mañana y en la noche, pero más de resistencia que de fuerza para soportar el esfuerzo que me iba a imponer cargar y descargar camiones. Mucho trote al comienzo y luego ejercicios para sostener ciertos pesos.

Estudiando la indumentaria de los cargadores en plazas de mercado, vi que ellos usaban un bolso o "canguro" sobre el vientre y allí guardaban el dinero que les iban dando por su trabajo. En aquellos sitios también miré cómo se movían, cómo se cargaban y descargaban los bultos, cómo caminaban, cómo hablaban, qué silbaban...

En Caracterización buscaron unos yines recortados a la mitad de la pierna, pues por el clima a donde iba no podía permanecer con pantalón completo. Nada de ropa de marca conocida, y una vez escogidos los cortamos con unas tijeras y los volvimos pantalonetas que llegaban hasta la rodilla. Todo eso correspondía a la vestimenta característica de los coteros de las plazas de mercado.

También se preparó otra pinta con camisa de manga corta, no tan vieja, pero tampoco tan nueva, un pantalón de dril que era supuestamente la única ropa que tenía para ocasiones de descanso o de salir a algún lado durante los días libres.

También hicieron algunas propuestas como, por ejemplo, el cambio de los zapatos por unos más deteriorados, pues se suponía que yo era un trabajador raso, una persona de bien que a la vez permanecía aseada. No era de los que merodeaban por la calle, trabajaban y tenían algún vicio, porque eso iba a provocar que a lo mejor me rechazara el objetivo. Tenía que ser un atuendo muy a la realidad, pero no el de un vago. Esa ropa la cuidaba como un tesoro, porque supuestamente era lo único que tenía: en mi trabajo futuro solamente conseguiría para comer y para pagar el alquiler de una pequeña habitación.

En cuanto al cabello, lo tuve hasta los hombros y me dejé una línea de barba en el borde de la quijada. Tenía las uñas largas, sucias, pero después del trabajo me las limpiaba, aunque de todas maneras las mantenía largas como las de los ayudantes de los camiones.

En un par de plazas de mercado vi que la mayoría utilizaba unos zapatos tenis de tela, tipo botín, de color rojo que fue los que usé para trabajar durante toda la operación. No tenía cinturón, no tenía adornos en el pecho, no llevaba pulseras, ni anillos... Esa era básicamente la caracterización.

En aquel momento no conocía a la mayoría de mis compañeros de equipo que tampoco sabían que yo iba a trabajar en el mismo proceso. Los únicos que tenían la información eran el jefe, la analista y los socios que estaban en Urrao. Yo acababa de llegar a ese grupo.

Bueno, pues unas semanas después de haber comenzado a prepararme me invitaron a la celebración del cumpleaños de uno de los compañeros. Entonces yo era lo que llaman un bebedor social: de vez en cuando y no demasiado, pero ellos también tomaron aquella noche como pretexto para celebrar mi llegada y, desde luego, eso era bebiendo.

Me dieron mucho licor, me pegué una borrachera increíble, me llevaron hasta la casa y al día siguiente no recordaba lo que había sucedido. El jefe me dijo:

—¿Sí ve cómo son las cosas del licor?

Yo hasta ese momento no había tenido una experiencia igual.

Ocho días después celebraban el ascenso de un compañero, fuimos las mismas personas, hubo mucho trago y nuevamente me emborracharon: me llamaban, venga brindamos, le levantaban a uno la botella y entre dos le daban de beber. Incluso utilizaron una válvula: a esa le ponen una cerveza encima y después de que la voltean se la colocan a uno en la boca, el líquido baja sin detenerse y uno tiene que bebérsela de un golpe.

Esa noche también estuve muy borracho y tampoco recordaba nada al día siguiente. Cuando llegué a la oficina les ofrecí disculpas a los compañeros, y el jefe me dijo "Venga". Nos sentamos en la sala de su oficina y empezaron a proyectar un video enfocado directamente a mí. Yo pensé lo peor: "Me van a llamar la atención por haberme portado mal…". Pero no.

Explicaron que en las dos reuniones alguien estuvo filmándome durante todo el tiempo con una cámara en el botón de una chaqueta. En una pantalla veíamos mi comportamiento, escuchábamos lo que hablaba, cómo me movía, cómo miraba. Sin embargo, me pareció que todo había estado, digamos, dentro de lo normal.

Cuando terminó la proyección el jefe dijo que debía tomar medidas para llegar a ser capaz de controlarme: primero, tenía que beber mucho menos sin que fuera ostensible; no perder la noción de lo que estaba diciendo y especialmente de lo que estaba escuchando, pues era mi propia vida la que se encontraba en juego en caso de no aprender a callar.

Luego tenía que encontrar algo para ingerir antes de beber y así tratar de contrarrestar un tanto los efectos del alcohol. Ahí supe que mi objetivo en un pueblo se dedicaba al licor todos los días, un hombre solitario que terminaba su labor diaria con un camión y se entregaba a la botella. Esa era una de las costumbres de aquel hombre que yo tenía que capitalizar.

Ellos ya habían hecho un análisis de los dos videos completos y me preguntaron hasta qué punto me acordaba. Les dije hasta dónde y me explicaron:

—Hasta ese punto usted se había tomado quince tragos en la primera ocasión. La segunda fue con cerveza y estuvo bien hasta cuando había llegado a diez. Ese es su límite. No puede pasar de ahí.

En cuanto a la manera de contrarrestar el efecto del alcohol en el organismo, duramos una semana probando sustancias, leyendo, practicando y por último fui a donde un médico naturista. Antes de beber, él aconsejó tomar una solución que me protegía las paredes del estómago y, por tanto, el alcohol se demoraba más tiempo en ser asimilado.

Esa fue la última prueba y realmente funcionó. De los quince tragos que eran mi límite resistí siete más y paré, pero no perdí la memoria, ni la capacidad de concentrarme al escuchar. Ya era consciente de lo que hacía y de lo que hablaba… A partir de ahí medí muy bien mis limitaciones y acabé de convencerme de que, por encima de todo, uno tiene que controlarse.

Al término del entrenamiento, algo más de un mes, me enviaron a Medellín y me llevaron a la Plaza Mayorista para ir aprendiendo a cargar bultos con todas las de la ley y, claro, empecé llevándole los mercados a la gente que iba por lo del hogar, con el fin de que empezaran a verme y a distinguirme en ese lugar.

Desde luego llegué conectado con una bodega a través de la cual iba a ingresar a Urrao, pues el dueño tenía el camión en el que iba a viajar a ese pueblo. Él era el único que conocía mi verdadera identidad y practicando empecé a ir agarrando el ritmo del trabajo, a ir conociendo a la gente del oficio y a practicar lo mejor que podía el lenguaje de los coteros.

Era un trabajo duro porque al tiempo tenía que continuar con la preparación en el gimnasio, pero le bajé de dos sesiones a una y luego sí, me iba a meterle el hombro al trabajo. Unos días después el dueño de la bodega le dijo al chofer del camión que yo iba a ser su ayudante a partir de ese momento, de manera que si por algún motivo llamaran a preguntar algo, todo quedaba en regla.

Al comienzo fuimos a diferentes pueblos los días de mercado y eso también me sirvió porque empezaron a conocerme como trabajador normal que andaba en lo mío para un lado y para otro.

Cuando empecé a llegar a Urrao ya tenía clara la pinta del Chocoano —el colaborador de las FARC que iba a infiltrar— y las de sus dos ayudantes porque ya había estudiado sus fotografías y la del camión, ya sabía en qué puntos podía localizar al objetivo… La analista me lo explicó con detalles.

Algunas semanas después de haber conocido el movimiento en Urrao logré acercarme a los ayudantes del Chocoano, dos hermanos.

¿Cómo?

Por lo general los camioneros después de trabajar se sientan a beber o a comer algo o tienen su amiguita en cada pueblo y se demoran un rato más.

El hombre del camión en que yo iba terminaba su labor, comía algo, visitaba a una muchacha y después regresábamos. Mientras él hacía eso yo me dedicaba a jugar a la veintiuna con monedas en un sitio en el que permanecían por las tardes los ayudantes del Chocoano. Desde la primera tarde me les acerqué y comencé a hablarles, jugamos algunas monedas, les conté qué hacía y empezamos a conocernos.

Un día llegué al pueblo y los hermanos estaban descargando un viaje de maíz del camión del Chocoano. No sé por qué esos bultos les parecían particularmente pesados, el camión venía muy lleno y, claro, los tipos estaban solos. Ese día había mucho movimiento en el pueblo, los cargadores eran escasos y me pidieron que les echara una mano.

—Espérenme. Primero descargo el mío y vengo a ayudarles —respondí.

Para hacer las cosas más naturales les dije que en cualquier otro lado me pagaban mejor y ellos insistieron:

—Bueno, hermano, le damos algo de lo nuestro, pero ayúdenos.

A partir de ahí empecé a trabajar con ellos.

Bueno, terminamos a eso de las tres de la tarde y les dije que nos tomáramos unas cervezas: era la costumbre y nos reunimos los hermanos, otros dos muchachos y yo, pero un poco después se fueron los muchachos, me quedé con los hermanos y vi que esa era la oportunidad para quedarme en el pueblo, porque ya estábamos hablando de nuestras familias y de mujeres y del trabajo y le dije al chofer de mi camión que se fuera:

—Olvídese de mí, hermano.

A eso de la una de la mañana yo recordaba todo lo que había pasado y todo lo que habíamos hablado porque ya sabía cómo era la movida con el licor. Imposible que no, después de aquellas borracheras en el trabajo.

A uno de los hermanos tuvimos que llevarlo cargado hasta su casa y en el momento de despedirnos el otro me preguntó para dónde iba y le dije que a cualquier parte: el camión me había dejado y yo tenía que esperar una semana hasta que regresara, no tenía dinero, no tenía dónde quedarme, no tenía nada…

El muchacho me dijo que durmiera en su casa y esa semana podía trabajar con ellos mientras regresaba mi camión.

Al día siguiente madrugamos y me pusieron a descargar el camión del Chocoano, luego me empezaron a presentar a otras personas para que me dieran trabajos y, claro, todas las tardes terminábamos de meter el hombro y nos íbamos a beber.

A los cuatro días ellos estaban tomando y yo descargando otro camión. Cuando llegué al sitio los encontré con el Chocoano y claro que lo reconocí, de una:

—Le presentamos al patrón —dijeron, y me invitaron a una cerveza.

Hablando, hablando, tocamos mi tema y les dije que yo iba a esperar a que llegara la semana siguiente para irme de allí porque trabajaba mucho y ganaba poco. El Chocoano no dijo nada especial y esa noche fui a quedarme nuevamente a la casa de los hermanos. Hasta ese momento yo no tenía nada que ver con el Chocoano, que simplemente se limitaba a verme trabajar y el dinerito me lo daban los hermanos por la ayuda.

Fueron muchas las necesidades que tuve que pasar aquellos días pero mi función era estar ahí y comprar cerveza para no despegarme de mi gente. Muchas veces no tenía para comer, otras no desayunaba y hacía un almuerzo bien reforzado. Así me mantuve durante esa semana.

Al cabo de seis días me sentía agotado y aproveché para decirles a los muchachos que me ayudaran para poder quedarme a trabajar en Urrao, porque allí se ganaba muy bien.

ANTONIO (Socio)

Como los jefes nos pedían que saliéramos del pueblo y que empezáramos a familiarizarnos con la zona rural, mi socio y yo decidimos hacer domicilios al campo, pero nos tenían que mandar un vehículo de trabajo. Al poco tiempo nos llegó un carro viejo, desde luego controlado por satélite, diferente al que nos abastecía. Se trataba de una pequeña camioneta y el anuncio del servicio a domicilio fue una maravilla, porque allí no existía eso.

Allí sólo algunas veces ciertas personas prestaban esa ayuda, pero ese no era su trabajo. Tal vez lo hacían por amistad y el común de la gente se pasaba horas rogándole al uno, rogándole al otro sin conseguir nada. Ahora nosotros estábamos disponibles a hacerlo a cualquier hora, y desde luego, solamente íbamos a las regiones con menos presión de la guerrilla.

Así empezamos a darnos a conocer también en lo que aquí llamamos veredas —rincones semirrurales en pleno campo—, y poco a poco fuimos teniendo la facilidad de ir de un sitio a otro sin despertar sospechas, de manera que, entre otras cosas, pudimos ir verificando la ubicación de muchos milicianos, o sea, guerrilleros sin arma a la vista ni ropa de camuflaje.

Gracias al nuevo trabajo también fuimos confirmando plenamente la presencia del Chocoano como colaborador de la gente del Paisa, tal como nos lo decían en el pueblo sin ningún misterio y cada vez les sacábamos más jugo a los chismes que nos llegaban sin buscarlos. Pero sin buscarlos.

En ese momento nuestro cuento era concentrarnos en el Chocoano: saber de él cuanto fuera posible, medir sus movimientos, ir descubriendo sus intereses, sus rutinas, y eso se lo íbamos informando a nuestros jefes, bien por medio del buzón muerto, o por otros caminos que habíamos establecido desde antes de llegar a Urrao.

Resulta que el tipo guardaba su camión en una casa de dos pisos: en un ala estaba el patio-garaje, en otra vivía él, y también había allí una pieza independiente que le había arrendado a alguien. Nosotros buscábamos entonces la manera de acercarnos a él, pero no podíamos hacerlo por lo de nuestro negocio porque él tenía sus proveedores antiguos en la ciudad, asunto de precios más bajos, pero desde el comienzo me fui, observé en la vecindad y encontré que en la casa contigua a la suya había un letrero: "Sastrería".

Ahí vivían un matrimonio y una niña de quince años. La señora era la que cosía y el señor trabajaba en diferentes oficios.

Al día siguiente:

—Señora, arrégleme la pierna de este pantalón.

—¿Qué quiere que le haga?

—Angósteles la bota a estos dos. Si usted quiere yo espero porque los necesito urgente.

Es que desde allí podía ver a través de la ventana de la habitación del Chocoano.

Efectivamente, en una de aquellas entradas vi que se asomaban unas cajas de whisky Buchanan's, como si estuvieran encima de otras. Entonces, atando cabos, o como decimos en el trabajo, cruzando información, pues resultaba de bola a bola que, además de comida, el bandido chupaba trago. Mejor dicho, además de todo era un borrachín.

El detalle más relevante y más revelador ocurrió una tarde que fui a la sastrería sin avisar y sobre una mesa, al lado de donde cosía la señora, vi un arrume de sudaderas negras bien dobladas. Le pregunté para qué eran, en qué colegio las utilizaban, y respondió:

—Son un encargo —se puso seria y rápido cambió el tema.

Una mañana le pregunté si le molestaban los niños de la vecindad y respondió de forma seca:

—En la vecindad no hay señora ni hay niños. Allí vive un hombre solo.

Ahora nuestra comunicación con Bogotá era a través de una computadora portátil, pero permanecía limpia. Quien se metiera allí no encontraba un solo documento. Además, evitábamos hablar por teléfono móvil. Sin embargo, reportábamos hasta lo más mínimo: cómo se vestía, cuánto bebía, qué bebía, cómo bebía, con quién lo hacía. El tipo era tan solitario que únicamente se reunía con los dos ayudantes del camión.

Para el mes de diciembre ya la gente nos conocía, conocía nuestros teléfonos, nuestras rutinas, ya teníamos una buena clientela. En aquel momento usábamos dos teléfonos móviles: uno, el supuesto familiar que yo cargaba, donde teníamos los nombres del papá, de primos, de hermanos, es decir, los miembros de nuestro equipo en las diferentes ciudades y pueblos, y el otro, el de los domicilios que utilizaba Fernando, mi socio.

Un domingo de mercado estábamos los dos cuando, a unas dos cuadras, él vio a un señor en una moto vestido con chaqueta de policía. Lo miró bien y, claro, era un compañero suyo de la escuela de formación, y me dijo:

—Ese muchacho me conoce. Él sabe realmente quién soy yo.

El tipo venía hacia donde estábamos nosotros, pero en ese momento no podíamos abandonar el sitio porque los días de mercado sacábamos las cosas a la calle para que nos vieran más y, claro, había que jugársela. Esperamos allí, el tipo cruzó por frente a nosotros, nos miró de reojo, pero no reconoció a Fernando que tal vez estaba muy cambiado porque ya habían pasado algunos años desde entonces. Inmediatamente le contamos lo de la emergencia a nuestro jefe y supimos que al día siguiente, de una, como dicen, trasladaron de región al motociclista.

Bueno, pues ese mismo mes hubo una cuarta llamada al celular de clientes en el que nosotros podíamos grabar. Llamadas que habían comenzado en octubre anterior: era la voz de un joven, y como el tono me pareció extraño puse a rodar la grabadora. Me dijo:

—Yo soy integrante del Frente Treinta y Cuatro de las FARC —hablaba con calma—. Lo que sucede es que aquí, el comerciante que quiera trabajar debe ayudarnos con una cuota de dinero. Ustedes tienen que contribuir.

Le dije:

—¿Qué le pasa? ¿Usted quién es? Le voy a pasar a mi socio.

El tipo volvió a echar el cuento, pero ya se puso más agresivo:

—¿Van a colaborar o no? Aquí a todo el mundo se le exige eso y si quieren seguir trabajando tienen que pagar.

—¿Y a mí quién me asegura que ustedes son de las FARC? Si lo son, que me llame el mismo comandante.

—Ah, bueno, listo. Entonces aténganse a las consecuencias. Ustedes van a volverse objetivo militar…

Fernando le colgó sin dejarlo que terminara de hablar. La voz no era la del Paisa.

MARIELA (Analista)

Para mediados de octubre el Chocoano se comunicó con Carlos —aquel hombre que trabajaba en unas bodegas en Medellín, hijo de una mujer de setenta años que había sido investigado cuando el Paisa pidió que hicieran contacto con él— y el Chocoano le dijo que debía alistar a las estudiantes y enviárselas en esos días.

Con esa llamada, la comisión en Medellín controló a Carlos, el de las bodegas, y encontró que él era el contacto con una "gallina" —prostituta— de alto vuelo llamada Marcela. Los dos se comunicaron la tarde siguiente y a eso de las diez de la noche el tipo salió y se fue hasta el barrio El Poblado, un sector de clase pudiente: llegó a un edificio de doce pisos, se anunció y bajó a hablar con él una mujer rubia, bonita, muy sensual, que subió a la camioneta negra en la que iba Carlos.

Estuvieron allí más o menos quince minutos al cabo de los cuales ella volvió a ingresar al edificio. Ese edificio no lo conocíamos. Era otro paso en nuestro trabajo.

Allí dejaron a una patrulla vigilando a la mujer porque ya sabíamos a través de guerrilleros desmovilizados que algunas veces el Paisa hacía ingresar prostitutas al Frente, pero hasta octubre nosotros no habíamos registrado esos movimientos.

La vigilancia se sostuvo hasta las cuatro y media de la mañana cuando la misma rubia salió del edificio, tomó un taxi y se fue hasta la terminal de transportes del sur de la ciudad. Allí se reunió con otra, Carlos les dio pasajes y las embarcó con destino a Urrao.

A eso de las ocho de la mañana de aquel sábado, el Chocoano recibió una llamada de Carlos, quien le dijo simplemente que las "gallinas" ya estaban en camino: habían salido temprano y más o menos a las nueve estarían llegando.

A partir de allí, efectivamente nuestra gente en Urrao observó al Chocoano más o menos hasta las nueve de la mañana, pero después no lo volvieron a ver. El tipo llevaba bastante mercado en el camión, pero no lo descargó. Eso fue lo único que nos reportaron.

Resulta que por ser sábado el hombre del camión aprovechó la multitud en el pueblo por ser vísperas de mercado y valiéndose de la confusión, el movimiento y el barullo se alejó de allí sin ser visto y se dirigió a la zona donde se encontraba el Paisa.

Más o menos a las doce de ese sábado, el Chocoano recibió
una llamada de las FARC —voz de un tipo desconocido para
nosotros— que quería enterarse de si ya estaba cerca "con el
encargo". El Chocoano respondió que sí, que iba en camino
y que dentro de poco tiempo el celular se quedaría sin señal.
Que lo esperaran en el sitio.

En ese momento se estaba reportando un poco más adelante
de Frontino. Pensamos que iba ingresando a la zona inicial que
manejó el Paisa.

Al día siguiente se controló a Carlos en Medellín, pero no
se confirmó el retorno de las mujeres, y la comisión trabajó
también en el edificio de la rubia para establecer de quién se
trataba realmente.

Ya terminando octubre, el Chocoano recibió llamada de
otro tipo desconocido, quien le anunció que ocho días después
debía preparar nuevamente a la "gallina" para que se la llevaran
junto con el mercado.

El día que se vio por primera vez a Marcela, comenzamos
a obtener información de ella. Gente en Medellín estableció su
nombre completo, oriunda de una vereda llamada Cañas Gordas, cercana a Frontino. Cañas Gordas fue una de las veredas
donde el Paisa permaneció durante algún tiempo.

Esta señorita vivía con otra muchacha llamada Valentina.
Marcela tenía veintitrés años y un hijo de ocho al que cuidaba
su madre.

Se le analizaron cuentas bancarias, movimientos migrato-
rios… Viajaba a Centroamérica —la gira del Caribe que llaman
las "gallinas"— y algunas veces regresaba por Costa Rica o por
México. Era administradora de empresas.

Se hicieron verificaciones en la Seccional de Inteligencia en
Medellín y había algunas informaciones que, aún sin mucha

fuerza, señalaban que esta mujer posiblemente tenía nexos con el narcotráfico.

Vivía muy bien. Manejaba bastante dinero, pero calculamos que lo tenía en su casa porque a través de las cuentas bancarias no movía demasiado. A la mamá le tenía un comercio y en Medellín se veían algunas veces movimientos de mercancías para aquel negocio.

A través de un retén de la Policía la identificamos y conseguimos alguna información adicional. Entre otras cosas, ella tenía un automóvil negro, último modelo.

Antes del viaje de Rodrigo —el cotero— a Urrao, Antonio y su socio Fernando nos reportaron más detalles de las identidades de los ayudantes del Chocoano en el camión.

Se supo entonces que ambos conocían el contacto del Chocoano con las FARC. Eran muchachos jóvenes, más o menos de la edad con que habíamos escogido a Rodrigo, y al parecer, fuera del licor, su único pasatiempo era el fútbol.

A comienzos de noviembre, gracias al control que se ejercía sobre Marcela, registramos la llegada de Carlos a su edificio. Él la esperó e hicieron el mismo recorrido hasta la terminal de transportes en Medellín. Como se había dicho que prepararan a las "gallinas" para ocho días después, es decir, un tres de noviembre, ese día se les hicieron los controles a Carlos y a Marcela, y efectivamente el tipo se encontró con ella y su amiga y las dejó en la terminal de transportes.

En esa época registrábamos cada tres semanas las visitas de Marcela. Carlos se dedicaba a recibir dinero de las FARC, resultado de las extorsiones y adquiría elementos logísticos para enviarle al Chocoano, además de cantidades de tarjetas telefónicas.

También compraba tela de color negro que enviaba a Urrao, además de cable y pilas de nueve voltios, radios transistores, elementos aparentemente para fabricar artefactos explosivos o reparar generadores eléctricos.

Llegó diciembre. Estábamos a pocos días de cumplir un año desde el comienzo de la operación, cuando Rodrigo entró a Urrao como ayudante del vehículo que abastecía desde Medellín a los socios Antonio y Fernando. Su medio de enlace con ellos fue desde entonces un buzón muerto. Con nosotros en Bogotá, él tenía comunicación directa.

ANTONIO (Socio)

El treinta y uno de diciembre, día de Año Viejo, por la mañana el pueblo estaba en silencio: poco movimiento comercial, la gente ya había hecho su mercado y ahora se encontraba en la misa, en la procesión, en las primeras comuniones, en todas estas cosas religiosas y a eso de las ocho apareció un cliente. El hombre llamó a la puerta y dijo que por favor le lleváramos unas cosas a una hermana suya que vivía en el campo: un lugar llamado vereda Encarnación.

—Está muy enferma y no pudo venir al pueblo a aprovisionarse… Si ustedes quieren les pago el triple, pero por favor vayan —insistió varias veces.

Tomamos el paquete que traía y lo revisamos primero: galletas, vino, ponqués pequeños, leche, medicamentos, algunas frutas… Un mercado completo.

Le dijimos que sí, que nos dejara las cosas y si no podíamos ir, le avisaríamos.

En ese momento no podíamos tomar la decisión sin consultar con nuestra Unidad de Análisis en Bogotá. Lo hicimos en clave, dijeron que los medicamentos eran para la tensión arterial y que podíamos ir al lugar.

Partimos a eso de las nueve y media de la mañana. Él había dicho que la carretera nos llevaba al lugar porque en aquel sitio la señora era muy conocida. El punto estaba a unas dos horas y media de viaje.

Nuestro primer referente era una escuela. Un camino solitario porque en aquella vereda se alistaban para asistir a la misa de despedida del año a eso de las diez y la gente ya estaba en recogimiento. Por allí no había tránsito de campesinos. No se veía nada.

Llegamos por fin a un punto descrito por el cliente y allí se nos acercó un grupo de hombres: cuatro de ellos tenían ropa camuflada, pero no un camuflado completo sino las botas por fuera del pantalón, desabotonados, unos con camisa, otros con pantalones con sus vetas verdes y amarillas No eran uniformes organizados: unos claros, otros oscuros... Dos más venían con sudaderas negras.

Los hombres se nos acercaron:

—Somos integrantes de las FARC, necesitamos que bajen porque les vamos a hacer una requisa y unas preguntas.

Tan pronto escuchamos aquello activamos el botón de pánico de la pequeña camioneta, pues desde cuando avisamos del viaje, en la oficina se concentraron en nuestros movimientos.

ROBERTO (Oficial de Inteligencia)

Antes de enviar a aquella zona la pequeña camioneta le adaptamos un sistema de localización con varias configuraciones según el tipo de necesidades que se requirieran. Entonces vía satélite uno podía saber dónde estaba el vehículo, cuánto tiempo había durado prendido, en qué punto y cuándo lo habían apagado, etcétera. Respuesta en tiempo real.

La verdad es que ese día ellos se estaban acercando al punto indicado por el cliente, a unas dos horas y media del pueblo. Nosotros captamos inmediatamente la alarma y también de forma inmediata les marqué al celular que tenían para su servicio interno, pero no contestaron. Lo hice por segunda vez y tampoco contestaron. Algo anormal estaba sucediendo.

A eso de las nueve y tantos de la mañana supimos que el vehículo estaba detenido y se mantenía inmóvil.

Luego supimos que a partir de allí los hicieron caminar más o menos media hora dentro de la selva, supuestamente para ir a hablar con el cabecilla y dejaron el carro en el lugar del asalto.

Esperaron allí tres horas y el cabecilla no llegó, tiempo durante el cual nosotros no supimos nada de ellos fuera de concluir que estaban en un área guerrillera. En ese momento les marcamos nuevamente al celular de Fernando pero tampoco contestaron.

ANTONIO (Socio)

Yo tenía el celular en un bolsillo del pantalón y mi socio también, pero lo primero que pidieron fueron los teléfonos y por instinto los mostramos, y además, para evitar problemas posteriores pues alguno podía timbrar.

—No queremos que se comuniquen con nadie, somos del Frente Treinta y Cuatro de las FARC. Nuestro comandante necesita hablar con ustedes y vamos a hacer un desplazamiento para encontrarnos con él —dijeron.

Fernando se altera con facilidad y empezó a alegar:

—¿Cómo así? ¿Qué les pasa? ¿Cómo nos van a llevar por allá?

La respuesta fue agarrarlo y uno le pegó en el hombro para poderlo doblegar. Él es alto y casi los lanza al piso a los dos, pero finalmente aquellos lo dominaron. Yo lo miré como diciéndole: "¿Qué ganamos luchando?". Luego les dije:

—Pero ¿cómo así que nos van a llevar? ¿Y el carro cómo lo vamos a dejar solo si hasta ahora lo estamos pagando? No, esas cuotas son muy altas, el seguro lo tenemos vencido…

—Cálmense ya —dijeron, y dos de ellos se quedaron cuidándolo.

—Tranquilo. Ellos lo van a vigilar, explicó otro.

Entramos en un sendero estrecho a través de la selva y empezamos a avanzar de forma lenta y en silencio. El que marchaba a mi lado llevaba el único radio y sus armas eran viejas, deterioradas, sus ropas raídas en algunos casos. En lo que más me concentré fue en unas sudaderas negras con las mismas costuras de las de aquella sastrería.

Caminando por allí sentí que me descontrolaba un tanto porque pensé que nos estaban secuestrando, se me vino mi familia a la mente. Justamente esa mañana había hablado con mis padres, pero me dominé pronto…

No tengo ahora noción de cuánto caminamos, tal vez media hora decía Fernando, pero finalmente llegamos a un punto sin tomar una referencia, algo que nos orientara en un posible regreso.

La situación del retén ya la habíamos practicado en los entrenamientos y creía que había salido bien, pero nunca calculamos que en algún momento tuviéramos que marchar con los guerrilleros. En el sitio había grandes piedras, había troncos para sentarse, no se veían casas, no había ranchos, no había nada diferente a la selva apretada.

Dijeron que su comandante se demoraría en llegar, pero pasó el tiempo y no apareció. Desde luego, al comienzo nos habían separado: a mí me dejaron en el mismo sitio y a Fernando se lo llevaron, pero yo podía ver dónde estaba aunque no escuchaba qué le estaban preguntando, ni él tampoco nos podía oír.

Ahí es donde uno aprecia cómo durante el entrenamiento le estén martillando a toda hora: "¿Ya practicó las instrucciones? ¿Ya se aprendió bien tal cosa?". Nosotros habíamos repasado aquel libreto hasta la saciedad.

Efectivamente, los guerrilleros comenzaron a hacer preguntas: ¿De dónde vienen?… ¿Socios? ¿Cómo se conocieron?… ¿Por qué llegaron a este pueblo y no a otro?… ¿Esa camioneta dónde la compraron? ¿Cuánto les costó? ¿Cómo la pagan? ¿Cuántas cuotas?… ¿Desde cuándo son socios?

Después del interrogatorio mi celular había sonado un par de veces a partir del momento en que activamos el botón de pánico y ellos lo apagaron. Más tarde lo volvieron a prender, examinaron el directorio y empezaron nuevamente:

—¿Quién es Clara?

—Mi prima.

En ese momento entró una llamada de nuestro jefe que figuraba como "Papá".

—¿Quién es Papá?

—Pues mi papá.

El guerrillero le colgó y le quitó la batería al celular.

En ese momento escuchamos una voz en la radio preguntando en clave qué hacían con el vehículo porque en ese momento estaban viendo unos "chulos" —helicópteros—. Como era día de fin de año había mucha presencia de Fuerza

Pública en el pueblo y a lo mejor era normal que volaran aeronaves, pensé.

Sin embargo, ordenaron que los dos que habían quedado cuidándolo abandonaran el carro y se vinieran. No sé qué ruta cogerían aquellos porque nunca los volvimos a ver.

Bueno, luego nos quitaron el mercado y se fueron. No nos dijeron nunca cuál era el objeto de la tal reunión y nos quedamos allí sin saber qué podía ocurrir después, porque ahora la presencia de los helicópteros era muy ostensible.

ROBERTO (Oficial de Inteligencia)

Unas dos horas después volví a marcar el celular de Antonio y me contestó un tipo que preguntó quién era Papá, papá de quién, y Antonio respondió:

—El mío.

Guardaron silencio unos segundos y finalmente escuché una voz que me preguntó quién era yo y le respondí:

—El papá de Antonio.

Colgaron y apagaron el teléfono. En ese momento estaba totalmente seguro: los habían agarrado.

Como los muchachos estaban secuestrados, coordinamos con la Fuerza Aérea en la base más cercana y de allí enviaron helicópteros a la zona reportada por el camioncito.

Después supimos que uno de los guerrilleros que se habían quedado con aquel vehículo fue quien primero los detectó porque se comunicó inmediatamente con los demás:

—Están llegando chulos, ¿qué hacemos con este carro?

—¿Dónde están los chulos?

—Encima, están encima.

—Aléjese ya —le ordenaron

Nosotros nos la jugamos con la Fuerza Aérea, porque en aquella zona habitualmente hay operaciones militares. En ese momento los guerrilleros trataron de comunicarse con el cabecilla para saber qué hacían con los socios, pero no lo lograron y el que mandaba en el grupo les dijo:

—Esta vez se van a ir, pero el asunto sigue pendiente: o ustedes colaboran con nuestra causa o no pueden trabajar en esta zona.

En ese momento los soltaron y ellos quedaron a la deriva.

ANTONIO (Socio)

Di unos pasos hasta donde estaba Fernando, lo miré, y…
—Ahora, ¿para dónde?

Caminamos cerca de una hora hacia cualquier lado, durante mucho más tiempo que cuando vinimos. Por fortuna todavía estaba de día, yo calculo las dos, las tres de la tarde, y al trepar a una colina empezamos a escuchar la pólvora del bazar que había en la vereda de la misa, de manera que hacia donde veíamos que se iban elevando los voladores avanzábamos, hasta que por fin encontramos gente en el camino.

Preguntamos dónde quedaba la carretera que iba de Urrao a Encarnación, nos dirigimos en ese sentido y finalmente encontramos el camioncito y a su lado un tarro con gasolina: no lo alcanzaron a quemar.

Por fortuna las llaves estaban en el arranque, de manera que no teníamos que ir hasta el pueblo por el duplicado, ni hacer el alboroto de que la guerrilla nos había interceptado, porque iban a preguntar realmente quiénes éramos nosotros. Es que ni siquiera la Policía local lo sabía, de manera que, silencio.

A eso de las siete de la noche, ya oscuro, cogimos el carro y cuando llegamos al pueblo todo el mundo estaba en plan de Año Viejo: rumba. Nosotros sólo queríamos olvidar aquel día.

ROBERTO (Oficial de Inteligencia)

Finalmente no tuvimos comunicación con ellos, pero sí vimos que el camioncito volvió a moverse buscando a Urrao y tres horas después Antonio anunció que ya se encontraban en el pueblo en buen estado.

ANTONIO (Socio)

Una vez allí nos reportamos a Bogotá donde estaban con la incertidumbre sin saber qué nos había sucedido. Luego nos fuimos a la casa, rezamos y nos quedamos en silencio.

ROBERTO (Oficial de Inteligencia)

Aquel incidente nos obligó a redefinir varias cosas, porque, primero: ya habían tenido contacto directo con guerrilla, y segundo: ahora la Fuerza Aérea conocía la existencia del vehículo.

¿Qué nos tocó hacer? Cambiar la camioneta, pero ahora los socios tenían que desechar de forma definitiva las visitas a zonas de mucha influencia guerrillera, de manera que los domicilios se atendían a lugares más cercanos y a sitios con accesos de menor riesgo.

…Ah. Y para que no pensaran que aquellos estaban ganando mucho dinero, conseguimos un carro diferente.

ANTONIO (Socio)

El segundo vehículo estaba adaptado con el mismo sistema de monitoreo del anterior, y como era un cacharro más viejo, no vimos que se hubiera despertado alguna sospecha.

Esporádicamente también cambiábamos las claves para las comunicaciones, de manera que hicimos como una reiniciación de actividades que incluía también cambiar la cuenta corriente y varios detalles que nos parecían importantes, en previsión de que nos estuvieran interceptando. Finalmente nos ordenaron concentrar nuestro trabajo en lo urbano, tratando de establecer con más detenimiento quiénes eran colaboradores de la guerrilla y quiénes no.

En esa fase empezamos a recolectar números de teléfonos celulares, números de teléfonos fijos, de pronto les determinábamos rutinas a personas que nos parecían sospechosas: "Sale a tales horas, tales días visita a tal familia". Toda esa información muerta la cruzaban en Bogotá.

Empezamos también a hacernos más amigos de los comerciantes, dueños de las tiendas y vendedores ambulantes, gente muy chismosa de por sí, y aunque ya teníamos un nivel de simpatía en ese gremio, intentamos integrarnos a ellos mucho más.

Por ejemplo, vimos más claramente que terminada la jornada de trabajo los domingos muchos de ellos no tenían nada que hacer diferente a beber licor y, claro, nos sumamos a lo mismo. Yo no soy muy bebedor, entonces hacía el teatro de algo y paraba después de un par de cervezas para concentrarme mucho mejor en lo que hablaban. Fernando, mi socio sí "chupaba" parejo con ellos y pagaba las cuentas, también parejo con ellos. Así fueron apareciendo muchas informaciones que nos sirvieron en esa tarea de recolectar cada vez más historias.

RODRIGO (Inteligencia)

Los dos muchachos que le ayudaban al Chocoano en el camión le dijeron que yo tenía deseos de quedarme en Urrao porque me iba mejor que en la ciudad y que, además, yo pensaba que él era muy buen patrón.

Ellos se lo comentaron y él respondió que necesitaba hablar primero conmigo. Fui hasta una cafetería donde se encontraba, me regaló un jugo y empezó a preguntarme quién era yo, de dónde venía, qué buscaba, para dónde pensaba ir en la vida… Le dije que era huérfano, trabajaba en Medellín pero ganaba muy mal y empecé a recitarle mi libreto de principio a fin. Casi lloro contándole aquella historia.

Me preguntó qué quería en ese momento y le expliqué que tener un trabajo estable directamente con alguien, en lugar de andar picando y picando en diferentes sitios sin poder ganar mejor y, por lo menos, poder comprar mis cositas básicas.

Dijo que bien, que empezara a trabajar con él, pero que me iba a dar una semana de prueba y según me desempeñara, podría quedarme. Esa semana salimos a diferentes sitios. Él iba con los ayudantes en la cabina y a mí me echaban atrás, sobre la carga.

En esos días no ocurrió nada especial. Él llevaba sus mercados a las veredas, a las tiendas campesinas y yo descargaba. Demasiado trabajo, pero claro, es que los hermanos me dejaban el gran esfuerzo a mí. Por ejemplo, llegaban a los pueblos y se ponían a beber cerveza y cuando todavía faltaba descargar la mitad me la dejaban a mí.

Cuando llegaba a la mesa me preguntaban si estaba muy cansado y les decía que no.

—Normal. Todo normal. Estoy bien.

El Chocoano me decía:

—Pero en este sitio vamos a pagar todos lo mismo.

—Tranquilo, patrón, no hay problema —le respondía.

Al día siguiente los hermanos estaban tratando de reparar el camión que tenía un daño muy sencillo porque yo mismo lo había provocado: un cable que iba a un convertidor de energía estaba conectado en donde no era y la máquina no arrancaba.

—Yo sé algo de esto —les dije.

Empecé a hacer teatro y a mirar y a mover diferentes cosas y un poco después volví a hablar:

—Llamen a un mecánico.

Pero cuando se iban a ir…

—Un momento. Un momento.

Agarré el cable, lo moví, lo volví a mover y a la tercera vez prendió la máquina:

—Huy, qué bueno. Usted se las sabe todas —dijo el Chocoano.

Me iba a pagar y le dije:

—No. Usted me ha ayudado en estos días. Dejemos así.

La noche anterior habíamos estado bebiendo juntos y me había dicho:

—Venga mañana conmigo porque el camión puede dañarse nuevamente.

Bueno, pues al final de la semana me anunció que en adelante iba a trabajar con él de lleno, me mejoró el sueldo y los muchachos pidieron que buscara dónde vivir. Hasta ese momento yo dormía en su casa en un colchón sobre el piso.

Busqué una pieza pequeña en casa de una señora muy buena persona conocida de aquellos. Le pedí al Chocoano que me prestara para comprar un colchón, una sábana y una cobija, dijo que sí y me fui para donde la señora. Cuando llegó el camión de Medellín les pedí que al regreso me trajeran mi ropa y a los quince días llegó lo poco que tenía.

Sucede que cuando una cosa da en el clavo hay que repetirla: una mañana mientras estaban arreglándole una llanta al camión, aproveché para descuadrarle los frenos. Los de un camión se pueden desarreglar fácilmente, pero también se cuadran con simpleza. La historia es que arrancamos y el Chocoano sintió que los frenos estaban muy largos:

—¿Qué pasó?

Me metí debajo y le dije que me alcanzara un destornillador, di un par de golpes, le hice sonar una pieza y finalmente le cuadré el sistema. Le pedí que moviera el carro, le dije que bombeara el freno un par de veces y el camión respondió de forma inmediata. Nuevamente se emocionó. Nuevamente yo "me las sabía todas":

—Rodrigo, usted es el hombre.

Sucede que un muchacho le ayudaba al Chocoano con las cuentas, le manejaba algunos dineros, pagaba reparaciones del camión, cosas así, pero yo le caí mal… Él veía algo raro en mí o lo que fuera, pero no la iba bien conmigo.

Un día el joven se enfermó y el señor me pidió que le ayudara. Me enteró de algunas de sus cosas, pues ahora me tenía alguna confianza porque, además, ya habíamos bebido mucha cerveza: había noches que terminaba a las dos, tres de la mañana.

Yo llevaba a los hermanos a su casa, iba y dejaba al Chocoano en la suya… Trataba de ser muy servicial y estaba pendiente de lo que él necesitara.

—Ah, me toca ir hasta allá a pagar —decía de pronto el Chocoano.

—No, yo voy, patrón.

—Tengo que consignar…

—No vaya. Yo le consigno, patrón.

De manera que poco a poco me fue dando más y más confianza.

Bueno, pues a los dos días se mejoró el muchacho y regresó a su trabajo. Nosotros nos fuimos a la plaza y cargamos el camión con menos de la mitad de lo que habitualmente llevábamos. Me pareció extraño. Esa vez no fueron los hermanos, y él me dijo:

—Rodrigo, camine me acompaña a dejar este mercado en tal vereda.

Llegamos al sitio, descargamos la mitad del cargamento en una tienda y dijo que el resto lo dejara en el camión. Bueno, cerré las compuertas del vehículo, nos devolvimos y a una hora de camino de allí se detuvo en una especie de brecha de ganado.

—Descargue esa comida —dijo.

Descargué un bulto de papas, un bulto de arroz, cajas de tomate, cebolla, una caja de manteca, cinco galones de aceite, todo de cocinar, pero no le pregunté nada porque cualquier palabra podría causar alguna suspicacia y terminaría por alejarme.

Sin embargo, ese día me pareció raro descargar una caja de whisky, un par de tarros de polvos talco, laticas de algo llamado Mentol Chino —después me explicaron que era un potenciador sexual—, pastillas de Viagra y otras cosas pequeñas. Todo quedó al lado del camino.

—¿Esperamos a que recojan esto? —le pregunté.

—No. No. Vámonos.

—¿Y si se lo roban?

—No, no, no. Vámonos que no va a suceder nada.

Llegamos al pueblo, guardamos el camión, lo barrí y me dijo que fuéramos a tomar cerveza. Él pedía una botella de aguardiente y la bajaba con cerveza. Me decía "Tome así que uno no se emborracha tan rápido", y empecé a tomar igual. Después de media botella me pasó el brazo por la espalda y me dijo:

—No quiero que usted piense mal de mí por lo que sucedió esta tarde —y yo en mi teatro, le respondí:

—¿Qué? ¿Qué paso?

—No, pues la comida que dejamos por allá tirada...

—Nooo. ¿Qué sucede con eso? Nada.

Me contó entonces que él tenía un vínculo con la guerrilla y que aquella comida era para ellos. No respondí. Seguí con los brazos cruzados, la cabeza abajo... Todo eso hacía parte de lo que había practicado: teatro porque yo podría estar bebiendo pero sin salirme de mi punto. Sin embargo, me frotaba la cara, bostezaba... más comedia.

—Ese mercado —dijo luego— era para la guerrilla porque ellos a mí me extorsionan, a mí me toca darles comida para que no me hagan nada. Es que por aquí hay que trabajar así...

Yo lo escuchaba en silencio y alguna vez le dije que eso no me importaba:

—Usted sabe que yo estoy con usted, patrón.

Terminamos la botella y nos fuimos para su casa, lo acosté en su habitación —a esa altura yo ya tenía las llaves—, siempre entraba, lo ponía sobre la cama y salía luego... Lo de las llaves:

muchas veces él me decía "Tome estas llaves. Vaya a la casa y me trae tanto dinero… Vaya a la casa y me trae tal cosa… Vaya a la casa y me trae tal celular".

Tenía tres teléfonos y cada día cambiaba. Quiero decir que a esa altura la confianza era total. Yo entraba a su habitación, una habitación cómoda, una cama grande, un televisor grande y hacía lo que él me ordenaba.

Bueno, pues aquella noche me fui para mi pequeña pieza y al otro día, él en sano juicio, me dijo:

—¿Usted se acuerda de lo que yo le conté anoche?

—Yo estaba muy borracho, patrón.

—¿No se acuerda de lo que le dije a lo último?

—Bueno, sí. Algo como que la comida era para una gente que lo estaba extorsionando a usted… Algo así entendí.

—Yo le conté eso, pero cuídese. Eso no lo puede saber nadie más. Usted abre la boca y me puede costar mi vida, y detrás de la mía va la suya.

—No. Tranquilo, yo soy una persona seria, yo con usted voy p'a las que sea. Vivo muy agradecido con usted por tanta ayuda.

A esa altura él me pagaba bien, me daba comida para que le llevara a la señora de la casa y yo se lo contaba a él después.

Desde luego los hermanos se dieron cuenta de la confianza que él me estaba dando:

—¿Usted qué hizo con el patrón? Usted está muy cerca de él. Es que ahora lo lleva a usted a todos los viajes…

—No, yo no hago nada. Yo trabajo. Aquí la cosa es metiendo el hombro para ganarse la comida.

En adelante, cuando el Chocoano iba a llevarle cargamentos a la guerrilla se iba solamente conmigo, y ya luego caí en la cuenta de que él nunca los había llevado a ellos. Hasta donde los guerrilleros iba solo.

La tercera vez que fuimos a dejar papas, plátanos, arroz, frutas frescas, whisky, talcos, Mentol Chino, Viagra y todas esas cosas, me acerqué por primera vez a la guerrilla. Estaba descargando las cajas más pesadas —que van debajo— y vi a unos sujetos con armamento, unos con chaquetas del Ejército, con camuflados, otros con uniformes de la Policía y otros con sudaderas negras. Estaban a unos quinientos metros. Cuando los vi, lo miré, y él dijo:

—Tranquilo, tranquilo, descargue eso.

Ellos venían haciendo señas con las manos como saludándolo. Él levantó las suyas:

—Tranquilo, descargue eso que ya nos vamos. No se preocupe.

Me debió ver la cara de susto porque, de todas maneras… Por más experiencia que uno tenga, por más veces que uno haya visto a la guerrilla, por más veces que haya hablado con guerrilleros, siente el mismo miedo que la primera vez. Siempre. Eso es algo que no he podido ni podré controlar y creo que a la mayoría le debe suceder lo mismo.

Bueno, pues cuando ellos llegaron a unos cien metros, el Chocoano dijo "Vámonos". Volví a mirar por el espejo retrovisor y los vi recogiendo la carga.

Todo lo que sucedía se lo informaba a los socios Antonio y Fernando a través de un buzón muerto en Urrao. Yo con ellos nunca tuve vínculos. Ellos me contrataban algunas veces para cargar bultos, pero no había cruce de palabras.

ROBERTO (Oficial de Inteligencia)

Creo que lo interesante del caso ocurrió cuando Rodrigo comenzó a ganarse la confianza del Chocoano, por ejemplo cuando le manejaba algunos dineros y nunca desaparecía con ellos, sino, por el contrario, los entregaba absolutamente completos, o cuando una noche en un café donde estaban bebiendo se formó una riña y le iban a pegar al Chocoano, pero Rodrigo lo defendió.

Aquella vez él intervino, no tanto para agrandar la disputa, sino para detenerla, hasta el punto de ganarse varios golpes y durar algunos días con un ojo morado. Él no respondió la agresión, porque la idea era no buscar rivalidades en el pueblo.

Todo eso ayudó a que el Chocoano fuera convenciéndose cada vez más de la lealtad del muchacho, hasta el punto de que, incluso, se llegó a rumorar que se trataba de un par de homosexuales.

RODRIGO (Inteligencia)

Andaba a toda hora con mi canguro en la cintura y dentro del canguro el GPS. Todas las posiciones donde dejábamos el mercado y el Mentol, el Viagra y los polvos talco, todas esas las marcaba y las enviaba a Bogotá. Los GPS eran cinco aparatos iguales: yo llegaba al buzón muerto y dejaba uno, reportaba también lo que había visto, lo que había descargado, hasta dónde había llegado, a qué horas había salido, cuánto me había demorado allí, todo respaldado por las coordenadas en el GPS. Cuando Antonio o Fernando iban a recoger la información, me dejaban otro.

Una de las características del buzón es que cuando está cargado hay una señal que lo indica, y otra si se halla descargado. ¿Cuál señal? Cualquiera: una piedra en una esquina, la rama de cierto arbusto tronchada…

El Chocoano no bebía los lunes. El día que vimos a la guerrilla era martes y nos fuimos a chupar cerveza, hablamos de muchas cosas, especialmente de su infancia en el Chocó, un pueblo llamado Domingodó. Ese día nos tomamos una botella y media de aguardiente y se repitió la misma situación de antes:

—Rodrigo, venga, siéntese a mi lado. Le voy a contar una cosa: ¿Se acuerda que yo le había dicho que la guerrilla me estaba extorsionando?

—Sí. Sí, patrón.

—Bueno, es que las cosas no son así.

—¿Cómo son?

—Lo que sucede es que yo trabajo con ellos. Eso lo hago porque quiero, porque me gano una buena plata con ellos, en esas cosas me tratan muy bien. Y además, de eso no tengo que pagar impuestos, no me toca pagarles a ellos ningún dinero. La gente no me roba. La gente me respeta. Nadie se mete conmigo. Todo eso me tiene contento con ellos. Se lo cuento porque ahora usted es mi mano derecha.

—Huy, patrón, si me cuenta eso es porque usted quiere que yo vaya con usted p'a las que sea, y listo. Vamos p'a las que sea.

—Esa era la respuesta que yo esperaba. Yo quería que usted estuviera conmigo porque sé que usted es un muchacho al que le ha tocado duro en la vida y va a valorar todo lo que le voy a dar.

Ese señor se veía muy rudo y muy sobrado, pero no tenía una persona que le ayudara, esa persona que "venga yo lo hago", "venga le consigno", "venga le llevo"… No tenía un simple secretario y en eso me convertí. En adelante, me entregaba el camión y me decía:

—Váyase para tal vereda y lleve esta carga —y empezó a mandarme solo a llevar cosas a los alrededores.

En una ocasión me dijo:

—¿Se acuerda del sitio hasta donde llevamos el mercado el día que aparecieron los amigos míos?

—Sí. Sí. Me acuerdo.

—Después de ese sitio hay un poste con un número así y asá. Ahí descargue lo de hoy.

—¿Voy a ir solo?

—Hermano, vaya solo porque yo estoy aquí muy ocupado, tengo que ir a recoger unos dineros…

—Patrón, ¿pero qué tal que me hagan algo porque no me conocen?

—Tranquilo que eso ya lo hablé. Ellos saben que usted es un trabajador mío, no se preocupe.

Me fui hasta el punto, pero aquella vez el cargamento era más pequeño, aunque iban más o menos las mismas cosas: una caja de whisky, Viagra, Mentol Chino, comida…

Todo eso yo lo informaba y en Bogotá ya sabían, no sólo qué le gustaba al Paisa, sino lo verdaderamente importante: que seguía acampando en el mismo lugar…

Ese día había pasado mucho susto porque cuando llegué estaban ellos a la orilla del camino y vi esa cantidad de gente vestida de verde y de negro y sentía corrientazos por el cuerpo, me temblaba la voz. Estaba alterado. Paré, me dijeron que bajara el mercado rápido. Empecé a descargar y cuando ellos cayeron en la cuenta de que yo trabajaba solo, llamaron a dos niños, característica de los frentes de la guerrilla en esa región… Pues los miré una y otra vez y sí, eran unos verdaderos niños.

Cuando llegué se lo dije al Chocoano. Yo le comentaba todo para demostrarle más confianza, y él decía:

—No se preocupe que usted trabaja conmigo. A usted no le va a suceder nada.

Además de conducir el camión yo le hacía consignaciones. Tenía anotados los bancos y los números de las cuentas que él utilizaba y, claro, toda esa información la depositaba a la vez en el buzón muerto.

Últimamente permanecía siempre al lado del Chocoano, y sólo iba a cargar bultos a la plaza de mercado si se trataba de su camión. Todo esto porque una tarde le había dicho:

—Patrón, ya terminé de descargar, me voy a trabajar a otro lado porque tengo que continuar —y respondió:

—No. Quédese conmigo. Necesito que me haga unas cosas.

Desde ahí él empezó a utilizarme para todo.

En una ocasión me puse a organizar su casa mientras el muchacho aquel que no me quería hacía cuentas. Yo veía que una plata la metía en un sobre y la otra la guardaba en el bolsillo. Todas las tardes veía lo mismo y luego le entregaba el sobre al Chocoano. Me imagino, dineros ajenos.

Cuando me di cuenta de eso, no sabía si contarle o no contarle al patrón, porque dije:

—Si le cuento, de pronto dice que soy un sapo, o no me para bolas, porque, igual, aquel era un muchacho de mucha confianza y yo era un aparecido…Pero si se lo digo y me cree, y lo comprueba, voy a subir muchos puntos.

Duré tres noches pensando y finalmente decidí contárselo. Al día siguiente salimos a dejar una carga y en el camino le dije:

—Patrón, tengo que contarle algo, pero no es para que lo comente porque yo no soy un sapo, o para que diga otras cosas…

—¿Qué sucede?

—He visto que el muchacho guarda una plata en el sobre que le entrega a usted, pero saca otro dinero y se lo mete en su propio bolsillo…

—¿Eso es cierto?

—Seguro.

A raíz de la noticia, él le puso una prueba al muchacho que consistió en dejarle por la mañana una plata de más en el cajón de la mesa.

Por la tarde el muchacho le entregó unas cuentas, y él le dijo:

—Aquí falta dinero.

Y luego:

—Déjeme ver sus bolsillos, usted me está robando.

Lo presionó tanto que el muchacho se sintió acorralado y se puso a llorar y le contó, y el Chocoano no tuvo consideración. Lo sacó de su casa.

Después él me preguntó dónde vivía, le conté, y me dijo:

—¿Por qué no se viene para mi casa? Aquí está la habitación que ocupaba el muchacho.

—¿Sí?

—Sí. Tranquilo. Véngase. No lo piense tanto.

Me fui a vivir allí. Él compró una cama, una silla, un televisor pequeñito, un colchón… A partir de ahí comenzó a mandarme a recoger dineros que, entendí inmediatamente, eran del chantaje de la guerrilla. Ya no iba él a hacerlo.

En una oportunidad se recogió mucho dinero, calculo unos cuarenta millones de pesos en dos semanas, y me dijo:

—Mañana vamos a dejarles mercado a los amigos. Usted se va conmigo.

Al día siguiente cargamos el camión y partimos. Él llevaba el dinero. Descargamos, esperamos a que llegara la guerrilla… Ya estaba yo un poco menos tenso. Esa vez habló con uno de ellos, se devolvió, sacó el dinero del camión y se lo entregó al guerrillero.

Me empecé entonces a dar cuenta de otras cosas. Por ejemplo, cuando se iba a entregar plata, preferiblemente iba él, pero con los mercados muchas veces fui yo solo. Hasta ese momento seguíamos el mismo camino: vía Chontaduro.

Una vez en su casa, desde luego empecé a enterarme de mayores intimidades. Empecé a ver más cantidades de dinero producto de las extorsiones que le hacían llegar de diferentes municipios. Lo que yo había visto hasta entonces era una pequeña parte en relación con lo que le veía manejar ahora.

Allí también supe por primera vez que al Paisa le gustaba ingresar prostitutas a su campamento, aunque el Chocoano no decía que eran para el cabecilla sino "para la guerrilla". Sin embargo, la comisión de Medellín confirmó que eran para el Paisa.

Una noche me dijo que íbamos a entrar a la misma zona a llevar a unas personas para los amigos. Madrugamos y, efectivamente, nos fuimos con dos mujeres que llegaron al pueblo, muy bonitas, muy atractivas, pero una más que la otra. Una tenía unos veinticuatro años y la otra, una rubia que luego supe su nombre, Marcela, se veía más joven, unos veintitrés le calculo yo: piel blanca, alta, piernas largas, el cuerpo con varias cirugías estéticas.

Cuando ellas llegaron, el Chocoano las subió al camión y nos fuimos los cuatro, pero por incomodidad no podíamos acomodarnos todos en la cabina, así que en esa primera entrada no les escuché ni una palabra. Imaginé que ellas preguntaron por mí, pues él no acostumbraba a ingresar con alguien a la zona.

Sin embargo, cuando salieron de allí empezó alguna confianza con ellas, ya saludaron, yo les preguntaba algo y eran más asequibles.

Cuando nosotros llegamos a aquel punto, Chontaduro, donde entregábamos la comida, dejamos a las mujeres con un grupo de guerrilleros. Ellos las recibieron, las ingresaron y nosotros esperamos entre tres y cuatro horas. Al cabo de ese tiempo las recogimos y regresamos a Urrao.

Unos días más tarde el Chocoano no pudo conducir por causa de un problema en la espalda y terminé convirtiéndome en el único conductor.

Si había que hacer negocios de la guerrilla, por la enfermedad empezó a delegarme más funciones, de manera que cuando comenzó a entregarme el dinero me di cuenta de la cantidad que le estaba entrando al Frente Treinta y Cuatro de las FARC. Cada paquete que yo llevaba contenía alrededor de trescientos millones de pesos de ese momento. Eso era entonces demasiado dinero… Y sigue siéndolo.

Cuando yo ingresaba mandaban sobres sellados, pero no los abría porque era muy poco el tiempo con que contaba para llegar al pueblo y encontrar la forma de volverlos a sellar.

Algunos eran fáciles de abrir. Otros no. En uno de los que abrí iban una especie de calcomanías que les daban a los conductores de vehículos, con los números de la matrícula de cada uno, en las que constaba que los conductores ya habían pagado la cuota del chantaje. La guerrilla tenía un control total de la zona.

Todo aquello iba concordando con lo que tenía Inteligencia en Medellín y lo que yo estaba comprobando en la zona. Mediante el cruce de información se iba armando un rompecabezas que mostraba que quien estaba detrás de todo era el Paisa.

Un poco después el Paisa volvió a llamar al Chocoano para que le mandara "gallinas" de nuevo, pero esta vez pidió que fuera únicamente Marcela. A partir de ahí siguió llegando únicamente ella.

Desde luego ingresamos los dos, ya empecé a hablarle un poco más, a ganar su confianza, me contó que tenía una hija, que había viajado por Centroamérica haciendo "La gira del Caribe", que tenía muy buenos clientes en Medellín, que durante un tiempo había trabajado en un bar y con el dinero que ahorró se hizo practicar las cirugías estéticas para mejorar el cuerpo y empezar a cobrar más.

Ahora estaba trabajando como prepago: algo así como a la carta. El cliente escogía a la mujer en un álbum fotográfico, le decían la tarifa, él la escogía y algunas veces pagaba por adelantado. Pero pagaba sumas altas. Qué bares ni qué carajo. En esos sitios era muy complicado aguantarse a los borrachos. Además, ganaba menos. Ahora atendía a los clientes en su apartamento o iba a domicilio.

En total ingresamos a Chontaduro unas cuatro veces y ahora mi misión era tratar de entablar una relación más íntima con ella para, de pronto, ponerla a trabajar de nuestro lado de forma directa, pues después de las primeras tres entradas no me dijo qué había hecho allá adentro, ni con quién había estado.

A raíz de la enfermedad del Chocoano viajé mucho a Medellín a comprarle medicinas y a consignar unas platas en unos bancos de la ciudad, y, desde luego, aprovechaba para verla.

MARIELA (Analista)

Después de la retención de la guerrilla, preferimos dejar a los socios Antonio y Fernando quietos en el pueblo controlando las salidas y entradas del Chocoano.

Entonces ya teníamos algo más cercano al Paisa, puesto que ahora conocíamos la existencia de aquellas mujeres que estaban entrando y que, de una u otra forma, el Chocoano invariablemente sabía con varios días de anticipación cuándo iban a llegar, no quisimos insistir más en colaboradores ni en guerrilleros retirados y preferimos reforzar lo que ya teníamos.

En enero, un año después de haber comenzado la operación, obtuvimos coordenadas de la ubicación del cabecilla, aproximadamente en un sector ubicado entre Vigía del Fuerte y Urrao que era por donde estaban entrando las "gallinas". Hasta ese momento se trataba de información muy general y parte la cruzamos con la Fuerza Aérea, sin detallar de qué se trataba.

En tanto, Rodrigo concretó que efectivamente el Chocoano mantenía comunicaciones secretas y que, además, existía una costurera cuyo trabajo no era muy claro ni muy libre de sospechas, que ocupaba una parte de su casa.

También para este mes tuvimos información de desmovilizados que nos detallaron algo de la vida de Paola, la compañera sentimental del Paisa. Nos dieron el nombre de su hermana en Medellín, quien, según ellos, tenía contacto con Paola.

La mamá de Paola estaba posiblemente viviendo en Urrao. Quisimos tener esta información en reserva para más adelante, pues también había señales de que Paola querría abandonar la selva porque se sentía enferma. La comisión de Urrao estableció la ubicación de sus familiares.

En abril se estableció que el Chocoano y las "gallinas" tenían una especie de rutina, pues entraban utilizando la misma ruta. No obstante, dos semanas más tarde el Chocoano le dijo a nuestro hombre que en adelante les tocaría comenzar a entrar por otra zona. Eso quería decir que ya no lo seguirían haciendo por un punto llamado Pantano Grande sino por otro ubicado más al sur. Aquella información nos hizo pensar que el Paisa iba a trasladar su campamento a un punto diferente.

En mayo, es decir, un año y cinco meses después de haber comenzado nuestro trabajo, Rodrigo logró la confianza del Chocoano y aquel lo llevó a una vereda llamada Mandé, lugar que nunca habían utilizado para llevarle comida, mujeres, whisky y potenciadores sexuales al cabecilla. Ese era otro sitio. A partir de allí, Rodrigo empezó a reportarnos nuevas rutas y lugares con su GPS y ahora trabajábamos concentrados en la nueva zona, a unos treinta kilómetros de la anterior.

En junio Rodrigo empezó a ingresar solo con las prostitutas, pues el Chocoano le había delegado una serie de trabajos de responsabilidad por la gran confianza que le tenía ahora y reportó que generalmente estaba llegando al mismo punto. Nosotros comparábamos las coordenadas y encontrábamos que la diferencia eran metros. Él comenzó a hacer un trabajo juicioso y a memorizar los nombres de los guerrilleros con quienes trataba en cada entrada y así nos reportó, por ejemplo, un alias importante a quien le decían Cantante: un miliciano de los caseríos de Vásquez y Barrancón en Mandé, la nueva vereda.

Cuando ya él comenzó a entrar a aquella zona, por el sur del río Murrí, nuestro jefe le indicó que debía detallar más colaboradores, personas civiles que estuvieran en la zona de influencia de la nueva ruta. Es que toda esa información detallada en el momento del planeamiento es muy valiosa: uno tiene que saber con qué civiles, con qué niños, con cuántas mujeres nos vamos a encontrar en el momento de un ingreso al área.

Rodrigo empezó entonces a darnos ese tipo de detalles, reportándonos uno, dos o tres nombres y descripciones cada vez. Mencionó, por ejemplo a Alcides, el cabecilla de milicias en la vereda Mandé; Lucho le decían al segundo; Marlon, a un miliciano que se ubicaba en la desembocadura del río Curbatá en el Murrí; Domingo y Nemesio, milicianos del Alto Murrí, y así fue tomando forma un panorama mucho más detallado, mucho mejor descrito de los habitantes de aquellos sitios, para uno, desamparados en medio de ríos y selva.

Entre muchas otras cosas, Rodrigo fue penetrando más y más al Murrí porque allá el Chocoano tenía algún ganado y aprovechando el tema se ingeniaba cosas para que le contara no sólo quién vivía allí sino cómo era su personalidad, su genio, su talento o su torpeza, sus familias, sus relaciones y, por otro lado, cómo actuaba la guerrilla con aquella población.

Estas personas formaban toda una cadena de informantes para las mismas FARC, y, por ejemplo, cuando observaban helicópteros o captaban que el ejército se movía cerca, se encargaban de dar la alarma a través del voz a voz que llegaba de forma rápida a los hombres de seguridad del Paisa: *marandúa*, le dicen en la selva amazónica.

Toda esa información la cruzábamos con la que nos daban los guerrilleros desmovilizados y así iba tomando más solidez el panorama humano, y desde luego físico, de la zona.

Para el doce de julio, diecinueve meses, o sea un año y siete meses después de haber comenzado la operación, la Policía capturó a un tal Tío Pacho, miembro de la estructura del Paisa, que manejaba a un grupo y también se dedicaba a la extorsión.

Aquello nos causó gran inquietud, no solamente por saber qué conocía en detalle de su jefe sino para confirmar hasta dónde había precisión o proximidad con los perfiles y la información que nosotros habíamos acopiado hasta entonces. A este hombre lo entrevistamos en Medellín.

Él nos dijo que dos meses atrás había hablado con el Paisa y se refirió a un lugar en el cual se encontraría en aquel momento con más o menos treinta guerrilleros. Dijo que le gustaba el whisky de tal marca, y que buscaba un contacto para conseguir uniformes de las Fuerzas Militares. Supuestamente un ex integrante del ejército al que llamaban Arturo era quien le vendía más o menos unos trescientos por una suma realmente baja. Aquel personaje le estaría suministrando este tipo de materiales a otras estructuras del mismo Frente.

Según él, los treinta guerrilleros estarían manejando entre dieciocho y veinte fusiles y también tenían tres o cuatro armas cortas. No dio más detalles, pues no quería hablar abiertamente. Es que el tipo había sido capturado. Muy diferente a cuando se desmovilizan de forma voluntaria para regresar a la vida civil.

Le preguntamos cómo estaba conformada la estructura en la que se movía el Paisa y confirmó que él era el primer cabecilla. Como "organizador de masas" se movía Isaías González. Un tercero, Gonzalo, era contacto político y encargado de reclutar gente para la guerrilla. Por tanto, entraba y salía de la estructura cuando quería. Señaló finalmente a guerrilleros mandos medios como Genaro, Jáider, Monín, Nilson… Al parecer enumeró sólo a una parte de los que estaban en ese momento con el Paisa.

Haciendo un balance de la cantidad de fuentes que se alcanzaron a evaluar entre efectivas y pobres, sabíamos que doce de ellas nos dieron información valiosa y estuvieron en contacto con nosotros durante todo el proceso.

Ahora: lo que recibíamos de nuestro hombre, lo cruzábamos con lo que nos decían las fuentes en torno a cada tema, y la verdad es que prácticamente el gran acopio de datos exactos lo obtuvimos a través de Rodrigo.

RODRIGO (Inteligencia)

La última vez que fui con dos mujeres, es decir, Marcela y Tatiana, yo tenía que retardar un poco la entrada a la zona de la guerrilla, no sé por qué… Eso era lo que me habían anunciado a través del buzón.

Bueno, pues le dañé al camión una pequeña manguera del radiador y esperé a que el carro se recalentara y empezara a botar el agua y a escupir vapor y a estornudar, pero no sé qué sucedió: no vomitó el agua, ni estornudó sino que de un momento a otro se detuvo y se calentó muchísimo. El Chocoano se frotaba la cabeza.

Le eché agua y oh, sorpresa: por la temperatura el radiador se había roto. Quedamos anclados. ¿Qué hacer? Caminar y caminar. Ese día me tocó pegarme una marcha muy larga hasta que por fin encontré una casita y allí me prestaron jabón para lavar ropa y con él regresé y taponé el boquete.

Luego continuamos el camino, pero llegamos al punto tres horas después de la acordada y, claro, ya no estaba la persona que nos debía haber recibido. Encontramos en cambio a unos diez guerrilleros, saludamos y le dijimos a uno "Qué pena la demora".

Y el guerrillero:

—Qué pena ni qué hijueputa. Quietos ahí. ¿Ustedes para dónde van?

La muchacha se asustó completamente y el Chocoano le dijo:

—Yo traigo la chica para el patrón.

—No. No. Aquí no estamos pendientes de nadie. Espere un momento.

Trataron de comunicarse por radio y no les respondieron.

—¿Ustedes quiénes son? Vengan para acá.

Nos sacaron del camino, se llevaron al Chocoano para un lado y a mí y a Marcela para otro y empezaron a interrogarnos. A Marcela le tiraron al piso todo lo que llevaba, le abrieron la maleta. A mí me esculcaron mi canguro, ¡el GPS!, pensé, pero no lo encontraron porque era pequeño y además, estaba muy bien escondido.

—Ustedes tienen que pasar aquí la noche porque no los conoce nadie —dijo uno de ellos.

Efectivamente, nosotros teníamos que llegar a las tres de la tarde, pero llegamos a las seis y los que había allí no conocían al Chocoano. Él les decía:

—Yo soy el que les trae su comida, esto es para ustedes —y le respondían:

—No joda. No venga a decir mentiras. ¿Quiénes son ustedes? ¿Cuánto les está pagando el ejército para que le vayan a decir dónde estamos?

Aquella noche dormimos con Marcela sentados al pie del camino y recostados espalda con espalda. El Chocoano durmió en el camión.

Me soñé que habían encontrado el GPS, que me habían apaleado… Fue la peor noche de aquella operación. Cuando amaneció llegó el guerrillero que nos había estado esperando, y dijo:

—El patrón está emputado. Pregunta por qué le hicieron eso. Dice que él es muy serio en sus cosas.

Pareciera que el Paisa dijo "Déjenlos ahí toda la noche por incumplidos".

El muchacho guardó silencio, empezó a retirarse y después de haber dado varios pasos volteó la cara y ordenó que nos devolviéramos porque el Paisa ya no iba a recibir "a esa 'gallina' hijueputa".

Como supuestamente yo estaba tratando de enamorar a Marcela, había logrado que me diera el número de su celular y empecé a visitarla, pero ella tenía una actitud muy inestable —creo que por su misma profesión—, y no daba las condiciones para que realmente empezara a trabajar del lado de nosotros conscientemente, o siquiera que nos generara alguna confianza para tenerla en cuenta dentro del proceso que íbamos a adelantar en ese momento.

Después de que empecé a conocerla todavía más, a analizarla, a mirar su perfil, decidimos que por seguridad debíamos cambiar de plan y en su lugar, fortalecer la amistad y empezar a obtener con ella información desprevenida de simples amigos. Por eso, cuando yo iba a Medellín la visitaba con otra cara y a partir de ahí la relación fue estupenda.

Algo de lo que yo nunca me había percatado antes fue que en una de las visitas, el Chocoano me anunció la entrada de la muchacha con anticipación. Llegaría la víspera a las seis de la tarde a su propia casa y me pareció extraño porque ella siempre venía el mismo día del viaje. Bueno, pues esta vez pasó la noche con él.

Al día siguiente madrugamos. Yo no le pregunté nada pero me di cuenta de que desde hacía algún tiempo, no supe cuánto, él la citaba un día antes, pasaba la noche con ella, le pagaba con la misma plata de la guerrilla y luego la mandaba a Chontaduro.

Pero la vida algunas veces es cruel: como yo permanecía con él, le hacía diligencias, le traía medicamentos de Medellín y, además, vivía en su casa, y como él era solo y nunca se exhibió con aquellas mujeres, en el pueblo creció el cuento de que éramos maricones.

Así corrieron los rumores y llegaron a los camioneros, y a los de la plaza de mercado, y a los de los almacenes, y a los de las tiendas, y a los hogares, y a las secretarias, y a las empleadas domésticas, y a los vagos, y a los limosneros, y al cura, y al médico, y al abogado… ¡Par locas!… Que el novio de el Chocoano, que tal y tal…

Eso fue muy duro porque me tocó cerrar la boca. Cuando salíamos a tomar cerveza nadie decía nada, él era callado y generaba respeto porque la gente sabía que era amigo de la guerrilla, pero yo notaba las risitas y las miradas y la burlita permanente.

Ahora, cuando me veían solo: ¿Dónde está su *man*? ¿Qué se hizo su marido?

Tenía que controlarme porque en una infiltración uno no puede ganarse enemigos por ningún motivo y, claro, me tocaba darle manejo a esa situación… ¡Loca!

Bueno, pues a la siguiente entrada Marcela me contó que había estado con uno de los jefes.

—Pero hoy le tocó difícil porque se demoró cinco horas —le dije.

—Lo que pasa es que nos fuimos más despacio porque aquí tengo que caminar unos veinte minutos y, además, debo esperarlo un rato mientras llega y hoy se demoró más… En llegar, claro.

—Pero difícil el trabajo porque usted tendrá que estar con una persona que no se baña, que está sudada y sucia.

—No, vea que cuando llego, siempre está muy bien aseado: se corta o se hace cortar el pelo con frecuencia, usan una navaja. Se hace arreglar las uñas… Tiene las uñas con esmalte, usa desodorante, loción para la afeitada.

—Verdad, ¿se hace arreglar las uñas?

—Sí, claro y tiene su bigote bien perfilado, los dientes lavados. El tipo es bien aseado. Antes de… se echa talcos de marca en el culito, y después se baña, como dice mi mamá, se baña las vergüenzas con agüita tibia… Claro que el tipo es "de acción inmediata".

—¿Acción in…?

—Muy rápido.

—Pero, por otro lado, el *man* debe ser un duro —le dije.

—Sí. Se trata del Paisa. ¿Usted ha escuchado hablar de él?

—No. Nunca lo había oído nombrar.

—Entonces, ¿usted a quién le trae las cosas?

—Yo no sé. A mí me dicen llévelas y yo las traigo. A mí no me importa para quién son.

—Ahhh. Sí, ese es el *man*.

Ahora estaba totalmente confirmado que todo lo que ingresaba era para donde él. Era al Paisa a quien le llevábamos el whisky, las frutas, bebidas energizantes, Viagra, Mentol Chino, vitaminas… "De acción inmediata".

No transcurrió mucho tiempo y en los viajes siguientes cambiaron los envíos. Ahora llevaba lo de cualquier grupito guerrillero: arroz, fríjoles, pasta, una que otra lata. Nada de whisky… El Paisa se había movido de zona.

Un par de semanas después dijo el Chocoano:

—Necesito a un tipo de confianza, porque me toca mandar a Marcela mañana por otro lado.

—Yo voy —le dije.

—No. Usted no puede.

—¿Por qué?

—Porque el que vaya tiene que conducir un bote con motor fuera de borda. La lancha tiene una máquina de setenta y cinco caballos de fuerza.

—Hombre, pero yo sé de eso. Acuérdese que soy de un puerto sobre el gran río Magdalena, y allá mi familia tiene botes y en ellos nos transportamos y salimos a pescar…

—¿En serio usted sabe de eso?

—Pues claro, en serio, patrón, déjeme ir a mí.

—Espéreme yo llamo y pregunto.

Él llamó no sé a quién y luego me dijo:

—Listo, me autorizaron para que vaya usted. Yo les dije que era de mi confianza, no me vaya a hacer quedar mal, hermano.

Íbamos para el río Murrí, una arteria ancha y muy caudalosa, y desde luego, tocaba saber distinguir canales, corrientes, saber cruzarlo, conocer la salida de ondas y cuidarse de los remolinos… Mejor dicho, saber todos los secretos de un río.

Me dijo que esperara a Marcela en el pueblo. Ya con ella viajé a Mandé y allí nos recibió un señor que nos llevó hasta una pequeña finca a unos diez minutos del casco urbano. En aquel punto tenían caballos y en ellos nos desplazamos otros veinticinco minutos hasta las orillas del río donde nos esperaba el bote.

El señor nos dio un par de galones de combustible para llevar en caso de una emergencia, me dio aceite… Yo sabía algo muy básico de motores y le dije que me explicara algunas cosas que no recordaba bien, pero no le di a entender que no sabía. Entonces yo iba diciendo:

De aquí se enciende —y efectivamente encendía.

De aquí tal cosa —y resultaba: ¡Tal cosa!

De aquí tal… Ah, sí, es el mismo que yo conozco.

Navegamos aguas arriba unas dos horas y media. La señal que debía tener en cuenta cuando me fuera acercando al punto eran una curva del río y una playa grande al frente: "Cuando aparezca la playa saquen un trapo y agítenlo", me habían dicho.

Efectivamente. Hasta la mitad de la playa salió un guerrillero haciéndonos señas. Nos acercamos, el tipo recibió a Marcela y me dijo que esperara en aquel lugar.

Al poco tiempo salió la muchacha y deshicimos la ruta hasta Urrao, donde ella tomaba su transporte para regresar a Medellín.

ROBERTO (Oficial de Inteligencia)

A partir del punto que registró Rodrigo con el GPS una vez desembarcaron, comenzamos a tomar imágenes aéreas. Era una zona selvática totalmente cerrada.

RODRIGO (Inteligencia)

Con Marcela hicimos otras dos entradas por el mismo punto, pero más seguidas que las anteriores. Ya fue a los ocho días, también ingresando los sábados. Se habían vuelto visitas semanales, ya no eran cada quince o cada veinte días.

Luego de la segunda entrada tuve que viajar a Medellín a reunirme con mi jefe:

—Aquí podemos tener una posible oportunidad de operar. Necesito que hablemos personalmente para ir dándole una dirección definitiva al caso —me dijo.

La orden era que cuando regresara a la zona debía llevar conmigo la computadora personal y comenzar a enviarle los mensajes ojalá si pudiera en tiempo real.

A partir de aquel momento tuvimos comunicación directa y no volvimos a utilizar el sistema de buzón muerto a través de los socios. Eso quería decir que estábamos llegando a un posible desenlace.

La tercera entrada fue, sin embargo, quince días después de la segunda, y nos trasladamos hasta el mismo punto. Como desde el comienzo, yo cargaba mi canguro en la cintura y adentro el GPS, marqué el punto de desembarque que, desde luego, resultó ser el mismo de las veces anteriores, y como ya no tenía que enviar la información por el correo físico, simplemente escribía:

—De visita en la misma casa. Todo igual.

Gran avance: ya teníamos un punto exacto, y además, como ya hablábamos mucho más con Marcela, le dije:

—Usted ahora se está demorando menos. La veo más tranquila —y ella respondió:

—Lo que sucede es que ahora llegamos mucho más cerca. Eso está aquí adelante, no más de cien, ciento veinte metros de la playa. Para llegar al sitio no necesito caminar más de tres o cuatro minutos y lo encuentro ahí esperándome. El sitio es mucho mejor que los anteriores: una casa hecha con madera aserrada, un lugar más privado, con un generador eléctrico, y desde luego, luz y música, una computadora, un ventilador…

Me dio las especificaciones del lugar y tan pronto regresamos se las informé al jefe y los datos fueron cruzados por Inteligencia de Medellín con los guerrilleros desmovilizados que entrevistaban allí.

En aquella entrada el Paisa le dijo a Marcela que se verían a los ocho días. Nosotros asimilamos que el encuentro era en el mismo sitio y así lo informé.

Con aquella noticia el jefe estimó que había llegado la oportunidad que habíamos estado esperando y dijo que tan pronto saliera de allí y enviara la confirmación se llevaría a cabo el trabajo. Sobra decir que, desde luego, las comunicaciones eran encriptadas, en clave: yo decía "helado" y era un fusil. "Paloma" podría ser un caballo.

Aquella semana estuve ansioso. Muy ansioso, porque si las cosas salían mal yo podría quedar en evidencia en cosa de minutos, pues sacarían unas conclusiones realmente sencillas más pronto de lo que cualquiera podría imaginar, y si yo no contaba con un margen para ponerme a salvo, me iba a morir.

Bueno, pues llegó el fin de semana. El viernes al atardecer arribó Marcela, pasó nuevamente la noche con el Chocoano que ahora parecía en celo y estaba pendiente de ella… Es que era una mujer realmente atractiva, provocadora y, al parecer, ganaba muy bien. Si, por ejemplo, el Chocoano recogía cuatrocientos millones de las extorsiones, a él le daban cuarenta, de manera que amaba su negocio. Y ella… Pues ella aprovechaba la situación y se venía a ganar por partida doble.

MARIELA (Analista)

Fue a comienzos de septiembre —veintiún meses después de haber comenzado a buscar al objetivo— y a raíz del aviso del Paisa para que se la llevaran ocho días después, se decidió montar la operación final y se empezó a hacer un trabajo que llamamos paquete operacional para presentárselo a mi general Óscar Naranjo. El nombre, Operación Dignidad, lo había elegido él a raíz del sacrificio del gobernador y de su asesor de paz.

El plan era muy completo. Habíamos hecho un trabajo juicioso. La planeación se inició al día siguiente de presentar el proyecto, se comenzó por disponer de unos cien hombres y se fijó un puesto de mando en Puerto Salgar, cercano al área donde se encontraba el guerrillero.

Luego se les notificó a los mandos que había un agente de Inteligencia infiltrado, pues como se coordinó con la Fuerza Aérea, todo dependía de que Rodrigo —para el caso, un funcionario— marcara la hora de partida con su salida del lugar.

Pero, por una tremenda coincidencia, justo tres días antes se escapó del campamento un guerrillero y lo abordaron en aquel pueblo llamado Vigía del Fuerte. Dijo que buscaba desmovilizarse y, desde luego, nos hizo una especie de plano ubicando el sitio en el cual se encontraba el Paisa; lo cruzamos con las coordenadas que teníamos y, por lógica, coincidió perfectamente con el GPS de Rodrigo.

ROBERTO (Oficial de Inteligencia)

El guerrillero llegó a Vigía del Fuerte para tomar un avión hacia Medellín. Eso nos generó una alerta para los dos muchachos que estaban allí uniformados como policías normales y ellos lo ubicaron en la pista aérea. Una vez capturado lo presionaron acusándolo de rebelión y, claro, él entendió que si no colaboraba iría a la cárcel.

Aquel hombre dijo inmediatamente que acababa de desertar, que quería desmovilizarse y que estaba dispuesto a colaborar plenamente, por lo cual lo enviaron de forma inmediata a Medellín.

Con el estudio de Inteligencia, además del trabajo en la zona, la labor de la analista que recogía las versiones de desmovilizados, cruzaba imágenes, basándose en información de computadoras que se habían incautado, guardando bases de datos de ellos mismos, ya sabíamos con exactitud quién era el desertor y le dijimos:

—Usted es fulano de tal y tiene órdenes de captura por esto y esto y aquello.

Él se desesperó y dijo que había salido con el fin de desmovilizarse pues estaba descontento porque cuando el Paisa se emborrachaba golpeaba a los guerrilleros y los trataba muy mal.

En Medellín le mostraron fotografías y confirmó el sitio donde se alojaba el Paisa, pues reconoció con rapidez la playa ancha sobre el río Murrí:

—A esa playa salimos todos los días a tomar el baño —dijo sin dudarlo.

Según él, por allí nunca cruzó el ejército y si sobrevolaban aeronaves, ellos nunca eran detectados por el espesor de la selva. En las imágenes, aquella manigua era tan sólida como un brócoli.

El tipo dijo que estaban en el lugar desde hacía tres meses y medio, lo cual coincidía con las fechas en que Rodrigo y Marcela comenzaron a desplazarse en bote, y con las coordenadas del GPS de Rodrigo.

—Como es un sitio tranquilo, allá no dormimos bajo cambuches cubiertos con plástico y ramas, sino en casas hechas en madera aserrada que nosotros mismos construimos —señaló—. Cuando sentimos aeronaves se apaga la planta eléctrica, se apagan los fogones para que no despidan humo y las casas no son detectadas porque, además de lo cerrada de la selva, están cubiertas por encima con plásticos negros.

MARIELA (Analista)

El sábado en la madrugada ya habían ingresado a la zona Hombres Jungla de la Policía, ubicándose lejos de los civiles que habían sido identificados como colaboradores del Paisa.

Esos comandos se hallaban en la costa de la selva, esperando la orden para avanzar.

ANTONIO (Socio)

Aquel sábado el jefe nos alertó:

—Rodrigo va a ingresar a la zona. Necesito que estén pendientes del momento en que salga y me avisan inmediatamente.

No nos dijo a qué entraba, ni nos dijeron tampoco qué operación se iba a realizar.

Aquel día estuvimos pendientes de él pero no lo vimos por ningún lado. O sea, primero teníamos que registrar su llegada y debíamos inventar algo para confirmarlo. Entonces dijimos:

—Como hay un paso obligado a su llegada, nos vamos a llevar la pequeña camioneta para aquel sitio y realizaremos una promoción.

Bueno, pues trasladamos los granos hasta ese punto y anunciamos las rebajas: dos libras de tal, por tanto, tres libras por tanto, con el fin de quedarnos el tiempo que fuera necesario en el mismo lugar. Pero estuvimos allí todo el día y Rodrigo no apareció.

En vista de que a las cinco de la tarde ya se nos había acabado la mercancía porque vendíamos mucho le pinchamos una llanta al carro, de manera que permanecimos allí un par de horas más. A eso de las siete de la noche Rodrigo continuaba perdido y un poco después nos comunicamos con el jefe:

—No apareció. ¿Qué hacemos?

—Bueno, váyanse, cámbiense y se ubican nuevamente en el mismo punto.

Nos cambiamos la ropa de trabajo y nos vinimos a beber, pero primero me fui hasta la casa del Chocoano pensando que a lo mejor pudiera estar allí:

—¿Por favor, estará aquí el muchacho? Ya acabamos nuestra labor y necesitamos un ayudante que nos descargue unas cosas en la bodega.

—No. Fíjese que no está. Vuelva más tarde.

Nos fuimos a beber, o a hacer que bebíamos, y estuvimos toda la noche en el mismo punto, pero tampoco apareció. Fernando, mi socio, dijo que fuera a dormir un rato y volviera nuevamente para que lo reemplazara.

Transcurrió prácticamente toda la noche sin un solo movimiento, sin una simple sospecha de que había aparecido. Fuimos a descansar una hora o algo así y volvimos a la calle.

RODRIGO (Inteligencia)

El sábado fuimos una vez más en busca de la playa, pero yo no sabía que ya habían logrado entrar en contacto con el desertor y que él a su vez, también había dado la localización del punto donde se encontraba el cabecilla.

Bueno, pues ese día nuevamente tomamos el mismo camión, luego los mismos caballos, la misma lancha, la misma rutina. Ahora cuando llegábamos no hacíamos ninguna señal sino arrimábamos en el punto preciso y el guerrillero ya no salía a la orilla del río sino que esperaba un poco adelante, en la costa de la selva, y ella caminaba hasta allá.

Esa vez ella entró, pero pasaron cuatro horas y no salió. Cinco horas, no salió. ¿Qué sucede? Ya eran como las cinco y media de la tarde, casi las seis y de pronto apareció el guerrillero:

—Tiene que pasar la noche aquí. Mire a ver dónde va a dormir.

Me prestó una capa de caucho porque allí corre brisa y además la humedad de la selva y el rocío de la madrugada lo empapan a uno. Esa capa, por cierto, olía a demonios, pero tuve que cubrirme con ella.

Aquella noche fue definitiva para mi trabajo, porque confirmé realmente lo cercana que se encontraba la casa, pues durante el día había mucho silencio allá adentro y mucho ruido de pájaros y de animales de la selva y no podía ubicar el sitio con mayor precisión.

Esa noche, en cambio, se escuchaban perfectamente la música, las risas, la algarabía en la casa y yo alcanzaba a ver muy cerca la luz interior saliendo por las rendijas entre tabla y tabla. Efectivamente, se encontraba a cien metros de la orilla del río donde dejábamos la lancha: desde luego, tomé el GPS y ajusté el registro.

Desde cuando se fue Marcela no tuve ni un minuto de sueño porque se trataba de estar muy atento a todo lo que sucedía allí. A eso de las cuatro y media de la madrugada se suspendió la música.

Pareciera que hasta cerca de las doce hubieran estado varias personas en la casa, porque se escuchaban sus voces y mucha risa. Después hubo más silencio, lo que indicaba que fueron saliendo de allí los invitados y sólo quedaron la música y, desde luego, la pareja a solas.

La música sonó unas cuatro horas más y luego vino aquel silencio. Es posible que se hayan quedado dormidos, pero llegó un momento en el que se acabó el combustible y el generador dejó de trabajar.

A eso de las cinco y media salió Marcela totalmente borracha, despeinada, caminando de lado a lado, alegre. Incluso, venía vestida con una camiseta más pequeña que la que había llevado, pues para protegerse de los mosquitos entraba un poco más cubierta.

Caminaba en zigzag, la traía un guerrillero evitando que rodara por el suelo, llegó a la lancha alegre, me abrazó y me dio un beso y "camine, hermano". La trepamos al bote y partimos. Un segundo después estaba durmiendo en el fondo de la lancha.

Ese día bregué mucho con ella para poder llegar a la finca, y luego subirla sobre el caballo y hacerla que se sostuviera allí, y luego a caminar nuevamente, paso por paso porque andaba adormecida y decía cosas en voz baja. Decía palabras sin sentido y las repetía.

Ese domingo, me la imaginaba, pero no podía hacer nada para disminuir la preocupación que debían tener en Medellín y Bogotá porque yo no aparecía, pues tenía que haber salido de la zona del Paisa el mismo sábado. Esa era la fecha de la operación.

Bueno, pues finalmente llegué a Urrao a eso de las nueve y media de la mañana y en un punto obligado del pueblo me crucé con Antonio y Fernando vendiendo granos. Una venta como muy grande, una promoción especial. Ellos me vieron y descubrí su gesto de descanso después de la tensión.

Inmediatamente me dirigí a una computadora y le envié el mensaje al jefe: "Llegué al mismo punto. Pasamos la noche allí no sé por qué. La casa está a cien metros de la orilla del río. Va último y definitivo registro del GPS".

Él respondió OK y hasta ahí supe qué había sucedido.

ANTONIO (Socio)

Cuando nosotros salimos al mercado normal de aquel domingo, oh sorpresa: vimos por fin a Rodrigo en el pueblo a eso de las nueve y media, diez de la mañana.

—Ya. El hombre regresó.

Avisamos de forma inmediata.

—Sí. Él acaba de comunicarse conmigo—, respondió Roberto, nuestro jefe.

ROBERTO (Oficial de Inteligencia)

El regreso de Rodrigo marcó la hora cero y fue lanzada la ofensiva.

Se determinó un bombardeo porque una operación por tierra en la selva lo único que conseguiría sería correrlos de allí. Lo cerrado de la jungla ofrecía un alto margen de error para una operación por tierra, que tendría que ir avanzando al ritmo que se fuera abriendo camino.

Aunado a eso, el estudio que se había hecho del cabecilla determinó que cuando se iba a demorar algunos días en un mismo lugar, hacía minar el entorno del campamento y modificaba los anillos de seguridad. En dos palabras, intentar entrar por tierra significaba una operación suicida.

MARIELA (Analista)

Obviamente, tan pronto apareció Rodrigo informó que todo estaba normal, que había ajustado marcaciones con el GPS, y se avisó al puesto de mando en Puerto Salgar. Con esa base, se transmitió la orden a los Hombres Jungla y ellos comenzaron a avanzar.

En forma simultánea, la Fuerza Aérea inició su operación: un avión despegó de una base en Puerto Salgar y otro de la de Barranquilla.

El impacto de la bomba fue de alta precisión sobre el objetivo.

ROBERTO (Inteligencia)

En el fondo, parte del éxito de la operación en sí fue el contacto con la tal Marcela que inconscientemente nos dio información sin saber a quién se la estaba suministrando.

A esta hora ella no conoce el verdadero final de la historia.

Objetivo 3

Estando aún vivo Carlos Castaño, jefe de los paramilitares, enemigos de las guerrillas comunistas, las cabezas de la organización decidieron entregarse y montar un proceso que calificaron como desmovilización de todos sus frentes. El detalle es que los narcotraficantes aprovecharon la oportunidad para colarse dentro del proceso presentándose como paramilitares.

Estos vieron con claridad que acogiéndose a una ley llamada de Justicia y Paz podrían conseguir la legalización de sus bienes, pero lo más importante, una salida ventajosa de sus deudas con la justicia.

Condenas hasta de sesenta años en algunos casos, según esa ley, podrían convertirse en menos de ocho años de cárcel, entregando, además, el armamento menos poderoso de sus arsenales, una mínima porción de las tierras arrebatadas a la gente del campo y sumas simbólicas de los miles de millones obtenidos con sangre y cocaína.

Como algunos paramilitares no estaban de acuerdo con que los narcotraficantes ingresaran al proceso, se promovieron reuniones en diferentes zonas, pero finalmente primó el dinero: según lo estableció más tarde la Policía de Colombia, los narcotraficantes compraron cada frente paramilitar por un promedio de cuatro millones de dólares.

La historia fue contada al comienzo por un teniente retirado del Ejército que el país conoció como Diego Rivera, quien se entregó a la Dirección de Investigación Criminal de la Policía. Hoy se halla en Estados Unidos como testigo protegido por la justicia. Según declaró, él era "el asesor político" de un bandido apodado Macaco.

Pero por su parte, los paramilitares vieron una gran oportunidad para vender sus grupos a los narcotraficantes. En una reunión a la que asistió el teniente retirado Diego Rivera, los cabecillas acordaron "entregarse" sin soltar la gallina de los huevos de oro. Es decir, ni el negocio, ni la organización, ni el armamento moderno y potente, firmar ellos un documento y la mayoría de sus subalternos regresar al terreno, cambiarles de nombre a los frentes sin haberlos desmontado y continuar presentándose como paramilitares para encubrir su actividad de narcotraficantes.

Un poco después empezaron a aparecer en fotografías de la prensa y a través de la televisión arrumes de aquellas armas toscas que los campesinos del interior del país llaman chispunes, algunas escopetas de uno o dos cañones, algunos fusiles y algunas pistolas.

Al comienzo del proceso y según la Consejería de Paz, había treinta y cinco frentes de paramilitares en todo el país.

En aquel momento un sector de la opinión creyó que el fenómeno estaba llegando a su fin, pero un par de semanas más tarde comenzaron a aparecer volantes anónimos en Norte de Santander, frontera con Venezuela, a nombre de una nueva organización criminal llamada Las Águilas Negras. Después hicieron su presentación Las Águilas Rojas, más tarde Los Nevados y, como ellos, otros nombres que iban recibiendo los antiguos frentes.

Entonces alguien resolvió calificarlos como Grupos emergentes y a los periodistas les pareció una maravilla describir un nuevo país. Ahora las primicias de la radio y los especiales de televisión y los grandes titulares, repetían: "Sí. Grupos emergentes. En Colombia ya no hay paramilitares".

Más allá de la explosión de exclusivas periodísticas y de notas editoriales y de la abundancia de comentarios en la televisión, el general Óscar Naranjo, entonces a cargo de la Dirección de Investigación Criminal de la Policía, analizó el fenómeno y les dijo a sus hombres:

—Aquí está ocurriendo algo. No creo que las Autodefensas vayan a entregar a sus grupos. Es necesario obtener información más amplia.

Fueron enviados entonces agentes de Inteligencia a diferentes zonas del país, especialmente al sur y al norte de Colombia. Una comisión fue a Cúcuta, otra a Pasto, otra a los Llanos Orientales…

Efectivamente, la Dirección de Inteligencia de la Policía descifró la operación de los narcotraficantes que aparecieron inicialmente como Las Águilas Negras, y un cúmulo de información posterior procedente de todo el país comenzó a fluir a la Dirección General de la Policía, ahora en cabeza del general Óscar Naranjo.

Como consecuencia, él ordenó conformar un grupo élite, síntesis de los cuerpos élite de la Policía, que llamó Bacrim:

Bandas Criminales, para hacerle frente a la estructura que se estaba presentando públicamente. En aquel momento, realmente se desconocía si se trataba de los mismos grupos paramilitares o de bandidos que se beneficiaban del clima creado por la nueva ley.

Tres meses después surgió el teniente retirado del Ejército que le dio su versión del fenómeno a la Policía. Aunque temeroso por su vida, él se había entregado primero a la Fiscalía. Aquella institución se comunicó con la Policía, varios oficiales superiores lo entrevistaron y finalmente les fue entregado.

Luego de las primeras conclusiones surgidas de sus confesiones, la cúpula de la Policía encontró una maniobra oculta y agentes de Inteligencia del nuevo grupo élite se ocuparon del fenómeno, inicialmente con la ayuda del teniente Rivera.

Él dijo, por ejemplo, que un paramilitar llamado Macaco tenía siete frentes. En cuanto al fenómeno, contó que se había reunido con cabezas del paramilitarismo como Guillermo Pérez Alzate, alias *Pablo Sevillano*, y su hermano, alias *Julián Bolívar*, y habían hecho un pacto secreto, firmado también por él en nombre de Macaco. Más tarde el documento fue entregado a las autoridades.

En él acordaron que Pablo Sevillano dejaría para sí la zona de Nariño, en la frontera con el Ecuador, Macaco con sus grupos cubriría la zona de Pereira y parte de los Andes en el centro del país, y el sur de Bolívar en la zona meridional del Caribe…

Meta y Vichada, al oriente, en las llanuras de la Orinoquia, serían de un tal Báez…

Según el documento, en aquella reunión pactaron también entregar los bloques paramilitares en las regiones en las cuales operaban, pero de forma silenciosa nombrarían a gente de su confianza para que los manejara una vez les fueran cambiados los nombres. La finalidad obvia era dedicarse al narcotráfico bajo la careta del paramilitarismo.

Dentro de aquel proceso se negociaron estructuras como las de Hernán Giraldo y Jorge Cuarenta, quienes les vendieron una parte de su organización a dos narcotraficantes conocidos como Los Mellizos, un par de bandidos en ascenso que crecieron hasta hacerse muy grandes. Sus nombres: Miguel Ángel y Víctor Mejía Múnera.

Ellos pasaron entonces a controlar parte del sur y el occidente de Colombia, y en el norte, la zona de Santa Marta, La Guajira, el sur de Magdalena, el sur del Cesar, es decir, el acceso al mar Caribe y a Venezuela.

En aquel momento Los Mellizos se ponían la máscara de paramilitares y junto con otros cabecillas se asentaron en Santa Fe de Ralito, una zona de desmovilización en contacto con funcionarios del Estado, donde fingían la entrega de sus frentes, aunque realmente se hallaban en la cúpula del narcotráfico.

Sin embargo, Vicente Castaño —hermano de Carlos, la cabeza visible de los paramilitares enemigos de la guerrilla— les dio la orden a Los Mellizos de retirarse de Santa Fe y ponerse al frente de la gran estructura que habían comprado.

A partir de allí Los Mellizos pasaron a la clandestinidad y se ubicaron en la Sierra Nevada de Santa Marta, un lugar muy estratégico y de difícil acceso, y ocuparon el territorio que habían controlado hasta ese momento los paramilitares Hernán Giraldo y Jorge Cuarenta; la banda reapareció con el nombre de Los Nevados.

La Sierra Nevada de Santa Marta es una colosal pirámide montañosa en plena costa Caribe, más antigua que los Andes y de mayor altitud que el pico más elevado de esta cordillera.

Sus bases emergen del océano y suben hasta cerca de seis mil metros de altitud: nieves perpetuas y más abajo lagos de origen glaciar en plena zona tropical. A medida que se desciende se van encontrando todos los climas, desde el frío intenso hasta el ardiente, según las altitudes. Invierno y verano simultáneos y permanentes. Aquella es la formación montañosa litoral más alta del mundo.

La Policía empezó a acopiar información en todo el país y entendió perfectamente "que el fenómeno de cambiarles de nombre a los frentes era el síntoma de una burla al país y decidió atacarlos en sus mismos territorios", explicó un oficial.

ISMAEL (Oficial superior)

Inicialmente la orden del general Naranjo fue atacar a Las Águilas Negras, el primer grupo que había aparecido: ellos secuestraban, mataban, le cobraban "impuestos" a la población, torturaban y desterraban a la gente del campo y de los centros urbanos. Habían comenzado en Norte de Santander, en la frontera con Venezuela.

La información acopiada nos mostró que un tal Macaco tenía siete frentes, justo en los mismos sitios en que estaban apareciendo los nuevos grupos. La orden fue actuar con prontitud.

Con el grupo de Bandas Criminales empezamos a trabajar con fiscales permanentes que nos fueron asignados, y realizamos todo un proceso de judicialización a partir de la Dirección de Investigación Criminal de la Policía porque estando allí, nadie iba a saber en qué nos encontrábamos.

Una vez empezamos a formalizar y se allegaron las pruebas judiciales, los fiscales asignados empezaron a dictar órdenes de captura que fueron dirigidas a toda la estructura de Macaco.

Por el lado de Meta y Vichada, llanura oriental del país, una organización con unos trescientos hombres manejaba toda la región en drogas, en cultivos, en comercialización, pero finalmente fue golpeada de forma contundente.

Después pasamos a Nariño, al sur, frontera con el Ecuador, donde también se golpeó a la pandilla de un tal Pablo Sevillano, llamada Organización Nueva Generación (ONG). Allí fueron capturados los cabecillas, el secretario político, el financiero, en una palabra, toda el ala ejecutiva de la banda. Luego los atacamos en Norte de Santander y el sur de Bolívar en el Caribe, donde ahora empezaban a llamarse Libertadores del Sur.

Ante el ataque sobre Macaco, entonces el bandido con más fuerza, Los Mellizos se desplazaron hacia el norte y el oriente del país.

A Macaco lo capturamos finalmente en Medellín junto con sus cabecillas, que entregaron armamento sofisticado, fusiles AK47, M60, Punto Cincuenta, pistolas, rockets. A partir de ahí quedó huérfana la banda que operaba en aquella región del Caribe.

Aprovechando la situación, gente de Los Mellizos tomó contacto con los mandos medios de aquellas pandillas, negociaron y los mismos paramilitares continuaron agrupados en el frente ahora llamado Los Nevados, cuyos jefes pasaron a ser ellos.

Los Mellizos ampliaban su territorio de forma acelerada. Ahora lo único que les faltaba por sumar era la península de La Guajira en el extremo oriental de la costa, área de Pablo Angola, un delincuente con quien llegaron a otra negociación, y así ampliaron su espectro a lo ancho del Caribe.

Cuando terminamos con Macaco, hoy extraditado a Estados Unidos, Los Mellizos, Miguel Ángel Mejía Múnera, alias *Pablo Arauca*, y Víctor Mejía Múnera, eran los bandidos que más

terreno controlaban, pues, además de comprarles frentes a los
paramilitares, se habían tomado varios sectores donde la policía
había entrado con anticipación a capturar.

En ese momento Los Mellizos estaban muy fuertes en sus
territorios, muy concentrados en su tarea, todo lo que se movía en miles de kilómetros llevaba su visto bueno y en su sitio
estratégico en las cumbres de la Sierra Nevada contaban con la
sumisión de los frentes paramilitares que ellos habían comprado.

Nuestra prioridad entonces fueron Los Mellizos, que por la
extensión de los territorios que controlaban se estaban convir-
tiendo en un problema para el Estado. Se ordenó una comisión
a la zona de la Sierra y sus alrededores al mando de Sebastián,
un oficial superior. Él salió hacia el sector con su gente.

Luego de varios meses y gracias a una labor espectacular
con base en el reconocimiento de la extensa zona, en trabajo
de inteligencia, en observación, en seguimientos, en intercep-
taciones, localizamos el escondite de Los Mellizos en plena
Sierra Nevada.

El punto estaba situado en una cúspide conocida como Machete Pelao, desde donde los bandidos podían vigilar cualquier
movimiento para entrar o salir de la Sierra; dominaban también
el mar Caribe y, desde luego, las embarcaciones que se movían
en millas y millas a la redonda.

Para llegar hasta allá es necesario entrar por un lugar llamado Guachaca, sobre la vía principal de la zona que bordea
la costa Caribe.

Guachaca arriba son unas tres horas en carro. Un sector muy
extenso y muy controlado por ellos, hasta el punto de que cuando la Policía se acercaba, era monitoreada, seguida y vigilada.

Según las informaciones de Sebastián, se trataba de una zona muy difícil, pues además de la topografía y de la red de comunicaciones con que contaban los delincuentes, prácticamente toda la población de la zona, gente amenazada o no amenazada, les daba aviso, dadas las condiciones que les imponía el vivir dentro de un territorio paramilitar.

SEBASTIÁN (Oficial superior)

Ya en el lugar, nos dividimos en dos equipos: el mío y otro cuya base fue un hotel de cinco estrellas en el sector de Guachaca, por donde uno comienza a subir a la Sierra Nevada.

Allí instalamos a una pareja de ingenieros contratistas, una chica y un muchacho de Inteligencia, apoyados por equipos electrónicos móviles, a través de los cuales captaban las señales, los movimientos y la ubicación de los bandidos, gracias a un trabajo parecido al de la brújula, que en nuestro lenguaje llamamos "analistas".

Lo primero que comprobamos fue que desde la misma ciudad de Santa Marta la red de Los Mellizos les reportaba a los de la Sierra la descripción, el número de la matrícula, la marca, el modelo y la cantidad de ocupantes de cualquier camioneta o carro que se dirigiera a esa zona, si para ellos parecía sospechoso. Y si pensaban que se trataba de la ley llegaban hasta hacerlo detener.

Pero también ejercían una modalidad de espionaje sobre los puestos de policía en todos sus retenes, de manera que tenían el control casi absoluto de aquella zona, además de una situación todavía más complicada: había mucha Fuerza Pública asociada con ellos.

En nuestras operaciones no actuamos con miembros de la
Fuerza Pública de la región, a menos que ciertas situaciones
estratégicas lo requieran. En ese caso se utiliza a la Policía, pero
ellos no saben en qué estamos, ni saben que se hallan trabajando
para nosotros.

Los muchachos del hotel de cinco estrellas lo controlaban
todo y trabajaban con gran eficiencia, informando generalmente
en tiempos reales, a pesar del peligro de hallarse en el epicentro
de una zona tan amenazada como aquella.

Años atrás, cuando el tal Hernán Giraldo era el jefe de los
paramilitares en la región, su gente detectó a un grupo de policías de Antinarcóticos en ese mismo hotel. Horas más tarde
los secuestraron, se robaron sus equipos y luego los desaparecieron a ellos.

Sin embargo, nuestros muchachos trabajaron solos y con
un perfil supremamente bajo por espacio de tres meses en el
mismo lugar.

Para poder entrevistarme con ellos tenía que armar una
familia con niños o contratar muchachas para ir de paseo a la
piscina y encontrarnos luego en la playa, o entrar escondido en
sus habitaciones. Algunas veces hacíamos ir a alguno de ellos
hasta Santa Marta y nos reuníamos en sitios reservados en un
centro comercial.

Es que, desde luego, el hotel de Guachaca tenía el control
de los bandidos. Todos los que iban a hacerles antesala a Los
Mellizos, llámese narcotráfico, llámese bandidaje en general, llegaban a ese sitio. Allí dejaban sus carros y más tarde los recogían
en otros vehículos de la organización, los trasladaban montaña
arriba a un punto avanzado donde cogían mulas y continuaban
hasta un segundo lugar. A partir de ahí caminaban o se trans-
portaban en mototaxis que se mueven mucho por esa región.

Nosotros también trabajábamos en la salida hacia Santa Marta y le anunciábamos a la pareja quién se dirigía hacia allá, de manera que ellos controlaban la llegada de los carros y nos la reportaban. Alguien que se movía con frecuencia por aquel lugar era un bandido con poder y gran peligrosidad llamado Orlando Villa Zapata, alias *la Mona*, mano derecha de Los Mellizos o, por lo menos, de uno de ellos. A esa altura aún no lo sabíamos con precisión.

La Mona tenía cuatro cédulas de identidad originales de la Registraduría Nacional, o sea que se movía sin ningún problema y nos tenía tan locos como Los Mellizos porque llevaba encima siete órdenes de captura, incluso una por una matanza en el sur del país. Sin embargo, se movía libremente por el territorio nacional.

Bueno, pues la gente que llegaba allí tenía que dejar en el hotel todos los celulares apagados antes de salir hacia la Sierra, pero nosotros teníamos coordinados a los analistas, a los controles en un peaje de la vía principal, a todo lo que íbamos organizando en el área.

Al poco tiempo de llegar, conseguimos como informante a un mototaxista y, según él, para llegar a los sitios que ocupaba el Mellizo de forma temporal debía hacer recorridos especiales porque se trataba de algo más de quince viviendas. Generalmente atendía en cinco diferentes pero nunca en donde él dormía. Hasta esos sitios subían los mototaxistas de la organización.

Aquella es una región en la que siempre han vivido en la ilegalidad, siempre ha sido una región atacada por la violencia, por influencia de grupos armados como la guerrilla, como los paramilitares —que Los Mellizos compraron por cinco millones de dólares— y que ahora nosotros calificamos como bandas criminales.

Una población que ha estado inmersa en el narcotráfico y en la ilegalidad. Hoy nueve de cada diez personas se presentan como desmovilizados de lo que se llamaban las Autodefensas.

Pero, además de todo, en Santa Marta nos vimos obligados a controlar a miembros de la Fuerza Pública que les filtraban información a los bandidos mediante correos electrónicos, a través de los cuales los enteraban con anticipación de las operaciones que se planeaban contra ellos.

Así logramos establecer los nombres, grados, cargos, rutinas de oficiales y suboficiales comprometidos con ellos, tanto dentro de la Policía como en el Ejército.

En medio de tanta corrupción, en Santa Marta detectamos a una persona muy importante para uno de Los Mellizos. Era un tal Pedro, algo así como un logístico de confianza, un delegado encargado de atender a sus esposas y a sus compañeras, pero a la vez, él subía a las mujeres prepagos que le llevaban de Medellín, de Santa Marta, de Barranquilla: modelitos de desfiles de modas, reinitas de alguno de los cientos de concursos de belleza que hay en este país o algunas estudiantes universitarias, escogidas previamente y que cobran sumas millonarias por una noche.

Pero a la vez, le llevaba el licor. Pero a la vez, si el bandido quería comer hamburguesas, pizza, peritas de queso con bocadillo que le fascinaban, o unas tortas de chocolate que le llevaban desde Bogotá, él las recibía. Y a la vez, atendía a la gente que llegaba a entrevistarse con él.

También le llevaba los casetes, las fotos, las memorias USB que le enviaban las esposas y las amigas, le compraba ciertas prendas de vestir que le gustaban, botas de determinada calidad, preservativos, potenciadores sexuales, revistas porno, revistas de farándula…

Simultáneamente empezamos a identificar los carros que se movían en torno de él. Por ejemplo, a la Mona llegamos a registrarle más de cien autos diferentes, todos de alta gama, la mayoría camperos. Los Mellizos con sus ríos de dinero también eran dueños de varias ventas de autos en diferentes ciudades del Caribe.

Se trataba de dos hermanos que incursionaban en el narcotráfico desde hacía más de veinte años, aquí y en el exterior. Antes habían sido panaderos. Pablo Arauca, como le decían al más agresivo, y su hermano Víctor, el segundo mellizo, fueron desde muy jóvenes supernarcotraficantes. Pero de los dos, el más narco era Víctor, el más buena vida, el de genio más soportable, según sus bandidos.

FELIPE (Oficial superior)

Los Mellizos pertenecían a una familia numerosa, criados en un ambiente de narcotráfico en el cual, para esa época el norte del Valle, al occidente de Colombia —un sector históricamente violento—, arrojó a los narcotraficantes más grandes que han existido en el país.

Ellos se iniciaron siendo muy jóvenes porque Víctor Manuel, o sea el segundo Mellizo en esta historia, se fue a probar suerte en Estados Unidos. Inicialmente trabajó en una panadería en Nueva York, Brooklyn, y dejó a su hermano como contacto en Colombia.

Allí se hizo al ambiente del bajo mundo y empezó a recibir pequeños envíos de cocaína que Pablo Arauca le enviaba por correo y fue creciendo en tal forma que llegó a crear unas rutas y unos mecanismos importantes para el tráfico, y eso culminó en grandes exportaciones a bordo de barcos cargados en alta mar con cinco, seis, diez toneladas de cocaína con destino a México, Estados Unidos y Europa.

Los dos fueron hábiles en el manejo de su organización y, ante todo, de su bajo perfil: siempre rechazaron el darse a conocer o en buscar reconocimientos sociales o políticos.

Víctor Manuel, el segundo, es una persona pausada, menos calculador, tal vez más sociable. En cambio Miguel Ángel, o sea Pablo Arauca, se caracteriza por ser el más inclinado al ajuste de cuentas.

SEBASTIÁN (Inteligencia)

Ellos comenzaron a incursionar con los semisumergibles, o semisubmarinos, mucho antes de ubicarse en la Sierra Nevada al lado del mar. Estas embarcaciones zarpan del océano Pacífico —Colombia, país bañado por dos mares— y se le pegan por debajo del casco a los grandes buques que van a Europa, o "contaminan" —como dicen ellos— a los barcos en alta mar.

Los Mellizos llegaron a amasar una fortuna inmensa y, según decían en aquel medio, su vocación era evitar conflictos con alguien. Solamente les preocupaba concentrar su poder en enviar cocaína al exterior.

El más promiscuo de los dos era Víctor, el segundo Mellizo: tres mujeres, cada una con varios hijos. A todas las mandaba a que dieran a luz en Canadá o en Estados Unidos con el fin de conseguir otras nacionalidades para sus hijos.

A su última compañera la controlamos en Canadá a través de la Policía local y a su regreso a Bogotá le acondicionamos sistemas electrónicos en su vivienda: una pareja de nuestros muchachos vivió en un apartamento vecino al suyo en la capital…

Las controlábamos a todas. Sabíamos para cuál de ellas eran los correos que llegaban y conocíamos los autos que les traían casetes y CD. Ese era su principal medio de comunicación con las mujeres.

En el último mensaje que le interceptamos a Pablo Arauca, le decía a su compañera que había un terreno de más de diez mil metros cuadrados para construir bodegas y que el dueño era una persona sana:

—Habla con mi suegra y vendan la propiedad tal, y la propiedad cual y construyan allí. Calculo que la renta mensual de aquello debe estar hoy por encima de los cincuenta millones de pesos —le explicaba.

Pero, además, estos tipos invertían mucho en obras de arte. Una barranquillera, mujer de Víctor, las guardaba, y recibía relojes de cincuenta mil dólares que él le regalaba, se los ponía un rato y decía que ya no los quería más. Tenía veinticinco, todos con diamantes. Las obras de arte certificadas eran de cinco, de diez millones de dólares. El tipo invertía mucho en esta clase de lujos pensando en el futuro de sus hijos.

La organización de estos hombres era muy grande, como se dice, "a nivel militar". Los Mellizos manejaban más diez departamentos, de manera que unificaban la zona del Caribe con muy buena parte de la frontera con Venezuela, posiblemente el corredor más importante del país. Y a nivel narcotráfico, monopolizaban tres departamentos sobre el océano Pacífico. Ya en aquel punto, ellos no movían una tonelada de cocaína. Movían de ocho hacia arriba.

Nosotros muchas veces sabíamos que les habían decomisado dos toneladas, dos toneladas y media, y respondían:

—En unas se gana y en otras se pierde. Sigamos adelante.

Nunca hablaban de lo que se les había caído sino de lo que debían recuperar. Eso lo dejaban en manos de la Mona: dinero, autoridades, políticos… Usted sabe.

La Mona se conoció con el Mellizo en una cárcel de Cali. A pesar de ser tan despectivo, Pablo Arauca confesó alguna vez que la Mona era "un buen muchacho", como decía él.

Luego la Mona se escapó del penal y los dos empezaron a trabajar en extensas zonas aledañas al océano Pacífico. Años después, Los Mellizos compraron otro bloque paramilitar, Vencedores de Arauca, y extendieron su dominio casi a lo largo de toda la frontera con Venezuela.

Víctor, el segundo, procuraba andar con mujeres bellas, iba a Argentina, a Atenas, a Italia a comprar ropa, en general viajaba por todo el mundo con documentación falsa. Le gustaban el buceo, el mar, la pesca, los buenos caballos, la ganadería.

FELIPE (Oficial superior)

A ellos les veníamos siguiendo el rastro desde hacía unas tres décadas cuando la Policía les incautó treinta y cinco millones de dólares en los muros de un apartamento en Bogotá. Ese fue el comienzo de su vida pública.

Sin embargo, de forma extraña, se perdió la investigación por este delito. Según una teoría, había entonces narcotraficantes más peligrosos que ellos ante los ojos de las autoridades, o afloraron casos de corrupción dentro de la justicia y ellos pudieron haber pagado para que los olvidaran.

Digo eso porque nos llamaba la atención que no se hubiera adelantado un proceso serio en contra de ellos, sabiendo que existía un antecedente tan importante como la incautación de aquellos millones de dólares.

A mediados de la primera década del siglo, arrancó un proceso de negociación de los paramilitares, enemigos de la guerrilla, con el gobierno nacional, y se presentó un fenómeno: que los narcotraficantes "pura sangre", como los llamó entonces el general Óscar Naranjo, se colaron dentro de la negociación.

Tal vez a partir de allí alcanzaron a pasar a los archivos algunas fotografías suyas, pero realmente no se sabía quién era quién. Se conocían como Los Mellizos, pero nadie podía atinar con certeza cuál era Miguel Ángel, o sea Pablo Arauca, o Víctor, el segundo mellizo.

Un poco antes de la negociación con el Estado, Los Mellizos habían logrado buena amistad con el clan de las cabezas visibles de los paramilitares, Vicente y Carlos Castaño, con el fin de acercarse a la salida negociada con el Estado ocultando su condición de narcotraficantes.

Sin embargo, cuando el gobierno ordenó la reclusión de los cabecillas involucrados en el pacto, los hermanos desaparecieron de la zona de concentración en un lugar determinado y no se volvió a saber públicamente de ellos.

A raíz de aquel fenómeno, la Policía creó el cuerpo de Bandas Criminales y comenzó su operación con un gran éxito en todo el país. Un poco después fue enviado a la costa Caribe un oficial superior llamado Sebastián —inicialmente a la zona de la Sierra Nevada de Santa Marta—, acompañado por tres funcionarios.

Él empezó por realizar un reconocimiento detenido de
la región, a montar estrategias, a tratar de entrar a la Sierra,
a alquilar cabañas, a ubicar personas, a hacer seguimientos, a
controlar áreas extensas y a establecer las actividades de Los
Mellizos en aquel momento.

Dentro de esa operación me dieron la orden de localizar y
controlar a dos sujetos que tenían que ver de forma estrecha
con Los Mellizos: uno apodado la Mona y otro, el Canoso.

El Canoso era un narcotraficante independiente que trasladaba la cocaína desde la selva, al sur del país, hacia la costa
Caribe y allá tomaba contacto con la organización de Los
Mellizos a través de la Mona. Ellos tenían una especie de
centro de acopio donde permanecía la droga antes de ser ex-
portada, y por este motivo el Canoso viajaba con frecuencia
a la costa.

El día que partimos, confirmamos que el Canoso se hallaba
en Santa Marta y estaba próximo a sostener una reunión, bien
con uno de los Mellizos o bien con la Mona, cabeza visible de
la banda, aquel que les manejaba los negocios, el hombre
de confianza, el que organizaba el narcotráfico.

Salimos de Bogotá un poco antes de la medianoche y
cuando llegamos a Santa Marta a eso de las cinco de la tarde,
los controles indicaron que el objetivo se había movido para
Barranquilla, otro puerto sobre el Caribe.

Inmediatamente nos fuimos para allá y llegamos a las diez
de la noche. Estuvimos tratando de localizarlo por medios
electrónicos, pero la operación tuvo tropiezos y en cambio
ubicamos por ese sistema al vehículo del Canoso que se hallaba

justamente en la misma ruta que acabábamos de recorrer de ida y nos regresamos inmediatamente.

Regresamos a Santa Marta y el objetivo ya no estaba allí: iba hacia Riohacha, una ciudad en la península de La Guajira que cierra el Caribe colombiano por el oriente.

Arribamos al punto a eso de las tres de la mañana y allí constatamos que había continuado hacia Maicao, un lugar convulsionado y peligroso, cuna del contrabando con Venezuela por hallarse muy cerca de la frontera con aquel país. Por asuntos de seguridad no nos autorizaron detenernos y sólo encontramos alojamiento en el hotelucho más deprimente que he conocido en mi vida.

Noche larga a pesar de la fatiga. A la mañana siguiente tuvimos comunicación con nuestro analista, y él fue breve:

—Continúa en Maicao.

Finalmente nos fuimos hacia allá, logramos ubicarlo, pero ahora también estaba en movimiento. Lo seguimos hasta otra ciudad llamada Valledupar, al sur de la Sierra Nevada, cruzó por allí, continuó y luego se dirigió a un sector en el que no pudimos realizar controles porque se trataba de una zona rural extensa, con muchas sendas y caminos, en la cual presumíamos que había algún lugar de acopio de cocaína.

No obstante, durante los días siguientes continuamos en nuestro viaje por la costa Caribe buscando contactos en coordinación con Sebastián, identificando personas, ubicando parte de sus rutinas —algo relativo, algunas veces precisas, otras improbables—, confirmando quién era Fulano o quién Sutano, cuáles eran sus papeles, sus oficios…

Estando en eso nos acercamos al veinte de diciembre cuando logramos rastrearlo y cubrirle citas en Valledupar con delegados de Los Mellizos en algunos restaurantes y luego en puntos un tanto más lejanos de Santa Marta, justamente la puerta de acceso a la Sierra Nevada y a la vez un puerto clave sobre el Caribe.

Bajando de la Sierra, aquella ciudad está más cerca que cualquier otro centro urbano, pero, además, a partir de allí uno puede buscar camino hacia el centro del país o continuar hacia el extremo oriente: desierto y mar. Soledades controladas por estos bandidos.

Desde luego nuestro trabajo era clave en la zona Caribe, porque Los Mellizos aparentemente se hallaban en La Sierra. O por lo menos, estábamos seguros de que uno de ellos tenía una especie de fortaleza en aquella mole de montañas.

Nosotros recolectamos bastante información y regresamos a Bogotá para pasar algunos días de descanso en aquella temporada de Navidad, luego de hacer un reporte sistematizado que resumía nuestra labor. Entregamos toda la información recolectada y nos fuimos a descansar. En ese momento habían pasado seis meses desde el comienzo de mi actividad.

Sin embargo, dos días después nos llamaron: "Regresen al área de operaciones".

Partimos nuevamente hacia la costa Caribe en un avión de la Policía con la orden de tomarnos la Sierra, esta vez con un bloque de diferentes unidades policiales: grupos de combate como Hombres Jungla, Comandos de Operaciones Especiales, Escuadrones Móviles de Carabineros…

ISMAEL (Oficial superior)

Gracias al trabajo de inteligencia de medio año analizamos lo estratégico del terreno y decidimos atacar allí mismo.

Se hizo el primer operativo en el que prácticamente entramos a conocer de forma detallada el sector, a mirar cómo se vivía allí, cuál era el entorno de los cabecillas y otros detalles importantes.

Enviamos por tierra a unos cien hombres uniformados y tan pronto cruzamos Guachaca los bandidos fueron alertados por sus puntos de vigilancia, pero como la situación era simplemente de conocimiento de la zona, de explorar el lugar, avanzamos sin hacer intervalos. En aquellos rincones cuando entra un extraño lo reportan, alguien lo sigue, alguien lo controla y posteriormente, alguien lo requisa.

Desde luego, una vez fuimos reportados se generó una inquietud absoluta, una gran expectativa, más de uno se escondió y nosotros continuamos ascendiendo. Vimos mucha gente pobre, vimos campesinos, vimos gente trabajadora, vimos gente bien vestida, vimos de todo. Era un sector aparentemente común y corriente. Hablamos con la gente: no escondían que allí operaba una banda criminal llamada ahora Los Nevados.

En esta incursión comprobamos qué tan estratégico era para ellos aquel sector y planificamos una segunda operación guiados por un tal Lucas que nos señaló el sitio en el cual el bandido estaba recibiendo a la gente.

CARLOS (Analista)

Después de la operación contra una banda criminal que operaba en la inmensa llanura que cubre cerca de la mitad del territorio nacional al oriente de los Andes, continuamos con unos controles técnicos gracias a los cuales capturamos a las cuatro personas más importantes de esa organización.

Luego, en los controles posteriores encontramos que existía un sujeto a quien llamaban la Mona, y le dije a Ismael:

—Acaba de aparecer alguien importante. Lo llaman la Mona y sigue con la organización.

—Ese tipo es la persona de confianza de uno de Los Mellizos. Siga los controles por ese lado.

A la Mona le decían siempre "Mándele la razón al Viejo, al Abuelo, al Papá, al Señor: claves que tenían que ver con quienes iban directamente a la Sierra Nevada de Santa Marta con mensajes para el Mellizo.

Hubo un momento en el que nuestros compañeros, ya en la zona, dijeron:

—Está a punto de entrar Lucas —nuestro informante— al área que ocupa el objetivo y con él vamos a dar un paso adelante para ubicarlo en las montañas.

—Tratemos de utilizar equipos electrónicos que nos permitan dar con la ubicación exacta del Mellizo —agregó nuestro jefe.

Se refería a cualquiera de los dos bandidos, porque aún no teníamos claro cuál era el que permanecía en las cumbres.

Luego de un par de meses se hizo el primer control estando ya en la zona la gente de Inteligencia y se detectaron una serie de movimientos:

—"Lucas" ya habló con la Mona, él le va a llevar unos mensajes directamente al objetivo. Saldrá a las ocho de la mañana. Lo recogerán en una camioneta en Guachaca —al pie de la Sierra.

A partir de allí empezaban a subir. En esa fase intervino Fernando, uno de nuestros compañeros presente en el momento en que fueron ubicados los equipos.

FERNANDO (Investigador)

Los camuflamos dentro de un maletín y se lo dimos a Lucas. A él lo recogió en Santa Marta un guardaespaldas del bandido, hicieron un trayecto en un carro hasta un punto determinado, luego otro tramo en moto y un tercero a lomo de mula. Gastaron algo más de tres horas.

El equipo electrónico nos fue dando geocoordenadas hasta ciertos lugares, fáciles de ubicar en un sistema de mapas digitales.

Con ellas determinamos un sector para empezar a trabajar de acuerdo con las redes de comunicaciones de los bandidos… "La antena del Sector F es tal y por lo tanto las ondas llegan a los puntos catorce y diecisiete…". Se trataba de una serie de cualidades y características técnicas que los analistas nos indicaban desde el Centro de Operaciones en Bogotá.

Todo aquello nos llevó a que el movimiento de las personas, de las motos, de las mulas, nos indicara un radio de operación y, además, la ubicación de la cueva del Mellizo.

La información recolectada fue procesada en conjunto por la parte técnica y por la parte operativa de nuestro equipo, y finalmente se coordinó una operación helicoportada con un grupo táctico formado por comandos antiterroristas.

Todo había conducido a estrategias como no agrupar a nuestra gente en Santa Marta, porque los bandidos tenían aproximadamente tres anillos de seguridad, de manera que los más lejanos podrían detectar cualquier movimiento extraño y correr la alarma.

La operación fue lanzada en el mes de noviembre. Se trataba de llegar hasta el final del camino de las mulas, un punto bastante alto en la Sierra con una vista muy amplia de la costa y del mar.

ISMAEL (Oficial superior)

Lucas nos condujo hasta un lugar arriba de la base de la Sierra y allí capturamos a cuatro personas con armamento, que hacían de punto de control sobre el talud de una montaña.

Posteriormente surgió otro informante que nos explicó la ubicación real de uno de Los Mellizos ¿De cuál? De Miguel Ángel, o sea Pablo Arauca. Dijo que tenía una reunión con aquel.

Lo enviamos con un GPS y se fue. Llegó finalmente al lugar y diez minutos más tarde atacamos el sitio con helicópteros.

Allí capturamos a todo el anillo de seguridad del narco, doce personas con fusiles, radios, armamento, equipos de campaña, mapas y, como cosa curiosa, en la cabaña encontramos una torta de chocolate.

El pastel lo había llevado nuestro guía como regalo, pues además de representar una especie de santo y seña, era el preferido del Mellizo: un pastel oscuro con unas pasas grandes elaborado en Bogotá:

—Cuando uno lo viene a visitar él pide que le traigamos esto. Esa es su pasión —dijo el guía.

Miramos la torta, miramos la despensa, había enlatados, comida de mar y comida de calidad. En ese preciso momento decidimos intensificar la cacería, pues esta vez había logrado escapársenos. Era el mes de noviembre.

Una vez regresamos empezamos a analizar qué había fallado en esa operación. Por qué se nos había escapado, y llegamos a la conclusión de que sus anillos de seguridad eran muy amplios. Se hallaban a unos cinco, diez, quince kilómetros a la redonda y eso es una gran distancia sobre aquel terreno, de manera que, por ejemplo, cuando aparecía un helicóptero el anillo más distante había empezado a informar, y mientras nosotros llegamos al sitio, el objetivo tuvo mucho tiempo para penetrar en el bosque, corpulento y cerrado.

CAMILO (Oficial de Inteligencia)

Me enviaron a la costa Caribe porque conocía el modus operandi de la gente en aquel sitio, conocía las costumbres, la mentalidad y, ante todo, sabía cuáles eran las bandas que habían ejercido presión en esa zona.

Lo primero que hice, que no es costumbre, fue hablar con el comandante de la Policía local. En este tipo de operaciones uno va totalmente encubierto, pero esta era una situación particular.

Bueno, pues llegué totalmente en ceros y mi misión era ubicar con detalles a las bandas criminales del sur del Cesar, en la planicie que rodea a la Sierra Nevada, en ese momento comandadas por un tipo apodado Chely.

Chely era el cabecilla de una banda criminal que ahora se presentaba como Las Águilas Negras del sur de Bolívar. Más tarde establecimos que se trataba de un bloque paralelo a Los Nevados, organizaciones paramilitares que habían sido compradas por Los Mellizos.

La historia es que en aquel momento el tal Chely se disputaba la territorialidad con el cabecilla de otra banda criminal apodado Leo, porque la región al sur de la Sierra Nevada representa un corredor de narcotráfico que los lleva a Norte de Santander en la frontera, y desde allí dan el salto a Venezuela.

Bueno, estábamos en ese trabajo y una mañana me llamó el comandante de la Policía local: "Le tengo un dato interesante:

hablé con un sujeto que acabamos de conocer". Más tarde me presentó a un tipo que en cosa de minutos identificamos como el Profe.

El Profe era un personaje que se había acercado al comando de la Policía a dar información sobre la organización de Los Mellizos, y confesó que tenía contacto con Pablo Arauca, o sea Miguel Ángel Mejía Múnera.

El Profe es una persona recelosa. Realmente ya se había relacionado con el bandido, pero mantenía muy guardado el secreto. Sin embargo, decía que el único que le inspiraba confianza era el comandante de la Policía local, porque anteriormente había trabajado con el Ejército, pero no le habían cumplido algunas recompensas y, además, no volvería a acercarse a ellos porque dentro de ese cuerpo armado había gente que trabajaba para Los Mellizos. Dio los nombres de algunos sargentos y de otros miembros que actuaban como contactos con la organización de Pablo Arauca.

Pero, además, el Profe resultó ser un militante activo de la guerrilla que actuaba en el Bloque Internacional de las FARC. Vivió un tiempo en Cuba y posteriormente estuvo moviéndose por Centroamérica como representante de ese grupo guerrillero.

Luego regresó al país, le encomendaron recoger fondos en la costa Caribe y se dedicó a relacionarse con algunos círculos en colegios y universidades de estratos altos. Un día me dijo hablando de un colegio en particular:

—A ellos les robé ciento cincuenta millones de pesos.

El tipo se colaba en las asociaciones de padres de familia, y estando ahí se filtraba en las áreas contables y les sacaba dinero. Lo mismo hizo en dos universidades de la zona:

—En un trabajo que me demoré cuatro o cinco años, alcancé a recogerle a la guerrilla mil quinientos millones de pesos, sin necesidad de robar, sin necesidad de atracar, sin el uso de un arma.

El Profe es un ideólogo capaz de lavarle a usted el cerebro si usted se lo permite. También decía:

—¿Cuál es mi misión hoy en día? Penetrar estas estructuras porque Los Nevados continuaron en la Sierra Nevada y desterraron a los campesinos inermes de nuestro pueblo...

Su infiltración como subversivo había sido por el lado social. Realmente es sociólogo y diseñó un plan de ayuda a las comunidades de la Sierra por parte de Los Nevados, utilizando sus argumentos filantrópicos.

El comienzo de esta labor partió de una institución de atención a los indígenas que funciona en Valledupar y él se conectó con sus miembros y empezó a subir a las montañas, a subir a las montañas, hasta que se hizo familiar en diferentes áreas.

Cuando empezó su trabajo, la gente de Pablo Arauca le preguntó quién era, qué buscaba, para dónde iba en la vida y él, que también es del Caribe, los convenció con el cuento de la solidaridad social:

—He visto que los integrantes de Los Nevados hacen cosas por la comunidad, desde luego, pero de forma desorganizada, utilizan los métodos que no son eficientes a nivel del pueblo. Me parece que están perdiendo un gran esfuerzo —les dijo, y el cuento encajó bien.

Hasta ese momento Los Mellizos contaban con un factor en contra: aquella zona antes estaba en poder de un cabecilla paramilitar muy estimado y cuando ellos llegaron chocaron con la población de la Sierra porque en un comienzo no ayudaban a nadie.

Allí la gente estaba mal acostumbrada a que el cabecilla paramilitar fuera la persona que les solucionaba sus problemas de convivencia, de vías, si llovía mucho y el camino se dañaba financiaba la reparación, si había un enfermo lo evacuaba…

El Profe les decía a los narcos:

—¿Cómo ganarse a las masas? Pues integrándose a ellas. Es contraproducente llevarle regalos a la gente de forma desordenada. No es bueno darle cosas que a lo mejor no representan sus verdaderas urgencias. La fórmula es sencilla: organicen un programa social. Yo les puedo hacer una propuesta y yo mismo coordino el plan.

Entonces él había trabado cierta amistad con la Mona, y en efecto, este le dijo una mañana al capo:

—Hay un tipo que nos puede organizar un programa social de asistencia a la comunidad. ¿Por qué no le da una vuelta a la idea?

El Mellizo lo pensó unos minutos y dijo:

—Me parece bueno que nos metamos en política. Ese es un buen plan.

Desde entonces él y su hermano Víctor, el segundo mellizo, planeaban presentar obras de este tipo como atenuantes para su desmovilización, es decir, para entregarse a las autoridades presentándose como paramilitares.

Cuando nos contactó a nosotros, el Profe ya estaba dentro de la organización de Pablo Arauca, ya hacía parte de la nómina de Los Nevados y ya manejaba el proyecto social. Por eso, unos días después de conocerlo me dijo:

—Tengo la posibilidad de comunicarme directamente con Pablo Arauca, no de forma regular, pero, de todas maneras, a él hay que rendirle informes mensuales: algunas veces se los mando por Internet, otras tengo que subir a la Sierra a hablar con él de forma personal, sobre todo cuando se requieren sumas grandes de dinero. Ahora estoy próximo a ir.

En aquel momento yo no estaba en esta investigación sino con la del sur del Cesar. Por ejemplo, gracias al Profe empecé a asociar a Chely, el de Las Águilas Negras, con Los Nevados.

Le informé aquella historia a mi jefe en Bogotá y él respondió:

—Es necesario acercársele a ese tipo como sea, porque nosotros tenemos un proceso muy largo detrás de Los Mellizos. Véngase con él para Bogotá.

Lo busqué y al día siguiente le hice la propuesta, pero una y otra vez se quedaba en silencio. Luego se despedía. La verdad es que para que fuera cediendo hicimos reuniones y reuniones en las que le demostraba que ante todo yo no era de la Policía local. Él quería hablar con gente del mando central de la institución, lo convencí de que se trataba precisamente de eso y un buen día nos fuimos para la Dirección de Policía Judicial en Bogotá.

Toda esta historia había sido irónica. Por ejemplo, nosotros vivíamos en el mejor barrio de Valledupar: una casa bonita como fachada, pero por dentro algo muy pobre. Dormíamos en colchones sobre algunas tablas. Los fines de semana tomábamos en alquiler una lavadora de ropa, y nunca habíamos podido localizar la vivienda del tipo, pero un día recogiendo la lavadora lo vimos entrar en su casa.

Más tarde le solté la dirección en su propia cara y él se rio. A partir de allí la confianza fue progresando tanto que ya las reuniones las hacíamos en aquel sitio:

—Es que en mi casa me siento más seguro. Reunámonos allá, ese sitio no lo conoce nadie, dijo aquella tarde.

La verdad es que sólo en ese momento, ya con la confianza plena, nos soltó el cuento de Los Mellizos porque en un comienzo solamente hablaba de Chely, pues sabía que, tanto la banda de este hombre como la de Los Mellizos componían una sola infraestructura.

Eso no lo sabíamos con fechas, cifras y detalles, de manera que él me lo fue aclarando poco a poco.

Volviendo atrás, este fue el momento en que realmente le informé a Antonio, nuestro jefe, y él me dio la orden de viajar a Bogotá con el Profe: su ingreso a hablar con Pablo Arauca estaba próximo.

Llegamos a la capital, le hicieron las pruebas de veracidad de la información que estaba rindiendo y todo pareció tener lógica.

Es obvio que como yo no tenía el manejo de esta investigación, lo escucharon otros oficiales que llevaban tiempo en ella y dijeron que todos los datos que él daba eran precisos y reaccionaron casi con emoción:

—Efectivamente, el tipo sí está entrando a donde Pablo Arauca. Sí, está hablando con él. El bandido se encuentra por donde nos lo está diciendo este hombre.

El Profe describía la ruta con detalles, con distancias, tiempos, de recorrido en cada tramo, relevos, puestos de vigilancia… Hasta ese momento su única persona de confianza era yo. Entonces, tanta reunión y tanta entrevista me hicieron pensar que se me iba a asustar. Es que ya había visto al general, al coronel, al mayor, a otro mayor, y yo le decía "tranquilícese".

De todas maneras sabíamos de su doble posición, guerrilla y paramilitares. Entonces en los siguientes viajes adecuamos una habitación en un hotel, en la que instalamos micrófonos, cámara oculta, vigilancia física… El asunto era saber cuándo se iba a reunir con Pablo Arauca.

Finalmente dijo que en Bogotá había un cura que le iba a ayudar a manejar la parte de socialización de lo de la Sierra Nevada, habían acordado una reunión y luego iban a subir los dos a hablar con el Mellizo. Se trataba de unos dineros para obras sociales en la capital.

El cura también era de Pablo Arauca, pero no tenía nada que ver con el Profe. Sin embargo, se efectuó la reunión, cambiaron ideas y las cosas empezaron a caminar de acuerdo con los planes. En ese momento le entregamos a nuestro hombre un equipo de ubicación satelital, se lo enseñamos a operar y nos devolvimos inmediatamente para la costa. Allí le dije:

—Haga la marcación en el punto más cercano que usted pueda en relación con el sitio donde se va a reunir, o donde vaya a ver a Pablo Arauca.

Para esa operación había dos posibilidades: primero, dejar que el Profe entrara, nos dejara la ubicación y saliera.

Pero como los investigadores del proceso ya sabían que Pablo Arauca no recibía gente donde dormía, decidieron aprovechar la entrada del Profe para "operar en caliente". O sea, el tipo entrando y nosotros haciéndolo prácticamente al tiempo.

Total, se montó la operación en esa forma, se la explicamos, pero él insistía, como garantía, que su contacto fuera yo porque a él nadie más lo conocía.

En cuanto al ubicador satelital, le preocupaba mucho, lo tenía nervioso:

—Viejo —me dijo—, yo llego hasta Guachaca. Allí me recoge una moto, me sube hasta cierto punto. De esa moto me bajan y me suben a otra, en esa avanzamos unos veinte minutos.

Allí me bajan. No hay más vía. Hacia arriba vamos por caminos de herradura y en cada sitio, cada persona que me entrega a otra, me requisa. Desde la primera parada me quitan el teléfono celular, me quitan todo. Entonces, compadre, miremos bien lo del aparato ese.

Se lo pusimos en un maletín escondido en un pliegue, pero el problema era que él tenía que dejarlo:

—Así, colocado así no vale la pena esconderlo porque lo van a detectar de forma inmediata —dijo.

Entonces lo acomodamos dentro de una falsa costura, de manera que él pudiera sacarlo rápido y enterrarlo:

—En ese preciso momento a usted tienen que darle deseos de orinar. Se va hasta el árbol más cercano y allí lo entierra.

Bueno, se montó la operación y empezamos a hacerle el seguimiento desde cuando partió, pues él nos iba informando su ubicación.

Subir a la Sierra es todo un proceso. Este hombre se demoró tres días y el general decidió lanzar la operación desde Cartagena, donde nos habíamos ubicado.

SEBASTIÁN (Oficial superior)

Los Mellizos tenían personas infiltradas en los aeropuertos del Caribe más cercanos a ellos —zona norte—, como son Barranquilla, Santa Marta, Riohacha, Valledupar. Por este motivo siempre operábamos desde Cartagena de Indias.

CAMILO (Oficial)

Como yo estaba recién llegado al equipo, todos preguntaban de dónde había sacado a aquella fuente, quién era yo, dónde se encontraba el Mellizo. Es que en este proceso ellos llevaban mucho tiempo y ahora les aparecía yo con el Profe.

Sucede que uno llega a un punto de la investigación en el que maneja un cuadrante, pero los delincuentes tienen el control de la zona, de manera que una infiltración allí es algo muy difícil, supremamente complicado, y llegarles a los anillos de seguridad nos es sencillo. Sin embargo, yo llegué al grupo con el acceso directo al objetivo, y ellos decían:

—Nosotros, meses y meses aquí buscando un acceso y usted aparece como de la noche a la mañana… Eso lo vemos muy poco probable.

No me creían y, además, como no habían trabajado conmigo estaban sorprendidos.

El día de la operación le dije al Profe:

—Usted sale de Santa Marta, se hospeda en tal hotel en Guachaca. Una vez allí, se comunica conmigo y me dice: "Perfecto".

Aquella operación se hizo con el apoyo de Hombres Jungla, con el grupo antiterrorista de la Policía Judicial y cuatro helicópteros. Inicialmente nosotros teníamos el rastreador y estábamos esperando a que quedara estático.

El rastreador no emite una señal constante, sino según los lapsos en los que sea programado. Entonces se graduó cada cinco minutos, de manera que así nos iba describiendo la ruta.

—Cuando ustedes me vean más de una hora detenido en un sitio —dijo el Profe—, ahí está Pablo Arauca.

Para llegar a la Sierra el tiempo de recorrido aéreo no pasaba de quince minutos y antes de partir permanecimos en la base esperando a que el equipo nos diera la indicación. Efectivamente, empezó el punteo, y salía y salía. El Profe me hizo la última llamada cuando le iban a quitar el teléfono. Él les dijo a los bandidos:

—Denme unos segundos, tengo que comunicarme antes con mi familia para avisarles que estoy bien.

—Bueno, hágalo rápido.

—Mi amor, sí, ya, ya lo que habíamos hablado, tranquila que yo te mando el dinero, voy a hablar con el Señor y cuando regrese te lo llevo.

Esa era la señal de que hasta ahí iba a tener cobertura por teléfono.

En adelante comencé a hacer el conteo y el aparato me decía tiempos, distancias y sitios por los cuales iba avanzando. Cuando el localizador se detuvo, arrancamos.

A partir de Cartagena volamos a ras de mar para evitar que el sonido de los motores de las naves pusiera alerta al objetivo. Además, como los helicópteros son verde oliva oscuro, volando muy cerca de la superficie no son tan fácilmente localizables. Por otro lado, el agua absorbe una parte del sonido.

Volar en aquellos pájaros era peliculesco porque con las puertas abiertas uno percibía de forma muy viva la velocidad, y además, sentía el agua casi al alcance de la mano.

De un momento a otro, al acercarnos porque volábamos paralelos a la Sierra, en cosa de segundos nos ubicamos sobre la playa y allí mismo empezamos a ascender, a ascender, a ascender para despistar, y una vez en las cumbres nos descolgamos para caer en el sitio señalado.

Aquellos equipos ofrecen pequeños márgenes de error y más en la Sierra, porque la señal que se emite tiene que atravesar las nubes y se desvía un tanto.

La parte alta de la Sierra está por sobre las nubes, pero el lugar que íbamos a atacar se halla debajo de ellas, de manera que cuando la señal llegaba al satélite y nos la reportaba, venía con esa pequeña imprecisión.

Pero además, tuvimos un inconveniente: abajo se divisaban tres caseríos. Es decir, tres estructuras visibles desde donde estábamos, por lo cual se agolpaban.

De todas maneras, se hizo el descenso por sogas rápidas. Los Hombres Jungla bajaron, aseguraron la zona, tuvimos algo de hostigamiento, impactaron a algunos helicópteros y caímos en la zona, pero el helicóptero nos había dejado sobre el talud, varios metros debajo de la cima. Como estábamos enfrentando una inclinación casi vertical, nos demoramos en el ascenso.

Ese tiempo fue de oro para la fuga del objetivo.

Después supimos que la Mona había sacado de allí a Pablo Arauca.

Como el asalto fue tan rápido, el Profe se encontraba en el lugar y lógicamente tenía que ser uno de los detenidos. Sin embargo, no hallaba cómo indicarnos por dónde se había escapado el objetivo.

De allí salieron una docena de bandidos bajo custodia, en compañía de los de la reunión, es decir, un abogado, el cura y el Profe.

Luego empezamos a rastrear el área. Así encontramos a la gente que estaba escondida, los fusiles, sus equipos de campaña, una ametralladora, gran cantidad de municiones. Estuvimos toda la noche barriendo ese sector.

Nos quedamos allí, caminamos mucho y a medida que avanzábamos escuchábamos cómo las motos se movían por las montañas llevando al Mellizo de tramo en tramo, pero no podíamos identificar de dónde provenían los ruidos. Era un mes de septiembre.

Entonces la orden era acampar en zonas altas. Un poco después de la medianoche llegamos al filo de una montaña, no llevábamos carpas ni nada por el estilo, solamente morrales de asalto para combate rápido, útiles para sobrevivir dos o tres días.

Una vez en aquella cumbre, un oficial de alta jerarquía se acostó en el piso, y dijo:

—Quedé muy, pero muy cómodo. De aquí no me mueve nadie.

En aquel sector amanece muy temprano, a las cinco de la mañana ya está claro, de manera que cuando despertamos vimos que el oficial se había acomodado tomando como almohada un bloque de estiércol de vaca. Despertó y aún sin darse cuenta, nos dijo:

—A mí no me molestaron anoche ni zancudos ni nada. Dormí perfecto.

De allí salimos, nos reagrupamos en Santa Marta y realizamos un control de la zona durante tres días.

En esa jornada aprendí cómo en las operaciones de este tipo no se improvisa nada. Al comienzo uno llega a pensarlo, pero una vez lo vive, comprueba que se trata de lo contrario. Por ejemplo, todos los movimientos que hacíamos estaban siendo captados en Bogotá por los analistas y ellos les reportaban a los jefes en tiempo real, qué estaba sucediendo y en qué sector.

Sucede que Pablo Arauca se nos había escapado por un sendero ahora determinado. Lo recorrimos y obviamente los reportes que hacían los puestos de guardia de los bandidos confirmaban que el tipo había pasado por cada uno de aquellos puntos.

De todas las operaciones siempre se saca información valiosa. Por ejemplo, encontramos una serie de mapas y en ellos una cantidad de posiciones estratégicas y seguras para los bandidos.

Entonces, en el transcurso de los tres días siguientes golpeamos cada uno y encontramos caletas —escondites—, casas abandonadas, resguardos… En esa forma obligamos a Pablo Arauca a ubicarse en otro sector. Ahora sabíamos que no volvería a la misma zona.

De todas maneras continuamos el contacto con el Profe que estaba nuevamente libre, lo llevamos a Bogotá y lo tranquilizamos porque se veía angustiado:

—Viejo, afortunadamente ustedes la hicieron bien llevándonos detenidos. Nos tuvieron unas horas en un calabozo, a todos nos identificaron y luego nos dejaron en libertad porque ninguno de nosotros registraba antecedentes penales.

Más tarde nos contó que luego de la operación, los criminales hicieron una terrible matanza de campesinos, de indígenas y de habitantes de la zona.

ISMAEL (Oficial superior)

Realizamos análisis basados en la última experiencia y en el cúmulo de informaciones que estaban expresando campesinos de la región y una serie de informantes de diferentes sitios, y finalmente resolvimos planificar la forma de caer nuevamente sobre el objetivo.

Llegó entonces una época muy importante para todo el mundo: la Navidad. Salen los niños de sus colegios, quieren estar con sus familias, una persona que ha estado escondida durante todo un año quiere ver a sus hijos, a sus mujeres, y, desde luego, baja la guardia al calor de ese sentimiento que es parte de nuestra cultura.

Eso era muy importante para nosotros, porque las comunicaciones por radio y por teléfonos portátiles fueron mayores: ahora hablaban de reuniones, hablaban de fiestas, de paseos en tal fecha y a tal parte a lo largo de aquel sector.

El dilema era cómo llegar sin ser detectados por sus anillos de seguridad. Algunos oficiales propusieron caracterizarnos como campesinos; otros, entrar como simples excursionistas, o como turistas, pero todas resultaban situaciones de peligro, pues, de todas maneras resultábamos fáciles de detectar. Debíamos pensar en una estrategia mejor calculada. Al final, nuestro jefe dijo:

—Entremos uniformados. Tomémonos esas montañas ¿Cuánta gente necesitamos?

Estudiamos la situación y concluimos:

—Ochocientos hombres.

Él habló directamente con el general Óscar Naranjo, director de la Policía, y la operación fue autorizada:

Tropa, Hombres Jungla, Escuadrones Móviles de Carabineros, Policía Judicial, personal de Antinarcóticos, pilotos, helicópteros, raciones de campaña por tratarse de una operación sostenida durante unos ocho días.

Debíamos comenzar por patrullar, irnos acercando y cubriendo todas las brechas, los senderos, hasta los pequeños espacios que dejaba la vegetación baja dentro del bosque por los que tratara de escapar Pablo Arauca.

Total, llegamos a Santa Marta un veintidós de diciembre y de cada uno de los departamentos vecinos a la zona empezaron a mandar Escuadrones Móviles de Carabineros. Nosotros llevábamos efectivos de Bogotá, y los reuní en la cancha de fútbol del cuartel antinarcóticos de Santa Marta:

—Esta es una misión de la Policía. Se trata de tomarnos una porción de la Sierra Nevada. La montaña se llama Machete Pelao.

Llegamos allá en los helicópteros y empezamos a mandar los grupos a diferentes sitios estratégicos en las cimas. Es decir, hicimos una especie de cuadrilátero enviando gente a cada uno de los puntos cardinales y a la zona central, y empezamos a avanzar, a avanzar sobre el objetivo y a esperar alguna reacción.

Efectivamente, en las crestas de las montañas empezó todo el mundo a esconderse, a esconder fusiles, a esconder uniformes y a salir de allí vestidos como simples campesinos.

Obvio que los Mellizos vieron que se trataba de un ataque frontal y se replegaron hacia la cumbre. Nosotros empezamos a subir. Era una zona muy complicada, muy difícil por lo escarpada, por la vegetación baja muy apretada dentro del bosque que también es compacto y nosotros no podíamos utilizar sendas ni caminos porque nos desviábamos del cerco que veníamos cerrando.

Cuando habíamos completado tres días, recibimos una llamada de mi general Naranjo. Preguntó cómo iba la operación, en dónde estábamos y me dijo:

—Vuele a Santa Marta, lo espero en el aeropuerto. Necesito hablar con usted porque va el señor Presidente.

Allí llegó prácticamente toda la cúpula militar de ese sector, le conté al señor Presidente en qué tarea estábamos, cuánta gente llevábamos y él preguntó:

—¿Necesitan más efectivos?

—Sí, señor.

Le dio la orden al comandante del Ejército y nos dieron quinientos hombres.

Entraron a la Sierra y dos días más tarde había resultados: el anillo de seguridad y el hombre de confianza de Los Mellizos se habían enfrentado con una patrulla mixta de Ejército y Policía, habían sido dados de baja y capturados cinco hombres importantes.

En ese momento el objetivo vio que la cosa era en serio. Tres días después un informante dijo que, ante el acoso, Pablo Arauca estaba planeando salir de la región.

Estando cerca de la cumbre, mediante los controles técnicos supimos que alguien pensaba sacar al objetivo de la Sierra y montamos un operativo sin mover a la gente de sus posiciones.

Es decir, sacamos de allí al grupo especial Bandas Criminales y montamos en la planicie que circunda la Sierra puntos estratégicos para controlar el recorrido previsto durante la escapada. El escenario fue la carretera principal que viene de Santa Marta y va hacia la frontera con Venezuela. Todo ese sector era de ellos.

Pablo Arauca quería salir de las montañas y llegar hasta alguna finca en las tierras planas; su situación era muy difícil puesto que no habíamos retirado a nuestro personal de sus posiciones.

Total, nosotros pasamos Navidad arriba, en la región no se celebró ninguna de las fiestas que habían anunciado con anterioridad, todo se apagó y nosotros pasamos esos días alimentándonos con raciones de campaña.

FELIPE (Oficial superior)

Luego de aquella operación vimos que estábamos en desventaja operacional en esa zona, por topografía, por clima, por control... Porque es quebrado, porque es muy selvático, porque es muy difícil andar por ese territorio: un nudo de montañas, riscos muy empinados, rocas, precipicios, estrechos; un terreno por el cual es necesario llevar cuerdas, ganchos y picas para poder escalar. La zona selvática lo dificulta todo.

Pero, además, el ingreso por aire es irregular. Muchas veces resulta casi imposible porque las montañas se cubren de nubes: esa es su naturaleza. Los bosques tropicales a partir de cierta altitud están asociados con la niebla y nosotros volamos en aeronaves que trabajan visual, de manera que generalmente se manejan riesgos de accidente muy altos.

En esas condiciones, desde luego la altura tampoco nos favorecía, porque cuando la Sierra se cubría no podíamos hacer reconocimientos aéreos ni obtener imágenes de lo que se hallaba abajo.

Todo eso nos llevó a tratar de sacar al objetivo de esa zona. Ahora sabíamos que el Mellizo ubicado en su búnker de Machete Pelao era Miguel Ángel, o sea, Pablo Arauca, y a él no lo podíamos dejar allí. Si el tipo se nos quedaba en esa zona iba a ganar la guerra. Podríamos volver cincuenta veces, pero cada una iba a tener una alternativa de escape. Hasta ese momento estábamos perdiendo nuestra opción de operar allí, por lo tanto nuestro camino era copar la Sierra y buscar que el objetivo se fuera para donde quisiera, pero que se fuera.

Trazamos entonces una zona de operación con un punto de referencia, similar en área a Israel. Allí metimos seiscientos hombres que eran muy pocos para una guerra tan grande. Sin embargo, esos seiscientos comandos empezaron a insertarse en diferentes puntos siguiendo unos caminos trazados con anticipación, en los cuales cada patrulla debía recorrer diez kilómetros lineales haciendo una especie de operación rastrillo durante diez días continuos. Días de Navidad. Noche de Año Nuevo.

Esta fase de la acción generó apremio sobre el objetivo. Teníamos claro que esa no era la jugada de su captura, pero íbamos a desestabilizarlo y así lograríamos sacarlo de la Sierra.

Como resultado, él se fue de aquel lugar.

Nosotros operábamos en las montañas, pero algunas veces nos sacaban hasta la costa en los helicópteros, allí nos poníamos trajes de civil, tomábamos nuestros automóviles particulares y nos dedicábamos a hacer seguimientos y vigilancias de lo que iba apareciendo importante por las líneas, porque era lógico que aquellas personas tenían que recurrir a otros sujetos, por ejemplo a Pedro que ahora se encontraba en Santa Marta.

Bueno, transcurrieron varios días en aparente quietud, si se puede hablar así, al cabo de los cuales no logramos saber cómo salió de aquella zona Pablo Arauca. Calculamos que en alguna embarcación porque las bases de la Sierra penetran dentro del mar.

En aquellos días, surgió una información importante en Valledupar, nos fuimos para allá y luego de una noche logramos la captura del secretario de finanzas de un bandido llamado Jorge Cuarenta. Eso fue grandioso porque él tenía en su poder un documento muy importante que describía con pelos y señales a la banda Los Nevados y gentes del Estado a su servicio.

Dentro de la comisión especial de Bandas Criminales estaban el grupo de Estupefacientes, el de Lavado de Activos, el de Extinción de Dominio y Delitos contra la Administración Pública, pero a la hora de la verdad éramos un solo equipo de trabajo y nos ayudábamos unos a otros.

Por ejemplo, con Sebastián nos conocíamos desde hacía trece años, con nuestro jefe el mismo tiempo, de manera que todos hemos trascendido del ámbito laboral al ámbito personal, y superiores y subalternos somos más amigos que en muchas oportunidades.

Por ese motivo tenemos la tranquilidad de poder expresar nuestras inquietudes, nuestras dudas, nuestras sugerencias. Yo creo que eso es lo que nos lleva al éxito. Somos un grupo en el cual todo el mundo aporta, por pequeña que sea, alguna idea, algún plan, alguna estrategia en un momento determinado. Eso puede ser lo que ha salvado las operaciones.

CAMILO (Oficial)

En las montañas habíamos logrado información importante, porque, entre otras cosas, hallamos una gran cantidad de documentos, grabaciones, memorias USB que pertenecían a Pablo Arauca y en ellos una serie de elementos que nos llevaron a montar la base de operaciones en Medellín, pues calculábamos que posiblemente el bandido terminaría por buscar ese destino.

Desde luego, un paso importante era aumentar la presión para forzarlo a cometer un error.

Sin embargo, desde el comienzo en la Sierra Nevada habíamos encontrado un problema. Y un problema grande: gentes de alguna institución del Estado se hallaban al servicio del bandido y escuchábamos la desesperación de este hombre cuando se comunicaba con ellos:

—¿Qué pasó con los contactos? ¿Dónde vienen? Sáquenme pronto de aquí. Sáquenme, por favor.

Simultáneamente, nosotros cerrábamos más y más el círculo para impedirle que bajara.

Estando en esa situación nos llegó el día de Navidad, regresamos a la base a eso de las diez y media de la noche, y dijimos:

—Por lo menos, hagamos una cena de Navidad.

Sin embargo, nos sentamos a recopilar la información que habíamos obtenido generalmente enterrada: sobres llenos de papeles, listas, órdenes de trabajo, una carpeta con la nómina completa de la banda de Los Nevados. En ella estaba el nombre de quien manejaba la contabilidad de la organización, y ante semejante volumen de cosas, dijimos:

—No podemos irnos con las manos vacías, esta información es muy crítica en cuanto a la conexión del objetivo con gente de instituciones del Estado. Eso en el acervo probatorio era básico, pero todo tenía que materializarse por intermedio de una captura, mínimo, y necesitábamos a alguien de la estructura de Los Nevados.

En medio de este trabajo transcurrió la Navidad en nuestra base.

Al día siguiente nos reunimos con el Profe en Valledupar, mientras la operación continuaba en las montañas.

Yo iba con dos oficiales, y le preguntamos al Profe dónde podríamos localizar al contador encargado de aquella nómina.

—¿A tal? —respondió inmediatamente—. Yo lo vi ayer aquí en Valledupar. ¿Lo quieren?

—Claro.

El contador se movía al nivel de los mandos jerárquicos de la banda y eso era ideal para nosotros, porque, si además de la nómina física nos llevamos al encargado de manejarla, los bandidos quedarían desestabilizados económicamente por un buen tiempo.

Total, el Profe nos dio pistas muy cercanas a la ubicación de aquel hombre y un día después establecimos cuál era su vivienda y permanecimos toda una noche haciéndole vigilancia, a pesar de que la casa estaba en las afueras de la ciudad y no teníamos dónde camuflar puntos de observación. Entonces, durante aquel día lo hicimos a la distancia y por la noche escondimos gente en unos matorrales cercanos.

Bueno, el tipo madrugó al día siguiente. Tal vez iba a comprar algo para el desayuno, y como cosa particular, llevaba consigo una memoria USB, con el archivo magnético de la nómina.

—Les doy cien millones de pesos si desaparecen esa memoria —nos dijo tan pronto la encontramos.

(Él había estado presente en la compra de la banda por parte de Los Mellizos).

Luego nos dijo:

—Yo sé que tengo orden de captura desde hace rato. Captúrenme, pero desaparezcan esa memoria.

En aquella USB estaban registrados los últimos pagos hechos a gente del Estado. Esa era su preocupación: gente de la Fuerza Pública, de la alcaldía y de la gobernación. Se veía muy angustiado. Decía:

—A mí ya me tienen preso, qué carajo, pero desaparezcan eso. No les estoy diciendo que lo destruyan: bótenlo, hagan lo que sea, cambiemos el contenido o simplemente déjenme y yo la edito. Déjenme hacer una llamada y en diez minutos nos van a llegar los cien millones de pesos.

Sobra decir que en ese preciso momento estábamos consiguiendo una información que jugó más tarde un papel importante en la operación.

Pero por otro lado, en esa misma fecha se logró confirmar que Pablo Arauca definitivamente había salido de la Sierra Nevada.

Para el treinta de diciembre se levantó la operación y salimos de allá.

ISMAEL (Oficial superior)

Fue una labor exitosa: se trataba de sacar al bandido de una zona muy complicada y hasta ese momento todo se estaba cumpliendo. Sin embargo, aún necesitábamos más información.

Luego supimos que Pablo Arauca, ya en la planicie que rodea a la Sierra, iba a ser movido por alguien especial. Al enterarme de aquello me bajé con mi personal y empecé a distribuirlo y a tener el control de las informaciones para tratar de descifrar quién lo iba a transportar.

Buscamos fuentes conocidas, llegamos a otras que habían permanecido incógnitas, hicimos seguimientos y finalmente logramos confirmar que en una reunión de bandidos, el tal Chely, brazo militar de Pablo Arauca, tocó el nombre de un oficial superior de la Policía local que trabajaba con ellos, y luego lo llamó y le dijo:

—Necesito que nos reunamos.

Como aquel bandido se hallaba por fuera de la Sierra, le habían encomendado montar una estrategia y buscar el camino para sacar al objetivo de su refugio y él vio que la gran solución era lograr que lo moviera de allí la misma Policía.

Efectivamente, el oficial se reunió en Valledupar con gente de Los Mellizos. Nosotros asistimos a la cita en el contorno del sitio acordado y así controlamos la reunión.

El oficial llegó al punto. Nosotros veníamos haciéndole un seguimiento a partir de una estación de gasolina, y de allí fuimos hasta el punto de la reunión. ¿De qué hablaron? No lo supimos, pero dedujimos que el oficial era quien iba a hacer la jugada.

En tanto, le colocamos un dispositivo a su carro patrulla y él quedó a la espera de que le dijeran cuál era el momento.

Al segundo día recibió una llamada de parte de la Mona:

—La operación es ahora.

El oficial respondió:

—Estoy listo. Yo voy.

Pero no sabía cómo iba a hacer "la operación". El dispositivo continuaba dentro del carro patrulla, él lo llevó a un estacionamiento privado y de allí salieron varios vehículos, pero nunca imaginamos que el oficial había cambiado de transporte. El carro de la Policía quedó allí.

Seguimos la vigilancia y de un momento a otro hubo una comunicación:

—No. Sí, sí. Ahora no puedo. Más tarde hablo...

El analista en el Centro de Operaciones en Bogotá dijo entonces:

—El que habló es nuestro oficial. Va llegando a Santa Marta.

—¿Cómo? Yo estoy en Valledupar —en el sur de la Sierra.

Nos había tomado una gran ventaja, Santa Marta está al nororiente.

Eran las siete de la noche y se encontraba llegando a aquel puerto. Ya debía estar recogiendo al objetivo.

Nosotros entramos en alerta, pero aún no sabíamos en qué vehículo iba. De todas maneras, tratábamos de reconocer carros que cruzaban, los estudiábamos a todos… Nada. Fueron pasando las horas y registramos otra comunicación, pero ya no habló el oficial. Habló su esposa con la mamá. Aquella le preguntó:

—Hija, ¿dónde estás? —y ella respondió:

—Comprando unas salchichas en una estación de servicio de gasolina, pero ya voy llegando a donde tú estás. No te preocupes.

En aquel momento el vehículo en que esta vez se transportaba el oficial ya figuraba en Santa Marta. Ahora él llevaba consigo a la esposa y a la hija, una pequeña de unos doce, trece años. No se sabía si ya había recogido o trasladado de lugar al objetivo. Eran las nueve y media de la noche. Esperamos.

Luego se registró otra llamada de la señora a su madre, pero la mamá no le contestó. Ya estaba durmiendo, pero el teléfono que usó la señora se encontraba en un pueblo al sur. Ya había cruzado también por otro lado al oriente, y nosotros: "¿En dónde viene?, ¿en qué carro viene?".

Sebastián, uno de nuestros muchachos situado en un lugar clave sobre la carretera principal, reconoció un carro de los que había identificado durante los seis meses que estuvo en aquella zona empezando a conocer la banda, y me llamó:

—Vi pasar una camioneta plateada, yo la conozco. Detrás va una blanca. Creo que la acompaña.

Inmediatamente me subí hasta un peaje cerca de un sitio llamado El Copey, le dije al señor que estaba trabajando allí que se trataba de un operativo de la Policía, que debía tener cuidado, que se escondiera porque venía una persona importante para nosotros, y me coloqué en su lugar para cobrar los peajes.

Dispusimos entonces que uno de nuestros carros cerrara la parte de adelante del peaje y otro estuviera pendiente atrás para bloquear el vehículo en que venía el objetivo. En este sitio dejamos una patrulla de gente uniformada y con fusiles, y más adelante otra para reacción. Luego una tercera.

En cada uno de nuestros vehículos había seis muchachos al mando de un oficial. Según cálculos, las camionetas con el objetivo debían cruzar por el peaje diez minutos más tarde. Pero el inconveniente era que no sabíamos exactamente en qué carro venía y por tanto debíamos permitir que entrara uno y desde la misma caseta del peaje estudiar a la persona y hacerlo seguir. Que entrara otro, repetir la observación, hacerlo seguir…

Cruzaban buses, camionetas, taxis, automóviles particulares y a todos los estudiaba, les cobraba el peaje y les iba entregando su boleta. Tráfico importante el de aquella vía.

Nuestra gente en el peaje sabía que en el momento en que pasara el vehículo y verificáramos que en él venían el oficial, el objetivo y la Mona, esperáramos a que se detuviera a entregar el dinero y de forma inmediata les caeríamos.

Un poco después un oficial que se hallaba a unos cinco minutos de allí me dijo:

—Van dos camionetas muy cerca una de la otra.

¿Dos camionetas? En ese momento le dije a un agente de la Policía local que nos habían prestado y estaba en un carro oficial:

—Tan pronto vea llegar la camioneta usted prende su vehículo, toma el primer puesto frente al peaje y finge que el vehículo se descompuso.

El complemento era que otro se colocara detrás y el objetivo quedaría bloqueado.

Además, a espaldas del peaje dejé apostado a un muchacho y al frente, como a unos quinientos metros a otros dos, y además, a una camioneta con un oficial.

Esperamos a que aparecieran los dos vehículos. Un minuto después los divisamos.

El policía común, inexperto o nervioso, se precipitó y no dejó que la camioneta que venía adelante se acercara un poco más y atravesó su vehículo, salió de él y sin que mediara nada abrió la tapa del motor.

La camioneta que venía adelante no había llegado al peaje, pero olfateó algo, frenó y se negó a avanzar hasta la caseta. Luego dio marcha atrás, aceleró y se estrelló con su propia escolta.

Inmediatamente inició un giro en el punto hasta el cual habíamos salido todos a capturarlo, pero la consigna era no dispararle al vehículo, pues allí venían una señora y una niña.

Empezamos a disparar al aire para que se detuvieran, pero el oficial no se amilanó, logró redondear el giro y se salió de la emboscada.

Al segundo carro —la camioneta blanca— lo capturamos con los escoltas de Pablo Arauca a bordo, mientras el oficial se alejaba.

En ese tiempo que fue muy breve, el giro y la partida resultaron mortales para nosotros porque en cosa de segundos se nos escapó el oficial y se llevó al bandido y a la Mona.

Sin embargo, uno de nuestros muchachos tomó la camioneta blanca, le dio un giro y emprendió la persecución.

CARLOS (Analista)

Volvamos atrás: desde el Centro de Operaciones en Bogotá llevábamos controles estrechos sobre Chely y unos días antes lo localizamos reunido con "un personaje especial".

—Oiga, amigo —le dijo Chely—, necesito que me diga con detalles cómo está la situación en la zona, que nos diga qué problemas están registrando ustedes en el sector, si hay operativos oficiales, si hay controles de la Fuerza Pública. Díganos si hay policía de carreteras en tales y tales puntos… Necesito su ayuda.

—Bueno, pero tenemos que hablar nuevamente —respondió el personaje.

Un poco después establecimos que "el personaje especial" era un oficial superior de la Policía local que realmente tenía tratos tan estrechos con el tal Chely, como para suministrarle información clave. Por ejemplo, un lunes a eso de las nueve de la noche le dijo al bandido:

—Ojo que por allá se va a mover tal grupo. Por tal sitio se van a realizar allanamientos. Atención que están buscando a tales personas… Yo tengo hoy reunión con los comandantes porque viene el señor subdirector, y sé que usted aparece encabezando una lista de los más buscados en la región…

JUAN DAVID (Analista)

Claro que era uno de los más buscados. Tenía una orden de captura y, además, en ese momento ofrecían una recompensa por él.

Al oficial y a su familia los estuvimos controlando y más tarde cuando establecimos que se estaba registrando un movimiento inusitado porque el Señor —como le decían al Mellizo— se iba a mover del sur de la Sierra Nevada, el oficial se reunió con la Mona.

CARLOS (Analista)

Un poco antes de esa reunión Chely había hablado con la Mona, y la Mona le dijo:

—Hable usted directamente con el oficial.

Chely le dijo al oficial:

—Necesito que nos ayude en una situación… Usted es el único que lo puede hacer.

—¿Por qué?

—Porque usted puede moverse por toda esta zona sin ningún problema.

Un poco más tarde se reunieron la Mona, Chely y el oficial para coordinar el movimiento del Mellizo. Todavía no sabíamos de cuál de los dos se trataba.

El día que determinaron moverlo no nos sorprendió aunque no hubiéramos logrado establecer una fecha exacta, pero de todas maneras ya estaba montada toda la parte de Inteligencia y nuestros jefes ya sabían que quien iba a mover al bandido era el oficial.

Dentro de los controles de ese día, eran muy importantes el de la Mona y el de la esposa y la hija en la casa del oficial, pues necesitábamos saber, entre otras cosas, qué movimientos previos hacían.

FERNANDO (Investigador)

Durante la segunda reunión en la cual al parecer concretaron el movimiento del Mellizo, le habíamos tomado fotos a la

Mona, a la esposa del oficial, a un escolta, y reconocimos tres vehículos, uno de los cuales iba a movilizar al objetivo: una camioneta plateada, una blanca y otra azul.

CARLOS (Analista)

Se realizaron reuniones, almuerzos, comidas. Pienso que ese momento fue el indicado, porque todos aislaron sus comunicaciones. Sin embargo, ese día a media tarde surgió un tipo que parecía importante y a eso de las siete de la noche uno de los bandidos cometió un error. Eso nos permitió establecer cuál era la ruta que iban a tomar.

FERNANDO (Investigador)

A su vez, gente de la banda comenzó a comprar buena cantidad de víveres, ropa, refrescos, y le ordenaron a uno de ellos adquirir una cava —especie de barril—, como para transportar algo grande y delicado y pensamos que posiblemente iban a meter al Mellizo dentro del recipiente.

CARLOS (Analista)

A eso de las ocho de la noche empezaron a hacer desplazamientos. La gente de Inteligencia actuaba:

—Atención, el oficial se movió con su familia. Se dirigen hacia donde está la Mona.

Nosotros pensamos "Van a salir ahora", porque los bandidos se habían reunido y de un momento a otro empezaron a arrancar por el camino que sube a la Sierra. En ese momento uno de nuestros oficiales anunció:

—Empezó el movimiento.

Mediante puntos de observación y gracias a una serie de sistemas complementarios, nosotros íbamos estableciendo el recorrido, de manera que reportábamos la posición de los tres vehículos de forma permanente.

FERNANDO (Investigador)

Hay algo importante: antes del desplazamiento, el oficial nunca llevó a sus escoltas uniformados a las reuniones con los bandidos. Aquella tarde salió del comando de policía y les dijo a los escoltas que lo dejaran en su casa. Lo dejaron a eso de las ocho de la noche.

Unos minutos después, Antonio, nuestro jefe, se comunicó con el comandante de la Policía local y le preguntó dónde se encontraba el oficial: "Le ruego el favor de ubicarlo", le dijo.

En su camino el oficial cruzó por un control de la Policía, pero como llevaba su radio de comunicaciones, su pistola y su carné, y además a él lo conocían en ese departamento, se detuvo y al verlo le dijeron:

—Siga, no hay ningún problema.

CARLOS (Analista)

Para nosotros ese fue un episodio muy doloroso y muy peligroso, porque decíamos: "Este señor va con la familia, en el momento en que haya alguna reacción o algo anormal vamos a encontrarnos en el medio con una niña menor y con una señora que no tienen nada que ver en esto".

FERNANDO (Investigador)

A la ida, en una estación de gasolina se anunció que supuestamente el objetivo estaba llenando el tanque de combustible, y el oficial que iba detrás se percató y nos comunicó:

—Esa es la camioneta.

En ella ahora iban el oficial, su familia y la Mona.

La señora se bajó, fue hasta el baño, regresó, y unos cinco minutos después la camioneta empezó a devolverse, se detuvo y el Mellizo se embarcó en ella.

Ya con el Mellizo a bordo, ellos empezaron a bajar, a bajar, a bajar de las faldas de la Sierra, y nosotros: "Ya tienen que haberlo recogido".

Las otras dos camionetas marchaban detrás de la del oficial, y Libardo, que iba en la persecución, dijo:

—Esa camioneta va muy rápido. El objetivo ya tuvo que haberla ocupado.

CAMILO (Inteligencia)

Bueno, lo cierto es que iban descendiendo por un camino que se entorcha en el declive de las montañas, hablé con Libardo y dijo que todo estaba marchando bien. Hablé luego con Ismael y me dijo:

—Tranquilo, ya está todo preparado, lo vamos a detener en el peaje.

Y nuestro jefe:

—Ya tengo ubicada a la gente y en la parte posterior va Ismael.

Antes de la operación aumentaron las comunicaciones de los grupos de trabajo. Libardo dijo: "Continúan en el mismo orden: la camioneta plateada adelante, detrás la blanca y cierra la caravana una azul".

Yo iba en un carro con Ismael y otra persona, y de un momento a otro Ismael me dijo:

—Bájese aquí, escóndase en medio de esos arbustos y tan pronto crucen las camionetas me avisa.

Me bajé antes del peaje y un poco después de la medianoche las vi.

—Están cruzando —le informé a Ismael, me asomé a la carretera a ver si ya lo iban a detener y en cuestión de segundos escuché a Ismael:

—Quietos, Policía, deténganse totalmente.

Vi movimientos bruscos, escuché un cruce de disparos y cuando venían hacia mí salí a la mitad de la vía, pero como sabía que estaban de por medio la señora y la niña, dirigí dos o tres disparos al motor del vehículo. Ellos siguieron a gran velocidad.

Yendo nuevamente atrás, nosotros nos habíamos desplazado hasta Santa Marta y allí nos informaron cómo estaba la situación, de manera que desplegamos un grupo de investigadores por toda la vía, porque supimos que el Mellizo tenía un contacto con alguien de la Fuerza Pública, aunque no me habían dicho de quién se trataba. Más tarde supe que era un oficial importante de la misma Policía.

Se tuvo el conocimiento y se hicieron los seguimientos de varios vehículos durante una hora de carretera, y en un lugar llamado Bosconia los bandidos entraron en sus carros a algunos sitios cerrados y realizaron reuniones.

No pudimos establecer exactamente quién salió en los vehículos. Unos se quedaron allí y otros tomaron rumbo a Valledupar y otros hacia el puerto de Santa Marta, al norte.

Allí ubicamos una camioneta que se detuvo en una estación de gasolina, después llegó otra, y se escuchó que le dijo:

—Espéreme voy a buscar algunas cosas.

Compraron refrescos y otros alimentos livianos que debían ser para Pablo Arauca y continuaron. Tomaron hacia la Sierra y en un momento apagaron las luces de los carros y entraron por una senda estrecha.

Una vez allí se detuvieron y subieron a la camioneta plateada dos personas. El oficial de la Policía conducía, su esposa iba al lado y su hija en la silla de atrás. Qué hombre inconsciente.

Antes de esto, el analista había anunciado desde Bogotá:

—Le están diciendo al oficial: "Recoja a su familia porque ustedes se van de paseo, ¿no?".

—Sí, sí, sí. No hay ningún problema —había respondido.

El dispositivo se planeó así:

Sabíamos que el teléfono del oficial estaba siendo controlado y le pusimos unos equipos de ubicación a lo largo de la vía para establecer plenamente en qué carro iba, porque, por lógica, en ese mismo se acomodaría el Mellizo.

Habíamos establecido que iban hacia el sur, pero no sabíamos si buscarían a Valledupar. Simplemente nuestra información señalaba que se movían en busca de Chely que lo iba a cubrir en aquella región.

En esa parte del trayecto los nervios de la esposa del oficial la llevaron a hacerlos detener en un restaurante a la orilla de la vía y, claro, los bandidos se alteraron:

—Apúrense, vamos, apúrense —decía la Mona.

Ese día no contábamos con la cantidad de mujeres de Inteligencia suficientes para mantenernos en un sitio poblado.

Tuvimos que ir por la mañana a Santa Marta, hablar con el comandante del lugar, pedirle que nos prestara a ocho muchachas de la Policía normal que, desde luego, no tenían entrenamiento en estas operaciones y la única forma de ubicarnos sobre la vía era localizándonos en hostales y moteles.

Cuando usted se mete con una niña de Inteligencia a un motel, ella sabe que va a trabajar, que no va a suceder nada más. Pero ese día cuando les decíamos a aquellas chicas "Entremos aquí unos minutos", ellas se asustaban:

—Tranquila. Este es parte de nuestro trabajo —les explicábamos y ellas se ponían pálidas.

Esta operación la hicimos cada vez que los jefes decían:

—Nadie sobre la vía. Nadie sobre la vía. Entrar a moteles, meterse donde puedan...

Las muchachas se veían cada vez más tensionadas, más escandalizadas, y uno:

—Recuerde: estamos trabajando.

—¿Trabajando? ¿Esto es trabajo? Dios mío —respondían.

Creo que ese ha sido el día de mi vida en que más he entrado a moteles, a estaderos, a pequeños rincones al lado de las carreteras. Cada diez minutos, cada quince, escuchábamos:

—Escóndanse.

—Salgan ya.

—Escóndanse.

—Salgan ahora.

Calculo que ese día entré, por lo menos a siete moteles. Las muchachas no tenían ni la menor idea de lo que estaba sucediendo.

Así transcurrió el día y por la noche empezó el desplazamiento de las camionetas de los bandidos. Mucho antes habíamos comenzado a instalar los equipos electrónicos.

Bueno, pues ocurrió lo del peaje, lo del roce de las dos camionetas, lo de la escapada del oficial con los bandidos, y tratando de no perder tiempo bajé al conductor de la segunda, lo requisamos, lo colocamos contra el piso, lo dejamos allí vigilado, y arrancamos en ese mismo vehículo con dos compañeros. Sin embargo, esta camioneta no subía a más de setenta kilómetros de velocidad y escuché que me dijeron:

—Este carro va echando candela. Una llanta trasera se está quemando.

—¿Qué sucedió? Fíjense bien —pregunté.

Que por el impacto se le doblaron algunas latas y quedaron contra la llanta: el rozamiento la frenaba y, claro, el carro del objetivo escapó. Unos segundos después cruzaron los vehículos de la Policía que se habían demorado en partir porque estaban estacionados en sentido contrario.

Pero sucede que reportaron que la camioneta blanca iba de escolta pero no informaron que ya habíamos bajado a los bandidos y la teníamos nosotros, y los que se hallaban apostados en la vía empezaron a dispararnos.

¿Qué hicimos? Mostramos las chaquetas de identificación, hicimos señas con ellas y gritamos que también éramos de la Policía.

Llegamos hasta el pueblo más cercano y empezamos a buscar por todos los rincones: ¿Dónde está la camioneta plateada? ¿Dónde está? Unos minutos después la reportaron abandonada en una estación de gasolina.

Llegamos al sitio y, claro, la habían dejado con las puertas abiertas, los vidrios rotos, la agenda del oficial, su pistola, objetos personales, los refrescos y parte de la comida que habían comprado.

En ese momento vimos llegar a una señora.

—¿Usted quién es?

—La esposa del oficial.

Dialogamos. Dijo que no sabía con quién iba su marido. Luego nos explicó:

—Íbamos por la ruta de la Sierra, nos hicieron entrar a un lugar, allí se subieron dos señores y, bueno… Cuando llegamos al peaje, el que venía en el asiento de adelante detuvo el carro con el freno de mano y le dijo a su amigo:

—Usted corra hacia aquel lado y yo me abro hacia la izquierda.

Y a mi esposo:

—Usted siga en dirección a Santa Marta.

Los dos señores se alejaron corriendo.

Finalmente el oficial se vio vencido y la hizo bajar del carro. Más adelante, en otro punto, dejó a la niña y él continuó en la camioneta, la llevó más adelante, la dejó y se fue.

Un poco después apareció la chica. La vimos muy alterada, una niña de unos trece años, calculo yo, pero estaba supremamente nerviosa, pálida, preguntaba dónde estaba su padre. Lo único que le importaba en ese momento era saber de él.

La esposa inicialmente intentó fingir que no sabía qué estaba ocurriendo, pero la niña sí, y sabía también que se trataba de alguien peligroso y era muy buscado, pero no precisaba de quién se trataba.

En ese momento reportaron que había una persona caminando por la vía principal, que llegó a una venta callejera y pidió un café. Era el oficial.

El tipo era de una trayectoria muy buena. Su jefe directo, que la conocía, le preguntó:

—¿Desde cuándo?

—Años.

Ese oficial fue un comandante exitoso de la Policía en el sur de aquel punto, donde estaban en guerra las bandas criminales, Los Nevados y Las Águilas Negras. En aquel momento cada grupo le entregaba a él a los de la pandilla enemiga.

ISMAEL (Oficial superior)

Inmediatamente escaparon del peaje, traté de comunicarme con la patrulla ubicada en un lugar llamado La Loma del Bálsamo por donde ellos tenían que cruzar, para ordenarles que taponaran la vía, pero… Luego lo he pensado y creo que aquel no era el momento para capturarlos. ¿Por qué?

Porque cuando tratamos de comunicarnos nos dimos cuenta de que allí no operaban los radios, no había señal de celulares… Estábamos en un punto muerto de emisión.

Total, nos fuimos, llegamos a La Loma del Bálsamo y los hombres de la patrulla que taponaba el lugar dijeron que la camioneta no había cruzado por allí. Se habían desviado.

Regresamos, hice venir a la gente que se hallaba en otros sitios, nos concentramos en el peaje y empezamos a buscar entre ese lugar y La Loma, y estando en ese ejercicio encontramos al oficial.

Se sorprendió cuando nos vio y al comienzo guardó silencio. Insistimos en preguntarle y no respondía. Finalmente comentó que estaba paseando en Santa Marta.

Nos dedicamos nuevamente a buscar al objetivo y a su compañero, de acuerdo con la versión de la señora según la cual "En la primera curva antes del peaje se bajaron dos señores".

Llegamos allí, encontramos una gorra vieja, rota, y una agenda muy pequeña con los números de dos teléfonos. Hicimos
venir a más gente de la nuestra y empezamos otro barrido en
ese sector.

Duramos una noche entera y un día buscando al bandido
en aquel lugar dominado por él, pero en ese momento su gente
no estaba en esa área. La zona en parte son potreros, en parte
bosque y terreno ondulado. Hacia arriba comenzaba lo que
era su sector.

La verdad es que empezábamos a reducirle el espacio a
Pablo Arauca y ordenamos intervenir uno de los teléfonos
que encontramos anotados en la agenda abandonada al lado
de la gorra.

A los cuatro días sonó. Pablo Arauca generalmente ponía
a hablar a sus escoltas, pero esa vez lo hizo él. Dijo que estaba
Bosconia adentro, no lejos de allí, que lo sacaran porque en
cualquier momento iba a ser capturado.

La comunicación fue con Chely, el mismo que había buscado
al oficial para que lo evacuara del entorno.

Efectivamente el objetivo había llegado allí luego de lo del
peaje y estaba escondido hacía dos días en una finca del lugar,
mientras sus hombres coordinaban un plan para evacuarlo.

Nosotros desplegamos a nuestra gente vestida de civil en
un área extensa, nuevamente con el ánimo de que apareciera
algún informante, con la esperanza de que él hablara una vez
más por aquella línea y, desde luego, con el ánimo de que fuera
localizado en algún puesto de control. Esos fueron montados

durante las veinticuatro horas con gente diferente a la anterior y a lo largo de la vía por la cual salía la cocaína buscando a Cúcuta en la frontera y luego a Venezuela. Todo este sector era controlado por Chely.

Bueno, por fin sonó el teléfono de la agenda. Dijeron:

—De aquí nos vamos.

Pero no se sabía por qué lado, en qué vehículo, hacia dónde. Cero detalles.

En los puestos de control detenían a cuanto carro cruzaba y les hacían una requisa muy detallada y en un momento dado cruzó una camioneta con Chely y dos señoras. Ese era el perfil bajo del asunto: con dos señoras. De todas maneras la policía de carreteras lo hizo detener, pero uno de nuestros muchachos, ahora uniformado, lo reconoció y tomó su radio:

—Tenemos a Chely.

Lo capturamos, pero no se sabía si iba adelante o detrás del carro del objetivo.

Me comuniqué con el comandante de la Policía local, le dije que había caído uno de los delincuentes, pero que no debíamos alertar porque ese no era el objetivo.

—El objetivo es el otro. Deténganlo y empiecen a presionarlo: que los documentos del carro, que si el repuesto de la llanta, que si el extintor de fuego…

El bandido llevaba en su camioneta un generador eléctrico, estufas, ollas… Una mudanza de alguien que cambiaba de zona.

Lo más relevante era que entre tantas cosas estaba el tal generador, es decir, una planta eléctrica que se utiliza en fincas lejanas.

Bueno, cruzaron por allí carros y carros y carros y no tuvimos más remedio que decirle al tal Chely:

—Usted queda capturado porque hay una orden judicial en contra suya.

Una vez más se nos había escapado Pablo Arauca.

En la billetera de Chely habíamos encontrado un numerito subrayado y diez días más tarde, cuando creíamos que no iba a funcionar, lo escuchamos. Sonó muy lejos de allí: el objetivo se encontraba ahora en Bogotá, a cientos de kilómetros y a cientos de montañas de allí.

Desde ese momento, todo lo que estaba alrededor de Chely era muy importante para nosotros. Tan importante como el escolta que habíamos capturado en la segunda camioneta en aquel peaje, porque dentro de sus cosas encontramos la memoria de una cámara con la que se había tomado fotografías con Pablo Arauca en la Sierra Nevada, y otras imágenes que más adelante nos iban a conducir a asuntos concretos.

Bueno, el tema es que el teléfono había sido operado en Bogotá. Nos vinimos con todo el grupo y empezamos a hacer una serie de controles, averiguaciones claves, y efectivamente todas las informaciones, todas las pesquisas nos indicaban que Pablo Arauca se hallaba en la capital.

Lo lógico es que cuando el papá llega a la casa, los hijos se pellizcan: unos se ponen a barrer, otros a ordenar, otros a estudiar, otros a atender a quienes lleguen, o a atender al papá.

Igualmente cuando Pablo Arauca se presentó en la capital, la gente de su entorno se alteró: querían mostrarle que la casa estaba en orden, se generaron expectativas, movimientos. El objetivo había venido a esconderse, pero también a informarse de sus cosas.

Esto coincidió con una fuente que nos dijo:

—No sé qué sucede, pero por aquí hay un hombre que anda en grandes movimientos: hace reuniones, convoca a personas. Pienso que va a haber una fiesta, porque pidió que le llevaran licor y, además, un ponqué de chocolate.

Supimos también que la Mona se había entrevistado con alguien cercano al bandido y también terminó en Bogotá. A él lo teníamos controlado y cuando se movía de su casa para encontrarse con Pablo Arauca, duraba escondido dos, tres días y luego aparecía nuevamente.

Dentro de aquel movimiento encontramos también a unos gemelos, unos tales Pirañas, reconocidos narcotraficantes de la organización de Los Mellizos, y aparecieron ya no en la costa Caribe sino en Bogotá. Todo el mundo fingía que estaba trabajando de forma intensa. Nosotros observábamos y los localizábamos.

Gracias a aquellos controles, y a esa malicia aguda de nuestros investigadores, llegamos a un hombre conocido como el Pollo. Pero el Pollo era malicioso, generalmente no se bajaba de su vehículo, no salía de una zona determinada, procuraba estar siempre escondido, pero un día le puso una cita a otro bandido.

Inmediatamente cubrimos el lugar. Se trataba de un sector llamado San Andresito del Norte, una concentración comercial muy concurrida en las afueras de Bogotá.

No sabíamos en qué vehículo iba a llegar el Pollo, no sabíamos tampoco si era flaco o gordo, negro o blanco, alto o bajo. Él había señalado que la cita sería a las diez de la mañana de un sábado, hora de gran afluencia en aquel lugar.

Nuestro grupo de investigadores llegó con diferentes fachadas: unos como vendedores de flores, otros de cigarrillos, de venta de minutos de celular, de agentes de tránsito, de policías normales, con blusas de negocios locales...

Se trataba reconocer a la persona. Nos tomamos el sector y comenzamos a hacer ciertas averiguaciones, a recorrer el terreno, cuántas calles había, cuántas salidas y cuántas entradas, cómo operaba el estacionamiento de autos...

En ese momento jugaba a nuestro favor un famoso embotellamiento de carros sobre la autopista Norte, en la cual está ubicado San Andresito. Era una fila muy larga causada por un centro comercial recién inaugurado en la zona, y aquella concentración nos ayudó, pues los carros permanecían inmóviles en el mismo sitio por cierto tiempo.

Nuestros hombres vestidos como guardias de tránsito observaban de forma detenida, pero como no se conocían ni el tipo de vehículo ni mucho menos al personaje... Sin embargo, cuando él llegó al lugar, avisó:

—Estoy en la estación de gasolina.

En aquel punto se hallaba uno de nuestros muchachos vendiendo minutos de celular, se le acercó y habló con él, le tomó una fotografía con el teléfono móvil y se retiró. Luego nos llamó:

—Va en una camioneta blanca, marca tal, modelo tal, placas tal, pero se acaba de mover y entró a un negocio aquí mismo.

Efectivamente, vimos que la camioneta se movió hasta una especie de taller y luego de entrar, la puerta fue cerrada.

Estuvimos mucho tiempo esperando a que llegara otro carro pero no apareció nada.

Sabíamos que el Pollo era una persona muy prevenida y una intervención de cualquier policía de tránsito lo haría sospechar y a lo mejor dejaría abandonado el vehículo o simplemente no se dirigiría a su destino. Se sabía que en aquella bodega iba a recibir alguna información y luego saldría para donde supuestamente estaba Pablo Arauca. Nuestra única opción era esperar a que nos llevara a algún sitio clave.

Al cabo de una hora la camioneta salió hacia la autopista para tomar el regreso a Bogotá y quedó atrapada en la fila interminable de vehículos.

Como la congestión era famosa y allí permanecía un enjambre de vendedores ambulantes, se trataba de que una de nuestras vendedoras le ofreciera algo.

Efectivamente una muchacha bonita se le acercó y a él le causó curiosidad ver a una chica como aquella vendiendo cosas, de manera que bajó el vidrio y le dijo algo.

Ella dio otro paso y le entabló conversación. Mientras tanto otro de nuestros muchachos se fue hasta la camioneta, le dio un golpe con la mano a la parte contraria del conductor y dijo en voz alta algo como "Muévase".

En ese momento le colocó un dispositivo, el grito ahogó cualquier ruido y simultáneamente distrajo a los de la fila.

FERNANDO (Inteligencia)

Déjeme que vaya nuevamente atrás: por los controles que ejercíamos de forma continua, dedujimos que la Mona había empezado a llegar a Bogotá una y otra vez y se estaba contactando con unos sujetos muy urbanos. Tras esa pista logramos establecer que en el panorama había aparecido otro grupo criminal dirigido por un hombre al que le decían Coco.

Coco era quien mandaba en Bogotá. Aquí tenía organizada una infraestructura de seguridad muy compleja a base de taxis con radioteléfonos, celulares, otro medio de comunicación conocido como Avantel. La Mona hacía viajes muy largos y muy pesados a través de las montañas, unos trescientos kilómetros, llegaba a un edificio en la ciudad y al parecer permanecía allí encerrado.

Pronto ubicamos el edificio y pronto nos dimos cuenta de que por allí se movían camionetas sospechosas, pero lo que complicaba las cosas era que el ingreso al edificio se hacía por una calle ciega. Sin embargo, contábamos con que si por allí se movía la Mona , el objetivo tenía que hallarse cerca.

Para comenzar a resolver la cantidad de interrogantes que empezaban a plantearse, ubicaron a un oficial de Inteligencia en un edificio cercano y pronto se estableció que la Mona entraba y permanecía hasta la llegada de la noche en un apartamento, pero volvía a salir a eso de las siete en una camioneta, tomaba la autopista Norte y se perdía.

Al cabo de unos días establecimos que el Mellizo nunca había estado allí, sino que la Mona pasaba el día en ese lugar reunido con un sujeto apodado el Pollo, esperando la noche para poder salir a reunirse con el objetivo.

Estuvimos en actividad algo más de un mes, y un día determinado la Mona regresó a Bogotá, lo esperamos y por la noche lo ubicamos dirigiéndose hacia Chía, una población a menos de una hora al norte de su apartamento.

Un par de días después —y eso es muy importante para mí— iba para mi casa y como uno vive, come y duerme con el caso en el que está trabajando, pensé: "¿Qué pretenderán hacer ahora?". Luego soñé que el Mellizo iba en una bicicleta cubierto con un pequeño sombrero de jugador de golf y que detrás de él veía a un hombre que lo cuidaba. Eso fue un jueves.

El viernes conté mi sueño y, cosa curiosa, un poco antes del mediodía hubo un diálogo del Pollo con el dueño de un almacén de artículos para ciclismo:

—Necesito un equipo completo para ciclista, incluyendo, desde luego, la bicicleta, casco, zapatillas y guantes para un amigo muy especial. Confírmeme esta noche.

Más tarde el Pollo fue hasta la bicicletería y dijo que necesitaba el equipo para asistir el domingo a la Ciclovía, un certamen que hay los días de descanso en Bogotá. Consiste en que la gente se toma ciertas avenidas por las que no circulan carros durante las mañanas, y presumimos que el Mellizo iba a aprovechar esa costumbre para moverse en busca de una finca lejana del centro del país que le ofrecía seguridad.

Calculábamos que el objetivo se movilizaría en una camioneta y si los escoltas que marchaban adelante captaban algún movimiento sospechoso, él abandonaría el vehículo, continuaría en la bicicleta y más adelante lo recogerían nuevamente.

CARLOS (Analista)

En ese momento, la prioridad era ubicar la casa donde se alojaba el Mellizo. Ahora el apartamento de la calle ciega no jugaba para nada, porque la Mona permanecía más tiempo fuera de la capital. Mientras tanto, el objetivo debía girar en torno al Pollo y por lo tanto nos dedicamos a él, pero primero teníamos que volverlo a ubicar.

FERNANDO (Inteligencia)

Por fin reapareció el tal Pollo. Una mañana dijo que iba para un lugar de gran comercio llamado San Andresito del Norte y nos ubicamos allí. Un poco después lo ubicamos a bordo de una camioneta, a la entrada del lugar.

Me dieron un equipo, me acerqué al vehículo y cuando estaba cerca hice que me caía y para levantarme me apoyé en un guardafango, le adapté un aparato y al tiempo di un grito para distraer a la gente.

Regresé y los demás dijeron: "Va saliendo".

—¿Saliendo? Ese carro no era el que me habían señalado. Tremenda equivocación de mi parte. Afortunadamente una fila de autos que esperaban salir nuevamente de allí, me dio tiempo, pegué la carrera, lo alcancé y se lo quité. Regresé, busqué la camioneta señalada, me volví a caer, volví a gritar y esperé a que se alejara.

Efectivamente, el Pollo salió por la autopista Norte en dirección de Chía.

En aquel sector el aparato nos dio las coordenadas de un sitio específico, ubicamos al personaje, pero al tercer día dejó de funcionar. Se le había agotado la batería y sólo teníamos una ubicación, para nosotros incierta en ese momento.

Desde luego, teníamos que verificar sin ningún error el sitio exacto donde debía encontrarse escondido el Mellizo y debíamos retirar el equipo fuera de servicio y reemplazarlo por uno nuevo. Era un domingo.

El martes el Pollo le dijo a alguien que pronto saldría hacia un restaurante de hamburguesas, pero iba a aprovechar que allí había una estación de gasolina y le iba a hacer algo al carro.

Llegamos al sitio descrito. el Pollo dejó su carro en la estación de servicio y se alejó de allí, de manera que esperé un par de minutos y cuando iba acercándome vi llegar dos motocicletas de alto cilindraje y en ellas un par de hombres llevando un maletín. Unos segundos más tarde apareció el Pollo, se reunieron allí mismo y le entregaron el maletín que inmediatamente imaginamos contenía dinero. Los de las motocicletas tenían fachas inconfundibles de bandidos.

El caso es que logré esconderme un momento, se fueron los tipos, el delincuente regresó al restaurante de hamburguesas y yo entré al taller, recobré el aparato con las baterías descargadas y le coloqué uno que funcionaba.

Ese segundo instrumento continuó dándonos las coordenadas y con esa ayuda localizamos un punto específico en Chía.

A partir de allí nos apoyamos primero en agentes jóvenes de Inteligencia de ambos sexos que llegaron hasta el sitio, lo estudiaron y dieron recomendaciones, luego desde el aire complementamos la información de los jóvenes y logramos detalles precisos de una gran vivienda aislada en medio de una extensa zona verde arropada por una barriada, rodeada por una lona verde como aquellas que utilizan para aislar las construcciones.

CARLOS (Analista)

Antes de que se iniciara la operación tuvimos que trasnochar en una vigilancia cerrada y cuando creíamos estar más que listos para actuar, llegó nuestro jefe que generalmente le hace algunas preguntas al analista, y me dijo:

—¿Entramos o no entramos?

—Creo que deberíamos esperar la oportunidad de la bicicleta —le respondí—, porque parece muy claro que el objetivo va a utilizar ese truco. Ya comprobamos que se la llevaron hasta aquella finca y se encuentra allí.

Sin embargo, el jefe ordenó llamar a los Comandos Antiterroristas, ellos llegaron y se preparó el operativo.

ISMAEL (Oficial superior)

Bueno, la historia es que nos encontrábamos en el San Andresito del Norte, aquel gran centro de comercios. El Pollo, nuestro hombre, había partido a gran velocidad, pero el dispositivo colocado en su carro por Fernando nos reportaba los puntos por los cuales se estaba moviendo. Aquel avanzó un tanto, hizo un retorno y un poco después tomó una vía secundaria, llegó a Chía y se dirigió a las afueras del lugar.

Allí penetró en aquel conjunto de casas que parecían de los niveles más pobres, algo así como una especie de zona de invasión, como un refugio de desterrados. Más tarde, a medida que nos acercábamos veíamos algo parecido a una serie de covachas apretujadas, y decíamos:

—¿Un hombre adinerado en ese lugar?

Nuestro señalador ubicaba a la camioneta en medio de aquel conjunto.

El dilema era cómo entrar a esa zona tan deprimida sin ser detectados, porque los muchachos de Inteligencia habían visto gente harapienta, gente descalza, gente con los zapatos rotos, con los ojos muy abiertos, y rodeando la zona en torno de la casa, una malla electrificada cubierta por la lona verde.

De acuerdo con todas aquellas indicaciones se dio la orden de irrumpir en el lugar, de frente y por distintos puntos. Pedimos las órdenes judiciales, iniciamos el operativo y avanzamos cuando apenas comenzaba a amanecer.

Bueno, pues aquello fue una locura. Cuando nos acercamos un poco más, empezaron a ladrar perros, sonó una sirena, los celadores pitaban, lanzaban voces de alarma, los de las covachas gritaban, también hacían sonar pitos, cacerolas, latas, tarros, ollas, tablas… Cortamos la malla por diferentes puntos y penetramos.

La casa tenía unos cuatro mil quinientos metros cuadrados incluido el terreno en el contorno, era bien construida y más grande que la zona verde que ocupaban todas las casuchas juntas. En el primer piso encontramos una sala comedor, afuera un patio, una habitación y un garaje amplio.

En el segundo piso estaba el Pollo, en el extremo de una habitación amplia con una cama y un televisor, y al frente otra con varios camarotes.

Luego vimos un carro deportivo antiguo, un gimnasio, una moto Harley Davidson, que le gustan a Pablo Arauca tanto como los tatuajes de carabelas que lleva en los brazos… Y sobre un mueble del comedor, un ponqué de chocolate.

Otra vez se nos había escapado Pablo Arauca.

Bueno, pues no se supo a qué horas se escabulló, no sabíamos si se hallaba escondido en alguna covacha de los alrededores o realmente había logrado alejarse de allí… Pero ¿cómo?, ¿por dónde?

Entraron entonces nuestros sabuesos a revisar documentos y a verificar objeto por objeto, papel por papel, en busca de algo que nos permitiera seguir rastros.

La casa del perro era una especie de escondite. Uno la levantaba y encontraba un doble fondo en el que podía caber una persona. Seguimos buscando indicios que nos llevaran a algún lugar, pero sin éxito, de manera que nos miramos las caras: nuevamente tristes.

Luego comenzamos a salir, pero cuando uno de los muchachos dijo "Se nos quedó el dispositivo en la camioneta", le ordené que regresara a recuperarlo.

El muchacho que lo había colocado fue a retirarlo y al regreso me miró:

—La camioneta está estacionada en un lugar diferente a aquel donde lo habíamos encontrado a la entrada. Alguien la movió en cosa de segundos.

—Regresemos. ¿Qué ha sucedido?

Cuando irrumpimos por primera vez, el Pollo estaba en calzoncillos. Ahora se hallaba vestido. ¿Quién más pudo haber movido la camioneta?

—Abra ese vehículo.

Lo abrió y esta vez encontramos una cartera pequeña de hombre con dos teléfonos celulares dentro.

Para no generar sospechas inmediatas, le pregunté:

—¿Va a salir ahora?

—Sí. Voy a comprar lo del desayuno.

—Bien.

Mientras lo distraje, el muchacho miró si había usado alguno de los teléfonos en los últimos minutos y comprobó una llamada hecha cuando empezábamos a ocupar nuestros vehículos para irnos. Anotó el número y lo volvió a colocar dentro de la cartera.

Nuevamente transcurrieron cinco, seis, siete, ocho días, aquel celular no funcionaba, nosotros dudábamos que Pablo Arauca aún estuviera en Bogotá, pero a los catorce se escuchó su voz:

—Vaya a donde Alberto.

Ahora se encontraba en un sitio lejano, al norte de Bogotá. Se llama Magdalena Medio, un valle en el fondo de dos cordilleras imponentes, ubicado en el centro del país.

Habíamos venido de la costa Caribe a un día y medio de camino de la capital, por carreteras que se retuercen a través de las crestas de los Andes, sin túneles ni viaductos que atenúen la sucesión infinita de curvas —medio país—, y ahora debíamos regresar nuevamente al Magdalena Medio, a aquel valle, un lugar llamado Puerto Boyacá, en la ribera del río Magdalena.

Aquel es territorio de un paramilitar conocido como Ramón Isaza, padre de Terror, que también se movía en esa zona, muy complicada para cualquier operación policial.

Una vez llegáramos allí debíamos procurar que la Policía local no supiera que nos encontrábamos en el lugar. Por tanto se tomó la decisión de trasladar gente de Inteligencia pero uniformada, utilizando medidas especiales para que nadie se enterara del movimiento.

Sucede que cuando se trabaja en este campo, nuestros documentos dicen a qué Departamento de Policía pertenecemos, y cuando la gente lo sabe, se altera. Les da temor. Piensan que uno va a investigarlos a ellos.

Por lo tanto trasladamos primero a nuestra gente de Inteligencia a diferentes lugares del país, de allí a otras zonas y finalmente al Magdalena Medio.

Como complemento buscamos compañeros con buena hoja de vida que ya se hubieran retirado, gente subalterna en la que uno podía confiar totalmente y los llevamos desde sus lugares de origen. Eran agentes de mucha experiencia aprobados por el general Óscar Naranjo, director de la Policía.

Una vez allí, nosotros nos hospedamos en diferentes casas, algunos en hoteles, en residencias: entonces éramos actores de diferentes oficios.

En la recolección de información duramos prácticamente dos meses conociendo la zona, conociendo gente, costumbres, ciertos rincones, ciertos bares, ciertos lugares de turismo, pero evitábamos comunicarnos de forma física unos con otros.

No mucho después de haber llegado surgió nuevamente el Pollo y en su entorno fuimos descodificando toda una cadena. Así empezaron a aparecer en escena gentes del pueblo y de diferentes puntos de la región, nos dedicamos a cubrir las citas que acordaban entre ellos, pero pronto comprobamos que Pablo Arauca no se hallaba en el poblado. Estaba oculto en inmediaciones de un lugar llamado el Dos y Medio, valle del Magdalena adentro.

Más allá de este lugar hay una región extensa conocida como El Marfil en la cual, supimos luego, el Mellizo tenía cuatro o cinco casas campestres, a una de las cuales iba cada día para reunirse con alguien del narcotráfico y, además, entre ocho y diez fincas donde se alojaba de forma indistinta.

Tomando como punto de partida el Dos y Medio, comenzamos a utilizar un campero ruso, algo muy común en aquellos rincones, un vehículo viejo pero a la vez familiar para la gente de la región.

Inicialmente uno de nosotros empezó a ir con el chofer a los rincones que rodean el pueblo, pero debido al control que ejercían los bandidos, en un comienzo no pasaron mucho más allá del Dos y Medio:

—Es que vengo con mi señora y estoy buscando algún negocio en este lugar… Quiero conocer mejor la región… Me gustan mucho el lugar y la gente —decía cada vez.

Fue varias veces con el chofer a algunos de los puntos por donde sabíamos que se movía Pablo Arauca. En esa labor emplearon días y días. Finalmente licenciamos al chofer y nuestro compañero tomó el vehículo.

Como él ya había estado en todos aquellos rincones al lado del chofer, lo habían hecho detener en sitios diferentes, tanto gentes del objetivo, como bandidos de Terror y del paramilitar Ramón Isaza. Ahora aquel llevaba a su lado a otro agente de Inteligencia.

Por las mañanas ellos se ubicaban en el parque principal del pueblo y allí la gente los abordaba:

—Voy para tal vereda, lléveme.

—Vale tanto —respondía.

Ya conocía las tarifas, las distancias, los recorridos.

En el círculo del Pollo una tarde hizo su aparición la Mona: efectivamente Pablo Arauca se hallaba en la región. Nosotros no sabíamos de él desde cuando se nos había escapado en la camioneta del oficial de la Policía, con su esposa, su hija y Pablo Arauca.

Pero ¿qué nos había llevado a Puerto Boyacá?

Aquella llamada que dijo "Donde Alberto".

Nosotros llegamos a aquel lugar en época de feria. Allí, la Mona adquiría ganado de las razas más finas para Los Mellizos, estuvimos a su lado algunas veces y lo vimos comprar toros reproductores de cien, de doscientos millones de pesos de la época. Entonces habíamos enviado a una muchacha y a un muchacho de Inteligencia a cierto hotel, ellos llegaron como una pareja y les dieron habitación al lado de la del conductor de la Mona.

El bandido utilizaba cinco teléfonos, pero los cambiaba cada tres días. Sin embargo, nosotros permanecíamos en su onda y, además, cada día íbamos familiarizándonos mejor con sus costumbres. Por ejemplo, cuando se alejaba nunca llevaba teléfono, se movilizaba en diferentes carros, empleaba lugares estratégicos para cambiar de transportes, daba rodeos para cambiar de dirección. Jamás cumplía rutinas.

Era difícil seguir a la Mona. Se trataba de una persona, como dicen, "muy abeja", pero nosotros contábamos en Bogotá con un analista importante, también "muy abeja", que se le pegó a Pablo Arauca como una garrapata.

Bueno, la Mona había llegado al lugar y desde el primer día empezó a utilizar a gente de mucha confianza. Se movía en carros finos y desde un comienzo buscó a un tal Fierro con el ánimo de que le organizara las visitas a Pablo Arauca.

Con ese fin compraron una camioneta, carro viejo para bajarle el perfil a Fierro y él transportaba a la gente de diferentes partes del país que venían a informarle a Pablo Arauca cómo iba su organización, los negocios de la cocaína que manejaba el mismo Fierro, sobre las relaciones con ciertas autoridades. En Santa Marta ese trabajo lo cumplía un tipo apodado Pedro, y en Bogotá un tal Sierra.

Ellos llevaban a la gente hasta donde el objetivo y nuevamente la sacaban de allí. Ciertas veces algunos entraban pero no salían.

Habitualmente Fierro recogía a las personas en Puerto Boyacá a eso de las cinco de la tarde y las llevaba a hoteles en los que nosotros teníamos gente, de manera que sabíamos quiénes llegaban, a qué horas salía el carro a llevarlas, cuándo regresaban… Si no regresaban…

Fierro las recogía en los hoteles y las conducía a aquel punto llamado Dos y Medio, a unos cinco minutos del pueblo, donde había otro hotel. Allí las dejaba y posteriormente continuaban en busca del sitio hasta el cual se trasladaba Pablo Arauca cada día para sostener sus reuniones.

Nosotros llegamos a calcular media hora, cuarenta y cinco minutos entrando hasta la zona de El Marfil, donde las dejaban finalmente en uno de los lugares cercanos a aquel donde se realizaría el encuentro. Como coincidencia, y más que coincidencia, por algo extraño, el recorrido se repitió varias veces hasta una finca llamada Las Palomas, de manera que por algún tiempo, la ruta casi recurrente vino a ser Puerto Boyacá - Dos y Medio - Las Palomas.

En Las Palomas las recogía un tal Luis y las trasladaba hasta el sitio de la entrevista.

De regreso, Luis las trasladaba nuevamente hasta Las Palomas donde abordaban el carro de Fierro, quien las traía de regreso a Puerto Boyacá.

A estas citas nadie podía llevar teléfonos celulares, ni cámaras fotográficas, ni grabadoras, ni mucho menos armas.

Allí llegaba gente de todos los puntos del país. Por ejemplo, del Valle del Cauca, donde el Mellizo tenía negocios de droga

y propiedades; del puerto de Barranquilla, donde tenía negocios de droga y propiedades; de Cartagena, de Santa Marta…
Incluso, llegaban colombianos radicados en Estados Unidos.

Lo cierto es que el objetivo permaneció en la zona de El
Marfil cerca de cuatro meses. Nosotros conocíamos la ruta
hasta Las Palomas, pero no habíamos localizado ni los sitios
de las reuniones, ni mucho menos su cueva.

Como se necesitaba un vehículo reconocido en esos lugares,
utilizamos el viejo campero ruso que comenzó a entrar por allí
en plan de servicio rural.

Su misión era localizar en el camino un vehículo que manejaba Fierro, y conocer bien el sector porque a partir del Dos
y Medio había controles por parte de motorizados pertene-
cientes a la banda de Terror. Ellos detenían a los vehículos, los
interrogaban y los requisaban, los dejaban continuar o si se les
antojaba, los obligaban a regresar.

Pablo Arauca les pagaba a Ramón Isaza y a Terror por la
protección en la zona.

En aquellas reuniones había personas que duraban un día;
otras, dos días, pero también venían chicas modelos, prepagos.
Todas ellas se quedaban indistintamente en alguna de las fincas,
apartada de la cueva de Pablo Arauca.

Nosotros permanecimos por lo menos veinte días recorriendo la zona en nuestro campero viejo que, desde luego, nunca
logró llegar hasta Las Palomas porque de cierto punto hacia
adentro la gente no solicitaba transporte.

Ante esa dificultad la Policía recibió el apoyo de un avión
de la Fuerza Aérea para hacer seguimientos desde el aire,
aprovechando que diariamente salía de Puerto Boyacá gente
que llegaba a eso de las seis de la mañana al Dos y Medio y
continuaba camino para entrevistarse con el objetivo.

Una base aérea —Palanquero— está cercana a Puerto Boyacá. De allí partía el avión llevando a bordo a un oficial de Inteligencia y cuando comprobábamos que el carro con el visitante se acercaba al Dos y Medio, les dábamos aviso, de manera que la nave, con autonomía de vuelo para cinco horas, se colocaba encima de ellos y navegaba muy alto sobre la zona de El Marfil, vedada por tierra para nosotros.

En el primer vuelo localizamos Las Palomas, pero no se sabía en qué carro recogía ahora Luis a los visitantes. De todas maneras, reconocieron el lugar y se alejaron pronto de allí.

Gracias al apoyo aéreo llegamos a establecer que de acuerdo con la importancia de los visitantes, Luis los recibía y los llevaba de forma inmediata hasta el objetivo. Pero si el extraño no era urgente para ellos, lo dejaban hasta dos días esperando, bien en Puerto Boyacá o bien en aquella región.

En uno de tantos vuelos vimos salir una camioneta negra de Las Palomas y dirigirse hasta una finca situada más allá. Ese fue un paso adelante. Luego localizamos otra casa que bautizamos La Finca. Esa podría ser el escondite del bandido… Pero ¿sí era esa? ¿Esa era la cueva de Pablo Arauca?

Cinco días después escuchamos que Fierro preguntó si ya habían recogido al que tenían "arriba". Así surgió la pista de que más allá había otros puntos claves.

En las reuniones diarias de mandos en una base de la Policía cerca de la Fuerza Aérea surgió el nombre de J. Mario, un muchacho nuestro que se encontraba en Bogotá y conocía aquella zona porque había participado anteriormente en una operación contra Ramón Isaza y su hijo Terror.

Al día siguiente J. Mario apareció con siete fotografías aéreas de fincas en aquella misma zona, y dijo:

—En nuestros sobrevuelos de hace un par de años tomamos estas gráficas.

Las observamos una y otra vez y empezamos a montarlas en busca de coordenadas. Fuimos descartando y fuimos descartando y finalmente llegamos a una: esa era exactamente la cueva que estaba utilizando ahora Pablo Arauca.

Llevamos la fotografía al comité:

—Pertenece a una finca del paramilitar Ramón Isaza o de 'Don' Diego, otro narcotraficante que se ha escondido en esa zona. No podemos descartar nada —dijo nuestro jefe.

—¿Dónde están esas fotografías?

—En el Falcon, un mapamundi militar. Lo revisamos y encontramos que una de aquellas fotografías quedaba muy cerca de La Finca. Otra estaba ubicada un poco más lejos.

Al día siguiente pedimos el avión de la Fuerza Aérea para reconocer los sitios de las gráficas y encontramos un punto muy cerca de La Finca, y confirmamos ahora sí plenamente nuestras sospechas de que, entre otros lugares, Pablo Arauca recibía a la gente allí para no revelar la ubicación de su escondite.

Pasaron algunos días y en un nuevo vuelo registramos que de una posición que ubicó el avión de forma perfecta —y que obviamente era una de las guaridas del bandido—, salió una camioneta con seis personas y se movió hasta La Finca, uno de ellos entró en la casa y los cinco restantes se quedaron afuera rodeando la vivienda.

El avión regresó con aquellas imágenes y nuestro oficial las llevó al comité. Cuando estudiamos aquellos materiales, coincidimos en lo mismo:

—Confirmado, el lugar de la camioneta negra es la guarida más frecuentada y el hombre que entró en la casa es el objetivo.

A partir de ese momento nuestra meta fue llegar a la guarida. Luego de una serie de análisis un oficial propuso asaltar el lugar con los helicópteros, pero nuestro jefe dijo que deberíamos hacer una infiltración.

Infiltración en este caso fue esconder dentro de un camión a un grupo de comandos especializados de la Policía Antiterrorista, que partió de nuestra base y llegó al Dos y Medio. Desde allí empezaron a avanzar caminando por las noches, ayudados por visores nocturnos y una scric de equipos más especializados de ultrasonido, y otras técnicas y lograron llegar a un lugar situado entre el Dos y Mcdio y Las Palomas.

Desde allí avanzaron tres noches hasta una casa campestre cercana a la cueva del bandido.

En ese punto permanecieron siete noches, al cabo de las cuales se hizo necesario ordenar su relevo porque entonces afrontaban una situación apremiante pues la operación se había extendido más de lo calculado en un comienzo.

FERNANDO (Inteligencia)

De un momento a otro habían cambiado las claves de las comunicaciones. De pronto se empezaron a escuchar palabras como "Limón" y más tarde "Mandarina".

¿A quiénes se referían? Pues Limón era Miguel Ángel o sea Pablo Arauca, el áspero. En cambio el scgundo Mellizo, Víctor Manuel, ahora Mandarina, era tal vez más tolerante.

RAÚL (Oficial superior)

Soy la cabeza de un grupo de comandos de Operaciones Especiales Antiterroristas de la Policía de Colombia.

Luego de cinco intervenciones fallidas contra el Mellizo Pablo Arauca, o Limón, supimos de un punto donde se reunía con gente de cierta calaña, y comenzamos por ubicarlo con dos grupos de mi equipo, a bordo de una camioneta particular, acompañados por tres muchachas de la Policía Judicial, muy expertas y muy profesionales.

El plan era entrar por el Dos y Medio y penetrar hasta una región llamada El Marfil. Inicialmente yo quería ver el recorrido para asimismo planear nuestro avance, porque una cosa es el reconocimiento desde el aire y otra el estudio de unos mapas y la memorización de una serie de instrucciones.

En una palabra, buscaba una visión real del entorno, porque esa es una zona controlada por bandidos a partir de una carretera importante que va al noroccidente del país, es decir, a Medellín y sus contornos.

Bueno, durante la operación logramos llegar hasta El Marfil. Obviamente, a través del recorrido en varias oportunidades nos siguieron camionetas, motocicletas, cuatrimotos, pues nos movíamos en un vehículo ajeno a aquel sector.

Íbamos con el pretexto de las fiestas en un par de pueblos en inmediaciones de El Marfil, a unos tres kilómetros de donde nos encontrábamos: nuestro interés era estudiar el recorrido, grabarnos la localización de cada rincón, sus características y algunos detalles de las vías en ciertos puntos, para iniciar una infiltración.

Visitamos los dos pueblos, estuvimos en las casetas de baile, tomamos trago, miramos, escuchamos, bailamos. En muchas oportunidades se acercaban bandidos, nos miraban, dejaban ver sus armas. Con su actitud agresiva venían a tratar de averiguar quiénes éramos. Se sentaban en mesas cercanas para escuchar lo que hablábamos, pero nosotros tocábamos temas triviales, cosas de parejas normales, y claro, parte de la actuación, desde luego era besarnos algunas veces y acariciarnos con las muchachas.

Nos alojábamos en un hotelucho, duramos un par de días en plan de rumba y finalmente salimos de allí. En ese momento aparecieron cuatro motocicletas, cada una con dos hombres armados con fusiles, pero nunca nos detuvieron. Se nos pegaron a la camioneta y nos detuvimos a mitad del camino entre El Marfil y la carretera principal donde había un estadero.

Las muchachas se hallaban nerviosas, entramos al sitio para buscar que se calmaran, tomamos una cerveza esperando a que nos abordaran para preguntarnos algo, pero no. Ellos se detuvieron, no abandonaron las motos, no preguntaron nada, aunque, como es nuestra costumbre, nosotros llevábamos cada uno un libreto ya estudiado: en qué trabajaba cada persona, cómo nos habíamos conocido, en dónde vivía cada uno, etcétera, pero a la vez llevábamos con nosotros identificaciones especiales con nombres ficticios, carnés de cooperativas, tarjetas de sindicatos, esas cosas.

Los tipos esperaron allí, nosotros salimos nuevamente, ellos continuaron el seguimiento y dos kilómetros adelante se devolvieron. Pienso que no los provocó ninguna actitud aparentemente agresiva por parte nuestra.

Regresamos finalmente a nuestra base de operaciones y allí trazamos nuestros planes. En ese momento tuvimos en cuenta todos los posibles casos de accidentes que se pudieran presentar, los acontecimientos que salieran al paso de acuerdo con las situaciones que ya habíamos establecido, las distancias, hasta las condiciones derivadas del terreno que atravesaban las vías… Es decir, tratamos de prever lo previsible.

Pero a la vez planeamos la operación: cómo íbamos a ingresar hasta la finca escogida por el bandido para reunirse con sus visitantes, cuál iba a ser nuestra fachada antes de penetrar a la zona, cómo íbamos a reaccionar en caso de...

Desde un comienzo decidimos transportarnos en parte del recorrido a bordo de una volqueta, pues en aquella zona se movían muchas entrando y saliendo, ya que en inmediaciones hay algunos yacimientos de petróleo.

La volqueta era el vehículo más seguro para nosotros y nos permitía reaccionar de una manera idónea en caso de ser necesario.

En la carretera establecimos un punto, basándonos en una coordenada obtenida en reconocimientos aéreos: por su amplitud, porque era la entrada a una finca el lugar permitía que la volqueta llegara hasta allí, nosotros desembarcáramos y el chofer podría regresar. Un sitio único porque en esa zona las carreteras son angostas.

Nuestros uniformes para operar son diferentes a los de la Policía, son trajes especiales que, entre otras muchas cosas, nos ayudan a sobrellevar el calor del día y el frío algunas veces penetrante, por las noches.

En aquella volqueta íbamos ocho comandos. El resto de mis hombres se habían quedado pendientes con tres helicópteros en la base aérea de la Policía en un lugar llamado Mariquita con el fin de apoyarnos en cualquier contingencia.

Efectivamente, el día de la operación nos embarcamos en el volco del vehículo y partimos a la una de la tarde. Íbamos cubiertos por unas sábanas de plástico, al lado de algunos rollos de alambre de púas y carga típica de la región.

Entramos al Dos y Medio al atardecer. A partir de la base habíamos hecho siete horas de carretera muy fatigantes por el calor, por la dureza del vehículo, por la incomodidad que suponían los equipos que llevábamos...

Como en aquella operación participamos ocho hombres, cargábamos muchas cosas: armamento, municiones, equipos nocturnos, optrónicos —ayudas infrarrojas diurnas y nocturnas—, que son elementos para operaciones especiales que pesan, y aún sin haber tenido que caminar, el desgaste físico dentro de aquella volqueta había sido mayor. Cada comando lleva más o menos cuarenta y cinco kilos sobre los hombros.

Bueno, desembarcamos en una zona despoblada y confiábamos en que las coordenadas nos conducirían a la casa de una finca sobre una meseta y al frente de ella una piscina. En ese lugar generalmente permanecía la Mona.

Una vez en tierra empezamos a avanzar en la dirección de aquella casa, desde luego, no por la carretera sino a través de la vegetación y de la espesura del bosque, terreno complicado porque presentaba depresiones, hondonadas, ascensos casi verticales y por tanto muchas corrientes de agua en el fondo de las cañadas.

A medida que la vegetación fue haciéndose densa, era más difícil caminar en plena noche, a pesar de que llevábamos visores especiales y ayudas electrónicas, ayudas magnéticas, equipos de ultrasonido…

Avanzábamos en silencio y además de los visores nos ayudamos con equipos en nuestras armas que refuerzan la visión iluminando áreas en el entorno que sólo son detectables mediante aparatos especializados. Digamos que son lámparas con rayos de luz invisibles.

Avanzamos hasta localizarnos muy cerca de la casa. Las características del terreno en aquel lugar eran muy irregulares porque ahora estábamos en el filo de una cañada que caía en pendiente pronunciada hasta una corriente de agua. Vegetación escasa en el lugar.

Al lado de la casa localizamos varias camionetas bajo un cobertizo, una de ellas la de la Mona, nos acercamos un poco más y verificamos sus placas. En ese momento nos encontrábamos a unos doce, quince metros de la casa, una de las cuatro o cinco fincas en las cuales realizaba sus reuniones el bandido, según los hombres de Inteligencia

Sabíamos que allí no podíamos permanecer mucho tiempo porque seríamos detectados por la cercanía y en un terreno que no se prestaba para camuflarnos, de manera que tomamos la decisión de alejarnos unos ochocientos metros, hasta una zona con vegetación, totalmente al frente de las construcciones. El punto era un poco retirado, pero a mayor altitud sobre el resto del terreno, de manera que con los equipos especiales, las miras de las armas y la ubicación de los comandos —dos por punto cardinal en torno a la casa—, el control era óptimo.

Sin embargo, antes de replegarnos hasta aquellos sitios, dejé a tres hombres en el filo de la hondonada que se inclina buscando la corriente de agua. ¿Por qué tres hombres? Porque en caso de tener que enfrentar al objetivo, una de sus rutas de escape sería aquella pendiente a espaldas de la casa.

Amaneció, empezó algún movimiento, vimos luego llegar a la Mona en una camioneta que ubicó cerca de las que se hallaban en el lugar. Veíamos también a una señora con tres niños pequeños y a un muchacho, al parecer encargado de asear la piscina y cumplir con los quehaceres de la casa.

La Mona salía con frecuencia hacia otros puntos en El Marfil, regresaba y partía nuevamente en distintas direcciones, donde al parecer estaba la cueva del bandido. Yo me comunicaba con mis jefes por un teléfono satelital y ellos decían, según los controles que llevaban a través del analista en Bogotá, que el tipo no estaba aún en el sitio, pero que, definitivamente iba a llegar.

Avanzó un poco la mañana y empezó la presencia de campesinos en el sector que ocupábamos para podar algunos árboles y… algo increíble: la corriente de agua estaba cercada para evitar que el ganado se acercara a beber en ella. Mucho después supimos que la gente creía que estaba envenenada.

Bueno, pasaron dos y pasaron tres días y no sucedía nada diferente. Nosotros quietos en nuestro sitio y los tres comandos, también expectantes, agazapados en la cañada.

Por las noches mandaba a un par de muchachos livianos a explorar las cercanías de la casa, ellos seguían por los bordes de los senderos para tratar de acercarse bastante, pues los jefes habían advertido que posiblemente el objetivo pudiera estar en alguna habitación. Como era un tipo muy disciplinado, sabíamos que en general evitaba moverse del lugar para que no lo vieran. No obstante, las estancias de la casa permanecían apagadas y en silencio.

Pasaron cuatro días, cinco días… Al llegar el séptimo estábamos físicamente disminuidos porque en las horas diurnas hacía muchísimo calor, por las noches caían unos aguaceros torrenciales y como estábamos infiltrados no podíamos colgar carpas ni hules y debíamos permanecer allí sin movernos. Teníamos solamente nuestros uniformes que sirven para diferentes temperaturas, pero no tan extremas como las que se presentaban allí al mediodía y a la madrugada, de manera que el rigor del clima fue afectándonos poco a poco.

Además, a esa altura estábamos sin comida porque la operación había sido planeada para tres, cuatro días, y aunque teníamos raciones, nos hacía falta especialmente el agua.

Sin embargo, algunas veces bajábamos a la cañada y la tomábamos de la corriente al fondo, pero de todas maneras estábamos en un estado de predeshidratación.

En nuestro equipo cargamos elementos para primeros auxilios, entre ellos dextrosa y los aditamentos necesarios para aplicarnos el suero en las venas. Tuvimos que apelar a ellas para contrarrestar nuestra deficiencia física. Nos aplicábamos aquel fluido entre nosotros mismos, pues tenemos un entrenamiento especial, pero comenzó a agotarse.

Finalmente, al terminar aquel día, nuestros jefes tomaron la decisión de relevarnos con el grupo de comandos que estaba alerta en la base.

Bueno, lo prepararon, esa noche nos pusimos una cita en el mismo sitio donde habíamos desembarcado y nos cambiamos más o menos a la una de la madrugada.

Ellos habían entrado en la misma volqueta por el Dos y Medio aproximadamente a las nueve de la noche, algo que pensamos había sido una falla porque a tal hora no era normal la circulación de esa clase de vehículos.

Finalmente desembarcaron, les dimos explicaciones en cuanto al terreno que iban a encontrar, les indiqué dónde tenían que dejar a los muchachos para el bloqueo en la parte posterior de la casa, y el resto buscaría ocupar los puntos donde nos habíamos ubicado nosotros. Además, les señalamos un rumbo porque, a pesar de hallarnos frente a la casa en línea recta, para nosotros el camino seguro es movernos por donde no nos vean y, claro, así un kilómetro se convierte fácilmente en siete.

El segundo equipo empezó su labor, pero tuvo la mala suerte de que los campesinos que talaban árboles cerca de donde nosotros estábamos se trasladaron más cerca de la casa, empezaron a trabajar en una zona con escasa vegetación baja, y en un momento determinado uno de ellos se fue acercando, se fue acercando, pasó su motosierra de forma horizontal y estuvo a punto de cortar al comando que permanecía inmóvil en aquel lugar.

En forma inmediata lo descubrió allí tendido en medio de la hierba, pero en ese momento el muchacho no supo qué hacer por lo sorpresivo del movimiento del aserrador y aquel simplemente se hizo el que no lo había visto, continuó unos minutos talando ramas y se fue alejando, se fue alejando…

En ese momento se escuchó que uno de los bandidos dijo:

—Atención, hay unos *patiamarraos* escondidos entre la hierba. Hay hombres armados, hombres armados encima de nosotros.

Como habían sido descubiertos, nuestros jefes tomaron la decisión de ir a rescatarlos, pero a la vez tratar de llegar hasta la cueva del bandido.

ISMAEL (Oficial superior)

Los primeros comandos regresaron a la base, comenzaron a hidratarse, se asearon, comieron muy bien, durmieron unas pocas horas, pero luego tuvieron que regresar al área a bordo de tres helicópteros, acompañados por algunos de nuestros investigadores.

Los demás habían penetrado a la casa de Pablo Arauca y sólo encontraron a una señora, las últimas revistas de farándula y una colección de aparatos para sexo, otra pasión del bandido.

Finalmente, un ponqué de chocolate.

Por quinta o sexta vez se nos había escapado el objetivo, luego de un año de buscarlo y, claro, la frustración fue muy grande en aquel momento, la desmotivación de los investigadores, el desánimo del analista, la desilusión de los comandos…

Los últimos días habían sido tan intensos y los resultados iniciales tan prometedores, que el analista había hecho trasladar una colchoneta especial hasta el Centro de Operaciones en Bogotá y desde allí escuchaba y coordinaba durante las noches.

RAÚL (Comando)

Regresamos al punto en tres helicópteros y entramos a la casa. Por dentro era una fortaleza en medio de la vegetación. Resultó ser una estancia cómoda con garitas camufladas para la vigilancia, trincheras, zanjas de arrastre, un par de túneles… En total eran tres niveles de construcción vertical con alojamientos bajo el nivel de la tierra, baños, comedores. Fácilmente allí podían alojar a unas ochenta personas.

Desde afuera se veía simplemente una casa de un piso hecha en madera fina, una construcción bonita, buenas habitaciones, buenas camas.

Algo característico de Los Mellizos es que a donde llegábamos, siempre encontrábamos diferentes tipos de aparatos sexuales, píldoras, ungüentos, ropa negra para sadomasoquismo, con sus amarres, esposas, látigos, máscaras que cubrían la parte alta de la cara o la cara completa, guantes… Allí había estado Pablo Arauca hasta hacía muy poco.

También encontramos revistas de actualidad y revistas de sexo que llevaban hasta el lugar las reinitas y las modelos prepago contratadas.

El tema de la alimentación también era muy específico. En las neveras había abundante comida de mar: mariscos, cangrejos, langostas, pulpo, y tortas y bizcochos llevados de Bogotá.

Allí también encontramos una especie de depósito con tres cuatrimotos grandísimas, nuevas, bonitas, para movilizarse dentro de la zona. Sin embargo no fueron capturados ni la señora ni los muchachos que cuidaban la finca.

A Los Mellizos les gustaba el deporte, entonces en los escondites en que se sentían seguros, marcaban rutas para trotar y a lo largo de ellas mantenían puestos de seguridad desde donde los custodiaban cuando salían a hacer ejercicios o a montar en cuatrimoto o en bicicletas todoterreno que siempre se hallaban en sus escondites.

En total aquella operación duró nueve días y al final dejamos una serie de controles sobre la Mona, que permaneció siempre en la casa de la piscina, a unos cuatro kilómetros de aquella fortaleza.

ISMAEL (Oficial superior)

Regresamos a la base en silencio y unos minutos más tarde apareció Antonio, nuestro jefe:

—Un momento. Aquí lo que necesitamos es una ayuda de mi Dios. Vámonos todos para misa, llegó la Semana Santa. Vámonos a rezar —dijo en voz alta.

Nos fuimos, asistimos a las ceremonias y le pedimos al Señor que nos ayudara, porque nos preguntábamos: "¿Qué está sucediendo? ¿Hay corrupción de por medio? ¿Hay infiltración? Aquí hay algo muy especial. Necesitamos la ayuda de mi Dios". El gran entusiasmo del comienzo parecía esfumarse.

Como estrategia decidimos dejar quieto un tiempo a Pablo Arauca, que seguramente no iba a regresar a ese sector, "zona quemada" la llamamos. Un día más tarde le dije a nuestro jefe:

—¿Por qué no atacamos a Víctor, el segundo Mellizo? Parece que Pablo Arauca estuviera rezado, o tiene pacto con el diablo, o tiene mucha gente infiltrada en sus áreas de influencia, o hay fuga de información… Aquí sucede algo. Hemos montado varias operaciones, ¿cuántas?, ¿cinco?, ¿seis? Yo creo que fueron bien planificadas, pero se nos ha escapado.

En aquel momento realizamos un análisis profundo de lo que habíamos hecho, cómo lo habíamos hecho, por qué habíamos fallado si hubo fallas, qué factores habían jugado en nuestra contra en cada ocasión, y a la vez tomamos la decisión de esperar a que el bandido se reacomodara en algún lugar y reanudara los contactos con quienes trabajaba.

Como conclusión decidimos escoger a Felipe, un oficial, para que se pusiera al frente de la búsqueda de Víctor, en un sector que ya habíamos ubicado, una zona amplia en las escarpadas montañas de Antioquia, a cientos de kilómetros al noroccidente de Bogotá: dos poblaciones llamadas Tarazá y Caucasia.

El área estaba controlada por un par de narcotraficantes conocidos como Cuco Vanoy y su segundo, apodado el Puma, quienes lo habían acogido a raíz de nuestra última operación.

Felipe es un oficial que por su profesionalismo y su responsabilidad, calculábamos, podría demorarse un promedio de seis meses estableciendo las bases, pues debía ubicarse en el sitio, conocer la zona, penetrarla, infiltrarla, trazar las tácticas iniciales, es decir, montar algo similar a lo que se había hecho anteriormente.

El oficial partió y nosotros nos quedamos en nuestra base de Mariquita, retomando los pasos de Pablo Arauca mediante nuevas informaciones, nuevos registros electrónicos y asistiendo a misa, porque Antonio, nuestro jefe, es devoto y decía que estábamos muy cerca del objetivo pero nos faltaba pedirle ayuda a nuestro Dios.

En cada oportunidad yo decía: "Señor, si Tú crees que ese señor no le conviene al país, dame la forma de capturarlo. Pero si Tú crees que es mejor dejarlo ir, ponme todas las trabas".

Finalizando aquella semana nos llamó Felipe:

—Ya hay indicios del segundo objetivo.

Un grupo de oficiales nos trasladamos a un lugar llamado Caucasia en aquella zona para apoyarlo y estuvimos allá analizando la nueva situación y calculando estrategias a partir de lo que se iba conociendo.

Felipe hizo un recuento de toda la labor: vigilancias, seguimientos, entrevistas con fuentes, control de las primeras zonas. Un buen trabajo.

—En esa zona —nos explicó— el control es muy difícil. Digamos que a espaldas de donde posiblemente se halla ubicado el segundo Mellizo hay una gran red de caminos y carreteras y por alguna de estas vías se nos puede escapar hacia el norte. El sector es demasiado amplio.

Efectivamente, eran carreteras, caminos, sendas, trochas de toda índole que el Mellizo tenía muy controladas con la gente de Cuco Vanoy. Ellos avisaban si en algún punto de aquella extensa zona se movía un ser extraño. Y si veían a alguien en esas condiciones lo seguían, le montaban un control cerrado y hasta podían llegar a matarlo. En toda esa región se presentaban muchos casos de familiares que denunciaban la desaparición de hijos, de esposos, de compañeros de trabajo.

Y además, en torno a un punto llamado Yarumal, arriba de Tarazá, se mueven bandas de guerrilleros y allí los controles de los bandidos de Cuco Vanoy son más estrictos. Total, nos movíamos ahora en otro sector muy complicado.

CARLOS (Analista)

Una mañana la Mona le dijo a alguien apodado Juanes, un bandido muy parecido al famoso cantante:

—Me citó Pablo Arauca, voy a ir a hablar con él, está muy complicado. Está muy ansioso por todo lo que ha sucedido. El *man* está cansado de tanta carrera. Voy a ir a hablar con él a ver qué me dice.

La Mona fue hasta una finca, allí estuvo todo el día, salió al comienzo de la noche y buscó a Juanes:

—¿Cómo le fue?

—No, hermano. Limón me pegó una putiada, pero una señora putiada. Me dijo que me largara, que yo no le servía para nada, que era un baboso, y le respondí: "¿Sabe qué? Señor. Déjeme ir. Yo me voy. Hasta aquí lo acompaño".

Pablo Arauca me respondió inmediatamente:

—Váyase, gran hijueputa, que a usted no lo necesito para nada. Usted es un hijueputa. La Fuerza Pública me está llegando casi a los pies por culpa suya.

Después, la Mona conversó con un asesor financiero de Pablo Arauca:

—¿Qué va a hacer, hermano? —le preguntó el asesor.

—Pues yo me voy. Mañana arranco, voy a arreglar mis cosas, me voy para mi finca, me quedo allá una semana y luego cojo para donde vive el señor de la boina roja.

Inmediatamente le pregunté a Ismael qué hacíamos con la Mona: ya no era importante para nosotros.

—Capturarlo —respondió Ismael—. Echémosle mano.

—¿Para dónde dice que se va?

—Pues para Venezuela. Boina roja: Chávez.

—¿Dónde está en este momento la Mona?

—En su finca en el centro del país. Va a salir a la madrugada.

FELIPE (Oficial superior)

Gracias a un par de bandidos supimos que un día determinado por la mañana, la Mona tenía una cita en un lugar llamado Doradal muy distante de nuestra base.

Nos encaminamos hacia el punto acompañados por gente de nuestro grupo pero vestidos como policías comunes y corrientes, teniendo en cuenta la sensibilidad en el manejo de la información y el cuidado que exigía aquella zona.

Los muchachos iban bajo el mando de un capitán y unos tenientes, para que nos brindaran apoyo en algún momento determinado. Por otro lado, se dispuso el traslado de un vehículo con equipos que nos permitieran localizar al objetivo por rastreo de señales.

Llegamos a Doradal a eso de las ocho de la noche y empezamos a ubicar patrullas y a ubicar personas en puntos estratégicos, pues se sabía que venía una camioneta Toyota Prado color plateado con matrícula de Bogotá para recoger al objetivo.

También sabíamos que el vehículo venía de Medellín y le ordenamos a nuestro personal uniformado que montara un puesto de control en el camino y detuvieran a todos los vehículos con esas características.

A eso de las diez de la noche localizaron una camioneta similar a la descrita, conducida por un hombre armado con una pistola nueve milímetros, que correspondía a la reseña de la persona que iba a sacar a la Mona de aquella región.

Un poco después lo localizamos y entrando a Doradal empezamos a seguirlo. El sujeto, bastante cuidadoso con sus movimientos, al parecer captó que algo extraño estaba sucediendo, pues el puesto de control no era normal en aquella vía, y además en el pueblo comentaban que estaban viendo gente extraña.

Doradal no es un municipio pequeño ni tampoco grande, pero tampoco está formado por un par de manzanas; sin embargo, allí existe mucho control de la delincuencia, por lo cual la Mona le ordenó al hombre de la camioneta plateada que desapareciera:

—Guárdese y mañana me recoge a las cinco de la mañana. Usted sabe dónde tiene que ubicarse.

El de la camioneta llegó a Doradal, lo seguimos, pero finalmente se internó en un punto a partir del cual no podíamos trabajar. Se trata de un camino muy estrecho, muy solitario, en el cual un seguimiento es demasiado evidente: en una carretera, una luz a las espaldas del carro parece normal, pero en una senda como aquella esa misma luz es de alguien que me está siguiendo. Lo dejamos alejarse.

Un poco después anduvimos por todos aquellos caminos, gracias a Dios no nos ocurrió nada, pero no localizamos el sitio hasta el cual había llegado la camioneta. La zona está compuesta por fincas y casas rurales lejanas de la orilla del camino, y además, y los linderos están demarcados, —para nosotros, cubiertos— por cercas vivas, o sea, hileras de árboles y, entre ellos, vegetación baja y espesa y aquello nos impidió ubicar a nuestra camioneta, por lo cual regresamos a la carretera y esperamos comunicación con nuestro Centro de Operaciones en Bogotá.

Efectivamente al objetivo lo iban a recoger a las cinco de la mañana siguiente, de manera que Sebastián y yo organizamos las patrullas y ubicamos personas en diferentes puntos para que sirvieran de control.

Cuatro de la mañana era nuestra hora para comenzar, y ubicamos a la gente en diferentes hoteles con el fin de que descansaran siquiera unas dos horas, se asearan y saliéramos al terreno.

Las patrullas fueron distribuidas en diferentes hoteles y nosotros, los dos oficiales que estábamos al frente en aquel momento, ocupamos un solo vehículo.

Sebastián había trabajado en aquella zona cuando se buscaba a Pablo Escobar y luego en otra serie de labores de inteligencia y cuando hablamos de dormir un par de horas, dijo que el mejor sitio era algo llamado Hotel del Lago. Allí llegamos después de la medianoche y antes de entrar vimos una camioneta estacio nada frente a una de las cabañas.

El hotel queda al borde de la carretera, al frente hay una reja y al fondo se ven la recepción y parte de las zonas comunes. Como es un refugio de tierra caliente en nuestro medio, no se trata de un edificio sino de una serie de construcciones de una sola planta.

Bueno, nos levantamos a las tres y media de la mañana, cada uno rezó y nos encomendamos a Dios.

Cuando salíamos apareció una señora, pagamos lo de nuestras habitaciones y le dijimos que íbamos a esperar a unos amigos para continuar nuestro viaje. Entonces tomamos dos sillas de plástico y las colocamos al lado de la reja que cierra las construcciones por el frente. A eso de las cuatro y media la señora se nos acercó y preguntó si deseábamos tomar algo.

—Muchas gracias, dos cafés.

—Bien. Voy a prepararlos.

La recepción quedó sola y nosotros allí sentados al lado de la reja, vestidos de paisanos, con yines y camisetas.

Habrían transcurrido unos cinco minutos, cuando vimos que se acercaba una camioneta plateada. Pensamos que iba a seguir hacia el pueblo, pero no, giró buscando la entrada al hotel.

En ese momento caímos en la cuenta, claro, pero claro, el objetivo estaba durmiendo al lado nuestro. Cruzamos entonces algunas palabras con Sebastián:

—Vaya, haga las coordinaciones y yo manejo aquí la situación.

Sebastián se puso de pie, dio unos pasos y se ubicó en la parte de atrás para comunicarse con los refuerzos, pues no sabíamos cuántas personas se habían alojado en el hotel.

Mientras tanto me levanté de la silla con toda la calma, como si fuera el vigilante del lugar, abrí la reja para que entrara la camioneta y saludé al conductor:

—Buenos días, patrón. Siga.

El hombre entró y estacionó su vehículo al lado de la camioneta que se hallaba frente a una de las cabañas desde la noche anterior. El que llegó golpeó en una de las puertas y salieron dos sujetos: tenían que ser guardaespaldas del objetivo. Uno de ellos fue hasta la recepción a comprar un cepillo de dientes, se lo vendí, y luego salió la señora con los dos cafés, me adelanté y le hablé al sujeto:

—Buenos días, ¿quiere un cafecito?

—Ah, bueno. Sí, señor, muchas gracias.

Les di nuestros dos cafés a los escoltas del bandido.

—Bueno, muchas gracias, muy amable.

—A sus órdenes, patroncito —respondí y me fui a sentar en mi puesto de celador al lado de la reja.

A los cinco minutos empezaron a encender los vehículos y de una segunda cabaña salió la Mona con una chica prepago muy bonita, de unos diecinueve años, y ocuparon la silla trasera de la camioneta plateada. Arrancaron.

Adelante se movieron los guardaespaldas buscando la puerta en la reja y detrás se colocó la camioneta plateada. En aquel momento ya Sebastián estaba al lado mío, caminamos hacia los vehículos, Sebastián detuvo al carro de los escoltas y yo al de la Mona.

Desenfundamos nuestras armas —yo no abrí la reja—, ellos trataron de reaccionar, pero es que debieron haberse imaginado todo menos que el hombre del café —"patroncito"— y su acompañante fueran a encañonarlos y a hacerlos bajar de sus vehículos.

Cuando ellos nos vieron en ese plan, pero no como si fuéramos autoridad sino como bandidos, pensaron en reaccionar y nosotros nos identificamos:

—Policía. Alto. ¡Policía!

Sin embargo, hubo un intercambio de disparos y el chofer del carro de los escoltas hizo algo mal y se le trabó la caja de cambios, soltó el pedal y el carro quedó bloqueado, se apagó y los tipos no pudieron salir de allí.

Una vez detenidos, Sebastián hizo bajar a las dos personas del carro de adelante y yo neutralicé a la Mona, a la muchacha prepago y al conductor.

En ese instante llegó todo el mundo, nos apoyaron y tan pronto lo capturamos, el tipo entró en *shock*. Se veía muy asustado, muy asustado. La mujer se tiró al piso de la camioneta y estaba allí cubriéndose con una frazada o algo así, esperando a que la atacaran.

A la Mona se le encontraron diez millones de pesos en el bolsillo, un par de memorias USB y tres armas de fuego.

ISMAEL (Oficial superior)

Felipe organizó a su gente, había montado diferentes actividades y fue obteniendo buenos resultados. Incluso tomamos en arrendamiento un café —o cantina, como les dicen en esa región—, en la plaza de un poblado llamado El Jardín, hasta donde los bandidos salían en plan de descanso.

La encargada del negocio fue una agente nuestra veterana en labores de Inteligencia. El lugar fue pintado y aseado en poco tiempo, Alicia, así se llama ella, contrató directamente a varias empleadas para que atendieran a las mesas y a la vez obtuvieran información, desde luego sin saber realmente quién era Alicia, ni cuál era su labor en aquel sitio.

Efectivamente, los guardaespaldas y los mandos medios de los bandidos empezaron a aparecer en aquel sitio en plan de beber y hablar, hablar, hablar…

FELIPE (Oficial superior)

Nos instalamos en Tarazá, pero nuestra base de operaciones estaba en Caucasia, epicentro de una región muy afectada por grupos armados ilegales, pero para nosotros esa era una ventaja: Caucasia es un pueblo más grande y por lo tanto nos ofrecía mayor cobertura, pues allí se movían muchos delincuentes y gracias a la mayor población resultaba menos probable que se generaran suspicacias.

En ese momento en aquella zona había un ciclo fuerte de erradicación de plantas de coca. Otra ventaja:

—¿Que hace aquí esa gente? —podrían preguntar. La respuesta tendría que ser lógica:

—Deben ser los de la erradicación.

Además, sabíamos que por un lugar cercano llamado El Jardín, estaba localizada la entrada al sector donde se ubicaba el bandido.

Pronto, gracias al café de Alicia y a nuestro propio trabajo en la zona, empezamos a captar cosas tan importantes como la existencia de un hombre de seguridad del segundo Mellizo que se hacía llamar Rambo. Según la gente del lugar era el dueño de la motocicleta "más bacana" del pueblo: una moto dorada.

Efectivamente, una tarde apareció un tipo en una Yamaha DT 175 con el tanque dorado. Andaba con botas, yines, camisetas de colores estridentes, y cualquiera sabía que andaba armado, porque hacía demostraciones con una pistola cuando estaba rodeado de gente.

A Rambo le localizamos un par de camionetas que ingresaban hasta donde supuestamente estaba Víctor, el segundo Mellizo.

Aparte del café de Alicia —con el que no teníamos ninguna conexión— nosotros frecuentábamos bares y cantinas, ocupábamos mesas, algo bebíamos pero ante todo escuchábamos muchas cosas importantes. Muchas.

Una tarde, dos tipos con facha de bandidos dijeron que iban a subir a unas mujeres prepagos hasta donde se escondía el Mellizo. Nosotros montamos vigilancias en los caminos.

Las mujeres subirían a la medianoche. Sus instrucciones eran tomar un taxi que las llevaría hasta Tarazá y allí se las debía entregar a un tercero. Ese era el encargado de conducirlas hasta la casa ocupada por el objetivo.

¿Qué hicimos?

—Medellín, urgente, monten un puesto de control a la salida hacia Tarazá y verifiquen un taxi de tales características que trae a dos mujeres con pinta de prepagos.

Los muchachos lo hicieron y finalmente detuvieron a un tipo en un Renault Citrus, lo identificaron, no tenía antecedentes pero se trataba de un paramilitar desmovilizado, es decir que supuestamente había pactado la paz: blanco es, gallina lo pone.

—¿Cuantas mujeres vienen?

—Dos.

—¿Pinta?

—Una "P".

—¿Placas?

Como teníamos grupos más avanzados hacia Medellín, las comunicaciones eran claves.

—Punto uno: cruzó el taxi.

—Punto dos: cruzó.

—Punto tres: es suyo, lo tiene a cinco minutos. Se lo entregamos.

—Es mío, lo tomo.

Lo seguimos hasta la entrada a Tarazá. Allí se detuvo al lado de una Nissan azul, doble cabina, camioneta cuatro por cuatro *pick up*.

En adelante el seguimiento se haría desde el aire y nuestro trabajo consistiría en marcarle la camioneta a la nave con un sistema electrónico solamente identificable desde arriba.

El avión plataforma de la Policía despegó a nuestro aviso, pronto lo escuchamos encima y nos reportamos tal vez durante unos quince minutos, pero el clima se puso en contra: cielo aparatoso, nubes espesas y desde luego, una cortina de niebla cerrada que nos hizo perder al objetivo. No había nada más que hacer.

Las prepagos regresaron a la mañana siguiente y una vez en Medellín fueron ubicadas por nosotros. Un par de días más tarde, el enlace del segundo Mellizo buscó a una de ellas y le dijo:

—Véngase en avión que el señor quiere volver a verla.

La mujer llegó al aeropuerto de una ciudad a media hora de donde nos encontrábamos, fuimos hasta allá, vimos que la recogió la camioneta azul, pedimos el avión, pero mientras se ubicaba y nosotros llegábamos a Tarazá, no logramos coincidir con él y perdimos otra opción.

En esos ires y venires logramos identificar un lugar en Tarazá, donde guardaban dos camionetas Toyota Prado, la camioneta azul, carros de golf, cuatrimotos, todo esto en un municipio tan pequeño.

Punto a favor.

ISMAEL (Oficial superior)

Al cabo de un tiempo supimos de cuatro o cinco casas en el campo y sus chismes y sus historias. Alicia tomaba nota de lo que le contaban sus empleadas y todo coincidía con el trabajo que venían realizando Felipe y sus hombres en Tarazá.

Cruzando informaciones se llegó a una finca llamada La Moneda que coincidía en todas las versiones. Un lugar que —fueron contando poco a poco— estaba muy bien camuflado y muy bien controlado por ellos y sus secuaces.

Luego adquirimos un carro que pudiera entrar a aquel campo que nosotros denominamos "x" porque tenía accesos y salidas por todos los costados. Esa era la zona donde se hallaba Víctor, el segundo Mellizo, protegido por aquella organización de bandidos.

Tratamos de verificar el sitio, pero teníamos el agravante de no conocer la zona que, efectivamente, se hallaba demasiado controlada.

FELIPE (Oficial superior)

Ya teníamos una idea clara de la existencia de La Moneda, tanto por las informaciones del analista desde Bogotá como por lo que escuchábamos en los bares del lugar. Además, nos informaban de lo que se vivía en el café de Alicia.

—Pero ¿usted para dónde me quiere llevar? —preguntaban las chicas que atendían las mesas.

—Para allá arriba donde tenemos una fiesta.

—¿Y dónde es allá arriba?

—Aquí cerca. A La Moneda, a una hora de aquí.

De acuerdo con las historias que se iban cruzando, le dimos a nuestro equipo misiones muy específicas, por ejemplo, no detener directamente a personas de la banda, como a Rambo y demás, sino a gente de la región, ajena a los bandidos:

—¿Qué es La Moneda?

—Una finca con un campo de fútbol.

—¿Dónde queda?

—Allá arriba, por tal y tal camino, o por tal otro…

La gente empezaba haciendo descripciones y luego historias, y todo concluía con que aquel era el bastión de Víctor o, por lo menos, su punto de mayor permanencia. La finca era un lugar reconocido en Tarazá, porque había pertenecido a un bloque de los paramilitares antes de ser comprado por Los Mellizos.

Posteriormente a esto continuamos nuestro trabajo investigativo a partir de Caucasia, pero ya se hacía cada día más evidente, más cercano para nosotros el llegar hasta el objetivo, pues ya coincidían muchos elementos de información que nos decían, "allí está, allí está".

Deberían ser finales de marzo o algo así, y ya nuestros jefes había hecho contacto con un personaje a quien llamaban el Tocayo, una fuente que llegó dispuesta a darnos la información.

Nosotros nunca tuvimos contacto con él porque nos hallábamos en un trabajo muy específico y el tipo se entendía con los jefes. El personaje le había sido enviado al director de la Policía por algún ministerio del poder central.

En las entrevistas que realizaron con el Tocayo y apoyándose en toda la cartografía y en toda la información previa que teníamos sobre el objetivo se fueron decantando situaciones. Por ejemplo, la fuente habló directamente de La Moneda.

Clarificadas muchas cosas, se dispuso el traslado de los comandos dirigidos Raúl a la zona de Tarazá. Para esa época se estaban presentando en aquel pueblo unas marchas campesinas muy concurridas y muy belicosas contra la fumigación y la erradicación manual de los cultivos de coca.

Como consecuencia había bloqueos en la vía principal, y desde luego pedreas y conflictos con la Policía local, por lo cual se tomó la decisión de enviar allí a un escuadrón antidisturbios, unidad de la Policía especializada en manejo de turbas.

Aprovechando su presencia, nos asociamos con ellos, entre comillas, porque nuestra razón de ser es mantener en secreto el objetivo real, no solamente ante la Policía sino frente a todo el mundo.

Desde luego, allí nos encontrábamos con algunos oficiales conocidos que nos preguntaban qué estábamos haciendo en ese lugar:

—Tratamos de ayudar para que esto se supere pronto, pues la impresión es que las marchas puedan estar infiltradas por grupos armados ilegales —respondíamos.

Gracias a ese clima de agitación, ahora teníamos la tranquilidad de sentarnos en el parque central del pueblo con otros policías, la facilidad de observar a personas sospechosas que se movían por allí, sus rutinas, sus movimientos… Hacíamos inteligencia abierta.

En aquellos días nos benefició también el sobrevuelo de aeronaves gracias a las marchas y todo aquello sumado lo fuimos capitalizando a favor de lograr nuestro objetivo.

Aprovechando todo aquel movimiento de aeronaves, de Policía antidisturbios, se ubicó al grupo táctico, apoyado en las coordenadas que habíamos cotejado con mapas y confirmado con la fuente.

Un primer paso consistía en ubicar inicialmente a los comandos en un punto a diez kilómetros de La Moneda.

ISMAEL (Oficial superior)

Sí, había aparecido un hombre en Medellín a quien llamaban el Tocayo, fuimos hasta allá con Antonio, el jefe, nos reunimos con él y sin ningún rodeo, soltó así:

—Yo sé dónde se esconde Víctor, el segundo Mellizo.

Luego explicó que en la zona había varias fincas:

—No equivocarse, la del escondite se llama La Moneda. No puedo ubicarla ahora con exactitud… No puedo hacer un mapa confiable.

Se ordenó un sobrevuelo pero la localización del punto fue muy difícil, porque para algunas personas como aquel hombre, una cosa es llegar por tierra a un lugar y otra orientarse desde el aire.

—Es que desde aquí ya no tengo como referencias la cerca, la senda, el árbol, la estaca pintada...

En un segundo sobrevuelo sí localizamos el punto y establecimos las coordenadas, pero las del helicóptero. De regreso montamos un operativo que consistía en infiltrarse en la zona hasta llegar a la finca.

Nos pusimos en marcha, pero cuando íbamos hasta el lugar establecido para iniciar la infiltración, nos encontramos con un bloqueo de camiones y tractomulas: una protesta de campesinos que se habían tomado a Tarazá y no dejaban circular vehículos. Taponaron la vía y la Policía tuvo que entrar a controlar la situación.

Al llegar los policías se formó una manifestación y, como es lógico, hubo enfrentamientos, gritos, gases lacrimógenos y las cosas se fueron complicando más.

Nuestro problema era atravesar la manifestación con los comandos del Grupo Antiterrorista de la Policía al mando de Raúl, aquel oficial superior de gran experiencia. Buscábamos avanzar hasta La Moneda.

Viendo aquella situación, resolvimos entonces vestir a los comandos como policías de los escuadrones antidisturbios con sus cascos, sus escudos, sus protectores negros en el pecho, el vientre, las piernas, los pies.

Puesto que el comandante de la Policía de aquel departamento no sabía de nuestra operación, tuvimos que llamarlo para decirle que llegaría un refuerzo de hombres antidisturbios.

El armamento de los comandos, fusiles, visores nocturnos, instrumentos electrónicos y todos aquellos implementos con que ellos trabajan se los enviamos en una volqueta cargada con piedras, imagen muy común en aquel lugar.

A eso de la una de la mañana empezó a llover, llegó el frío y algunos agitadores se fueron para sus casas, otros a las fincas y quedaron unos cuatro o cinco jóvenes que finalmente dijeron: "Vámonos a dormir y mañana seguimos con esta bronca".

Cuando se retiraron, los comandos pasaron de largo y tomaron una senda al mando de un coronel y un mayor, en busca de La Moneda. Les faltaba el armamento, de manera que avanzaron un poco más, llegaron a una senda y allí descargaron las piedras, rescataron sus armas y arrancaron en búsqueda del punto, avanzando a campo traviesa para eludir caminos, senderos conocidos y zonas con algunos habitantes.

Desde luego se movían durante las noches y acampaban de día en lugares boscosos o de grandes matorrales. Tardaron cuatro jornadas para llegar a las inmediaciones de La Moneda.

Como era una época de grandes lluvias, había charcos enormes, riachuelos y lagunas crecidas, de manera que tuvieron que trazar un semicírculo, desviándose un tanto del rumbo que traían.

Sumando aquel desvío a las coordenadas que había dado el helicóptero y a las que ellos tenían, se les formó un rompecabezas, terminaron extraviándose y no localizaron el punto. Resulta que las del helicóptero fueron tomadas muy al cálculo para no volar exactamente sobre la casa con el fin de no alertar al bandido.

De todas maneras, en ese momento ya estaban los comandos adentro, el resto de la operación totalmente listo para actuar, y ante aquel dilema, nuestro jefe ordenó que sobrevolara un avión.

Rehíce el camino, me subí en el avión con el informante y nos elevamos hasta unos trece mil pies, pero el cielo estaba muy nublado y el piloto me dijo:

—Lo único que podemos hacer es descender y volar por debajo del techo de nubes.

Pero si descendíamos, los delincuentes entrarían en alerta y huirían de allí.

Estando arriba, tal vez por el clima y la nubosidad perdimos enlace con nuestro jefe, de manera que, a partir de allí, a él le tocaba comunicarse con Bogotá y Bogotá reportarle al piloto, pues a mí no me llegaban señales ni al celular ni al teléfono satelital.

Total, descendimos un tanto, hicimos el primer giro amplio sin ver absolutamente nada por la niebla, pero en la segunda vuelta se presentó mi Dios y encontramos un pequeño claro, un hueco dentro de las nubes, y abajo, justamente abajo, vimos perfectamente La Moneda.

La reconocí, le tomaron fotografías y se rectificaron posiciones. Hicimos otro giro para pasar nuevamente sobre aquel punto y reconfirmar nuestros cálculos, pero ya no: ya las nubes se habían vuelto a cerrar.

Continuábamos entonces sin comunicaciones con nuestro jefe y él insistía, hasta que en un instante tuvimos enlace:

¿Qué sucede? ¿Qué está sucediendo?

—Que está totalmente cerrado por las nubes.

—No importa. Que hagan una sola pasada por debajo de las nubes, y listos.

Yo ya tenía la posición, la fotografía, lo que necesitábamos y le dije al piloto:

—No bajemos porque alertamos a los bandidos. No bajemos.

A través del puente de comunicaciones el piloto dijo que el oficial de Inteligencia a bordo del avión no quería bajar.

No respondimos y finalmente llegamos al aeropuerto. El jefe estaba extrañado por no haberle cumplido la orden:

—Es que ya tengo la fotografía y también la posición exacta de La Moneda —respondí.

Inmediatamente se comunicó con los comandos:

—Confirmo posición objetivo, les rectifico las coordenadas —dijo, y esa misma noche los comandos del Grupo Antiterrorista se movieron en aquella dirección. En ese momento estaban bastante retirados del punto.

Sin embargo, llegaron allí un poco después de la medianoche y se ubicaron alrededor de la casa, pero al parecer estaba desocupada porque no se escuchaba nada, no había ninguna luz, tampoco se podían acercar más, esperaron y finalmente comenzó a amanecer y empezaron a pasar la voz a través de sus comunicadores:

—Nadie por aquí.

—Nadie por este punto.

—Silencio total por este costado.

Esperaron un poco más y de pronto salió alguien cantando. Parecía una mujer, se acercó más y sí, una mujer, una negra cantando:

—*Seré tu amante bandidoooo.*

—La que canta es una mujer. Parece empleada del servicio.

Esperaron, llegó el mediodía y la única que salía algunas veces era la negra, ahora vestida de rojo. Ellos conservaron sus posiciones sin haber dormido, comiendo poco, pero a la expectativa porque Raúl tenía la seguridad de que por fin aparecería alguien en aquella casa.

Nosotros almorzamos en nuestra base en Medellín y cuando terminamos, el jefe Antonio dijo:

—Vamos a buscar una iglesia.

Había una misa no muy lejos de allí y entramos a orar, a pedirle ayuda a mi Dios, muy concentrados, con una gran fe.

FELIPE (Oficial superior)

En un restaurante de Tarazá nos habíamos enterado de la existencia de un sujeto de toda la confianza de Víctor, el segundo Mellizo, a quien llamaban Juanes. Un muchacho de unos veinticuatro años.

El tipo era cercano al bandido, digamos que en algunos temas delictivos, pero también para asuntos de descanso, de quejas, de cobros, de cosas así. Este sujeto le consiguió dos mujeres prepago al segundo Mellizo.

Nosotros ya estábamos en operación pero seguíamos trabajando nuestra parte de Inteligencia y de investigación desde Tarazá y desde Caucasia. Realmente Juanes recogió a dos chicas prepago en Cali y se vinieron por tierra.

En Tarazá empezamos a hacerle la cacería, porque no sabíamos en qué se movía y después de mucha vigilancia en la carretera y mucha observación en el pueblo, logramos ubicar un vehículo Mitsubishi plateado en el que venían Juanes, otro hombre y dos mujeres.

¿Quién era el acompañante? ¿Recuerda usted el momento en que el Mellizo Pablo Arauca se voló del peaje en El Copey y capturamos a uno de sus guardaespaldas en la camioneta blanca abollada?

Ahora el mismo tipo iba como acompañante de Juanes y las dos mujeres. Eso nos dio más claridad. Entonces, de acuerdo con todo lo que estábamos hallando, confirmando y acopiando, dijimos: "Esta operación está entrando en su última fase".

Esa noche Juanes y las divas se metieron en un hotel de camioneros a la orilla de la carretera y formaron un merequetengue del diablo. Eran dos muchachas de Cali, como siempre jóvenes y como siempre bonitas, que soplaban marihuana como chimeneas. Nosotros nos habíamos hospedado en la habitación contigua, y bueno…

Pues a Juanes y sus chicas les llegó a la mañana siguiente un campero viejito, color rojo, un vehículo de bajo perfil que no generaba sospechas y pensamos que en ese iban a continuar hasta la cueva de Víctor.

Nosotros reportamos lo que había sucedido en Tarazá durante las últimas horas y respondieron:

—Quietos. Esperen. Tenemos información por el otro frente.

Sucede que en el momento en que Juanes hacía su bacanal, Raúl y sus comandos ya habían ubicado al objetivo y estaban haciendo la observación directamente sobre la casa, donde se movían una cocinera negra y un par de guardaespaldas.

ISMAEL (Oficial superior)

Terminó la misa y salimos de la iglesia dispuestos a continuar esperando, pero cuando íbamos llegando al hotel se comunicaron con nosotros:

—¿Quién habla?

—Grillo.

Grillo es el compañero del francotirador del grupo de comandos:

—¿Qué hay?

—Empezamos a controlar a la negra de la canción, y como a las tres horas apareció un señor con cuatro guardaespaldas. En este momento está en la casa. Llegó con un perro.

Cuando se nos escapó del peaje Pablo Arauca, a uno de sus guardaespaldas le habíamos decomisado varias memorias de computadora y una cámara fotográfica. Entre aquellas fotos había una de uno de Los Mellizos bañándose en una piscina y otra en la que aparecía con la cocinera y con un perro.

—¿De qué color es el perro?

—Negro. Ese perro está a los pies de mi mayor.

Era un perro juguetón, le dio vuelta a la casa, los olfateó y se fue hasta donde se hallaba el jefe del comando y se quedó mirándolo en silencio. Luego se echó a sus pies.

Él le decía "Váyase, váyase", pero el animal no se movía de allí.

Pasados unos veinte minutos, Grillo se volvió a comunicar y le preguntamos:

—¿El hombre tiene ropa camuflada?

—Sí, claro, camuflado del desierto.

—Ese es Víctor, el segundo Mellizo. Dígale al oficial que ese es el objetivo. Es el de ropa camuflada amarillenta. Que procedan.

Nosotros nos fuimos para el aeropuerto de Medellín donde teníamos nuestra base, abordamos un helicóptero y simultáneamente empezó el operativo.

RAÚL (Comando)

Me había reunido con mis jefes y ellos me mostraron una serie de fotografías de fincas por la zona de Tarazá, pero las coordenadas con que contábamos en aquel momento eran aproximadas.

En las fotografías se veían la casa de una finca muy sencilla a veinte metros de una laguna y más allá un cobertizo con dos cuatrimotos. En aquel punto debía estar uno de los Mellizos.

Organicé la operación y salimos de Medellín con mi gente en una volqueta conducida por uno de nuestros hombres y en dos camionetas, pero por la premura, en esa ocasión no pudimos ir previamente hasta el lugar, estudiarlo y confirmar las coordenadas.

Íbamos de civil con los equipos guardados en maletas, llegamos a Caucasia, pasamos por allí y más adelante encontramos una manifestación de campesinos, una muchedumbre, y frente a ella, Policía Antimotines.

Desde luego, se trataba de que ni la Policía local supiera que nosotros nos encontrábamos allá, y, además, teníamos la preocupación de que no nos fueran a detener porque revisarían las maletas y encontrarían el armamento, los equipos optrónicos y demás.

Reportamos al jefe lo del paro y la presencia de policía y ejército y me dijeron que de todas maneras cruzáramos:

—Sigan adelante y piensen en qué van a inventar en caso de…

Continuamos por la vía principal con la buena suerte de que nunca nos detuvieron porque había mucha congestión de vehículos, pasamos incluso por donde estaba el Escuadrón Móvil Antidisturbios, y allí casualmente reconocí a un compañero y tuve que esconderme. Él sabe en qué trabajo. No pensaba que me fuera a vender, nada por el estilo, simplemente que, por ejemplo, me saludara y los demás policías podrían preguntarle quién era yo.

Por fin cruzamos aquel sitio a eso de las once de la mañana, llevando aquellas coordenadas que me habían suministrado y estaba buscando un punto propicio por dónde iniciar la infiltración.

Por causa del paro había muchos vehículos en la vía y a eso de la una de la tarde llegamos hasta un punto paralelo a la coordenada, pero como en pleno día no podíamos echar pie a tierra, para matar el tiempo nos tocó ir hasta Planeta Rica, un pueblo en Córdoba, otro departamento, y regresar de allí para llegar finalmente al punto clave a eso de las diez de la noche.

En el viaje de ida había visto aquel sitio, pues se trata de una zona con muchas fincas y casas de recreo, y allí localicé un par de viviendas situadas cada una sobre una colina, pero las puertas de acceso estaban juntas.

Por cerca de uno de los costados del lugar de entrada habíamos visto una corriente de agua y una ruta de acceso propicia, de manera que cuando regresamos en la noche nos detuvimos.

Aunque el paro continuaba, ahora el flujo de vehículos era menor. Las camionetas que nos acompañaban marchaban una adelante y otra detrás del camión, distantes unos seiscientos metros para que nos indicaran en qué momento la vía estaba desierta para poder bajarnos.

En aquella zona el terreno es despejado y muy ondulado y hay una pequeña vegetación pero en las orillas del cuerpo de agua: un terreno similar al de la casa de la piscina y del búnker de donde se nos había escapado el bandido la última vez.

Pensando en el objetivo, en línea recta debíamos estar a cuatro kilómetros, pero para acceder a aquel lugar duramos seis días, por el tipo de terreno que debíamos atravesar: teníamos que bordear pantanos y cañadas, pues estábamos en lo más intenso de la época de lluvias, mucho invierno, terrenos inundados: atravesábamos grandes tramos con el agua al pecho, en otras zonas caminos de herradura convertidos en masas de lodo. Era muy difícil avanzar.

La misma noche de nuestra llegada habíamos comenzado la travesía por una región con haciendas y fincas ganaderas, y desde luego con una gran población de perros. Los perros lo huelen a uno a un kilómetro o un poco más. En esos casos, utilizamos un Motoman SDA-10 para acallarlos desde la distancia.

Caminábamos marcando rutas. Unos quinientos metros adelante iban dos comandos de reconocimiento relativamente livianos ayudándose con dispositivos Point Grey Bumblebee II que duplican la capacidad de sus ojos, en busca de las mejores rutas, y los demás avanzábamos con nuestros visores nocturnos, dándoles tiempo para que constataran que no se encontraban obstáculos que nos obligaran a regresar.

A los seis días llegamos a la coordenada que nos habían suministrado inicialmente, pero en aquel punto no encontramos nada. Allí lo que hallamos fue un peladero con vegetación en los costados. No había viviendas, no había cercas, no había nada. Se presumía que en aquel punto debería estar la casa de una de las fotografías.

Llamé al jefe, le conté la situación y me dijo que esperáramos allí mientras coordinaba un vuelo de reconocimiento.

Según la época, aquella noche el cielo también estaba cubierto de nubes y, abajo, una niebla densa subía a partir de la vegetación. El vuelo se había realizado para ubicarnos, aunque ellos tenían las coordenadas que les reportábamos, y nosotros unos equipos de destellos para que nos ubicaran. Gracias a ese intercambio de señales hicimos cálculos y ya supimos exactamente por dónde íbamos.

Al día siguiente se realizó otro vuelo para localizar al objetivo, un día también lluvioso, cielo aparatoso, niebla, pero dijeron que después de varios giros, de pronto apareció un hueco en las nubes y a través de él vieron la casa. Repitieron el giro y ya no. Ya se habían cerrado las nubes.

Nosotros los escuchábamos y eso nos iba sirviendo de orientación, de manera que ya con el objetivo rectificado y la guía por el ruido de la aeronave, la noche siguiente volvimos a caminar.

En aquel momento llevábamos seis días en el terreno, recorriendo entre dos y tres kilómetros diarios por las noches a través de la vegetación, lo que supone mucha dificultad para avanzar, por el terreno blando, por los pantanos, por la lluvia… Desde luego esa lluvia evitaba que fuéramos detectados, pues el ruido que uno pueda causar es mucho menor que en cualquier otra situación.

De todas maneras, habíamos rectificado la orientación y caminamos una noche completa, pero aún así, no alcanzamos a llegar al punto. Tuvimos que dejar correr un día y una noche más.

En adelante avanzamos por las cercanías de un camino. A partir de allí envié tres equipos de dos hombres cada uno con el fin de observar la zona. Marchaban más o menos un kilómetro alejados unos de los otros. Ellos no habían visto la fotografía y se la describí: una casa así y asá al lado de una laguna, un cobertizo con dos cuatrimotos…

Regresaron más tarde. Solamente habían encontrado hondonadas y matorrales y seguimos caminando por terreno escarpado y pasos tan difíciles por la capa de barro que nos hacía resbalar y caer.

Subiendo hicimos altos porque nos cansábamos por el peso en las espaldas y hacíamos observaciones de seguridad *a las nueve, a las tres, a las seis*, es decir, a los costados y a las espaldas de la formación: tomábamos agua y descansábamos dos, tres minutos y continuábamos.

Una vez en la parte más alta de la colina avanzamos unos metros y nos detuvimos. Fui hasta uno de los extremos, observé alrededor, miré a través de unos visores infrarrojos y más allá vi la misma imagen que me habían mostrado antes de partir: la casa, el lago, el cobertizo, las cuatrimotos…

Nos dividimos en tres equipos. En ese punto que era el más alto se quedaron el francotirador y el observador, es decir, otro comando con una mira especial.

El fusil de francotiro es más poderoso, un calibre más grande y una mira tan potente, casi como toda la optrónica que utilizamos. Optrónicos son equipos sensibles como visores, miras, apuntadores, etcétera. Los manos libres de nuestros radios también son especiales.

En esos casos la labor del observador es prestarle seguridad al francotirador mientras está haciendo su trabajo: el francotirador permanece absolutamente pendiente del objetivo; puede durar horas mirando hacia el mismo punto y el acompañante vigila el entorno con visores especiales.

Bueno, pues dejé al binomio sobre la colina y los demás bajamos, nos colocamos uno al costado norte y el otro al costado oriental de la casa —es decir, *a las doce y a las tres*— separados trescientos cincuenta metros más o menos. Sin embargo, todos teníamos visual sobre la vivienda.

Esa noche, allí no había perros ni caballos. No había nada. Silencio. Tampoco se veía nada.

A eso de las siete de la mañana salió una cocinera negra, envuelta en una toalla roja amarrada al pecho, con moña alta y cantando a todo pulmón algo así como *Seré tu amante bandidooo*…

A esa hora yo estaba en mi turno de seguridad y los compañeros descansaban. En estos casos todos hacemos lo mismo así uno sea el comandante. Es que ya trabajando hay mucha hermandad: por ejemplo, nosotros llevamos catorce años hombro a hombro. Anteriormente éramos instructores de Operaciones Especiales y cuando se creó este cuerpo de Bandas

Criminales, me traje a la gente de mi confianza. Es que en un equipo como el nuestro debe haber mucha cohesión. Además, en él, cada uno tiene una responsabilidad individual, fruto de su gran experiencia.

Bueno, detrás de la cocinera salieron dos hombres corpulentos con pinta de bandidos y nosotros continuamos pendientes de la aparición del objetivo. Sin embargo, transcurrió el tiempo y no ocurrió nada más. La cocinera continuaba cantando a gritos. Nosotros estábamos como a unos cincuenta metros de la casa observando fijamente y el resto a unos trescientos cincuenta metros en línea recta: un triángulo alrededor de la construcción.

La cocinera llamó a los dos tipos a desayunar, ellos comieron y salieron en las cuatrimotos. El resto del día la única persona que permaneció en la casa fue ella y al atardecer llegó gente a caballo, en otras motos y cuatrimotos, armados, pero entre ellos no apareció el objetivo.

En ese momento, mi jefe se comunicó una vez más:

—Espere el tiempo que sea. Hasta que no lo vea, no es suyo.

De todas maneras, la presencia de la cocinera nos confirmaba la cercanía del objetivo.

Bueno, pues empezó un completo ir y venir de aquellas personas, todas armadas, como dije, en caballos, en cuatrimotos y en motocicletas. Siempre en parejas o tríos. Nunca se veía a uno solo recorriendo alguno de los caminos que llegaban hasta la casa. Estaban como patrullando, como trayendo y llevando mensajes.

El sitio donde yo estaba era también una cañada con bastante vegetación y en el fondo una corriente de agua. Nuestros jefes se comunicaban con mucha frecuencia. Estaban ansiosos.

Otro factor que teníamos en cuenta era que el objetivo debía asomarse acompañado por un perro labrador negro.

Corrió un tiempo corto, de pronto escuchamos voces y llegaron tres caballos y sus jinetes con fusiles y pistolas. Se acercaron a la casa, desmontaron, amarraron los caballos cerca de las motos y detrás de ellos aparecieron dos más, esta vez, también en motos.

Reporté aquellos movimientos, alerté a mi gente, pues, es cierto, teníamos visual sobre la casa, pero no sobre los caminos que llegaban hasta allí.

Estábamos muy concentrados y de un momento a otro apareció un perro labrador negro, pero apareció allí, prácticamente encima de nosotros. Esperamos a que ladrara pero no lo hizo y en lugar de abrir la jeta se me abalanzó encima en plan de juego. Yo lo empujaba y él movía la cola. Estaba feliz. Me imagino que como nos vio armados y él se había acostumbrado a andar con gente armada, tal vez creyó que éramos de los mismos. O por lo menos, para él era normal ver gente con fusiles y pistolas.

Cuando escuchamos voces más cerca, vimos por fin al objetivo a siete metros de nosotros. Venía trotando suave con dos personas a su lado. Tenía puesto un pantalón camuflado del desierto, botas de desierto, sin camiseta. Los otros dos con pantalones y camisas normales.

Lo vi muy cerca y, claro, lo identifiqué, pero el perro continuaba encima de mí. Lo empujaba para que se fuera de allí pero él se acercaba más y más a nosotros. Creía que estábamos jugando con él.

En aquel momento le comuniqué a nuestros jefes que estaba viendo al Mellizo a pocos metros pero que el perro continuaba jugando encima de mí.

—¿Está seguro de que es el objetivo? —preguntaron.

—Sí. Claro que es él.

—Tiene luz verde para actuar.

—Perfecto.

En ese momento no sabíamos las posiciones de las demás personas que habían llegado, de manera que debía comunicarme primero con mi gente para acordar la forma como íbamos a actuar.

Nosotros ya tenemos unos protocolos establecidos según cada situación, pero en estas cosas como tan puntuales hay que ser muy fino en el detalle pues están de por medio nuestras vidas y las de ellos. Claro, nuestra seguridad por encima de cualquier cosa.

Bueno, llegó el objetivo y se detuvo frente a la casa. *A las nueve* había un gimnasio multifuerza, varios aparatos en uno y el Mellizo empezó a hacer ejercicios. Me comuniqué con mi gente:

—¿Qué están viendo?

Había dos tipos en tal parte, había uno sentado en tal lado, otro con la cocinera detrás de la casa…

Los comandos se hallaban listos y sabían que yo les avisaría en qué momento debíamos actuar.

En aquel lapso, cinco de los seis hombres que se hallaban en una especie de pasillo entraron a la casa y mis hombres dijeron que solamente había quedado una persona afuera pendiente del Mellizo que continuaba en el gimnasio, y había otros dos *a las tres*, cerca de las motos.

Era el momento propicio y le dije al francotirador que estuviera pendiente de los dos hombres cercanos a las motos. Ellos nos podrían ver inicialmente.

Efectivamente empezamos a avanzar sobre la casa mediante una técnica que se llama "línea extendida" que consiste en colocarse todos a la misma altura, avanzando a la misma velocidad, uno al pie del otro. Uno al pie del otro…

Nos fuimos nosotros tres hacia *las doce,* es decir, de frente a la casa, avanzaron los demás y el francotirador y su compañero permanecían inmóviles en sus puestos.

Dimos unos pasos más, enfrentamos la casa, nos vieron los de las motos y empezaron a dispararnos. Nosotros corrimos y el francotirador los abatió de forma inmediata.

Cuando avanzábamos ya de frente hacia la casa, uno de mis hombres se hizo al lado izquierdo de la entrada, solo, porque por allí se encontraba la negra con un tipo. Él se les acercó los neutralizó y cuando nosotros íbamos llegando a la vivienda, salió el segundo Mellizo disparándonos, pero cayó muy pronto con un balazo donde termina la garganta y comienzan las clavículas, en la tráquea. Un solo disparo.

Salieron otros dos y nos enfrentamos con ellos, le dimos de baja a uno, el otro se entregó y los que estaban dentro de la casa partieron en dirección al lugar que ocupaba la negra pero el comando que estaba en ese punto también los neutralizó.

Un poco después escuchamos disparos y salieron de la vegetación, atrás de la casa, dos hombres que no habíamos visto.

El francotirador y su compañero ya estaban abandonando su puesto para quitarles las armas y revisar los cuerpos de los que habían caído al lado de las motos, y los que aparecieron por detrás quedaron frente a ellos, con la mala suerte, que los dos comandos tenían armas más pesadas, una ametralladora y un par de lanzagranadas.

Aquellos buscaron la vegetación detrás de la casa, insistieron con fuego nutrido y, claro, los comandos los disminuyeron en cosa de minutos. Los bandidos tiraron sus armas y partieron.

En esos momentos comenzaron los comentarios entre los bandidos. Decían que un batallón completo del Ejército le había caído al patrón. Los tipos se llamaban por números y empezaron a hacer coordinaciones, a organizarse.

Nosotros habíamos dejado de disparar y me comuniqué con Antonio:

—El objetivo está neutralizado.

—¿Es él? ¿Realmente es él? —preguntó.

—Sí. Es él. Es él.

—Verifique bien.

—Verificado. Es él. Está tendido a la entrada a la casa… Por favor, envíennos refuerzos en helicópteros porque estamos escuchando que los bandidos tratan de organizarse.

Luego entramos: una casa humilde, juguetes sexuales, dos botellas de tequila especial, Don Julio 194, ropa interior de marca, camisas y pantalones camuflados, gorras finas, todo sin estrenar.

Salí hasta la puerta, miré una vez más el cadáver y en ese momento ya no lo vi parecido al objetivo, llamé a dos de mis hombres y les mostré la fotografía que cargaba en un bolsillo:

—¿Este es el muerto?

—Sí, claro. Es el mismo, respondieron.

En aquel momento se desató una tormenta: la lluvia parecía una cortina espesa, rayos, relámpagos, viento huracanado. Eran cerca de las siete de la noche.

SEBASTIÁN (Oficial superior)

A esa misma hora, con el mismo temporal, arrestamos a Juanes, a las dos mujeres prepago y al primo de Los Mellizos, aquel que habíamos capturado cuando se nos voló Pablo Arauca del peaje.

RAÚL (Comando)

Por causa del temporal trasladaron en un avión gente de la Policía Judicial, oficiales, dactiloscopista y un fotógrafo especializado para comenzar la fase judicial. Más tarde los recogieron en un aeropuerto cercano, pero por el estado del tiempo sólo pudo volar un helicóptero.

La nave llegó hasta allí por instrumentos. No lejos de la casa cruzaban líneas eléctricas, el aparato alcanzó a tumbar una y estuvo a punto de caer sobre el lago.

A la medianoche entraron otros dos helicópteros, más comandos y con ellos nuestros jefes.

FELIPE (Oficial superior)

Uno de los caídos allí fue Rambo, el sujeto que controlábamos en Tarazá, el de la motocicleta dorada, un pistolero al servicio del bandido.

Víctor, el Mellizo, tenía dos pistolas, pantalón camuflado de desierto y el torso desnudo. Rambo llevaba una subametralladora MP5 y otro escolta, también caído, un fusil AK47.

Una operación con transparencia. Así como se había dado de baja a los que se enfrentaron, estaban vivos los que no lo hicieron.

Aquella noche, nosotros habíamos despegado volando visual en plena época de lluvias, pensando en qué momento podía caerse el helicóptero, en qué momento... Llovía mucho, un viaje molesto, feo, riesgoso. Llegamos al punto y no encontrábamos la casa.

Luego los muchachos de tierra nos ubicaron, logramos aterrizar... Uno de aquellos aterrizajes en los que uno no sabe dónde tocó tierra, cómo logró ponerse a salvo. Esa noche los relámpagos medianamente nos permitían ver el piso, lleno de charcos y barro, charcos...

En la puerta de entrada a la casa encontramos el cadáver del bandido tendido sobre el piso.

Mirando aquella casa, mi primera conclusión fue que no vale la pena ser delincuente. ¿Por qué? Porque puede que sea dueño de cientos o de miles de millones de dólares, que pueda pagar la deuda externa de un país con dinero del narcotráfico, que pueda acceder a lo que más le guste, que la modelo más prestigiosa se acueste con uno durante un fin de semana a cambio de miles de dólares. O que llegue a ser el delincuente más rico y más poderoso... Puede ser.

Pero ¿observar la forma como vivía esa persona? La construcción parecía un criadero de cerdos: una casa similar a una choza, enclavada en un cañón entre las montañas, pisos de barro sentado, paredes en bahareque, o sea, palos mezclados con caña y barro.

Entraba usted y encontraba una sala comedor con un par de sillas de plástico, un desorden de botas embarradas, una cama ancha, doble y un televisor con señal satélite, un aire acondicionado, no sabíamos si servía o no servía, un armario con unas treinta camisetas camufladas, oscuras, con nombres en inglés, debajo de las cuales se cruzaban ratones, cucarachas, basura.

Al otro lado encontraba usted veinte telas para secarse el sudor, aquí las llaman *ponchos*, cantidades de pantalones camuflados con ocho bolsillos cada uno, lociones, juguetes sexuales, guantes, gorras, más allá un baño pequeño, modesto.

En una mesa una especie de sopa, un sudado frío y dentro del sudado más cucarachas.

Atrás, una estufa y una habitación donde dormían los guardaespaldas: colchones tirados sobre aquel piso de barro y basura en los rincones.

Allí transcurría la vida de un hombre lleno de dinero.

FERNANDO (Inteligencia)

El Mellizo tenía allí unas cartas impactantes para uno, cartas como una en la que la hija le decía: "Papi, muchas gracias, la pasé superdelicioso, gracias por prestarme tu isla. Allá hicimos una rumba muy chévere con mis amigos".

Encontramos fotografías de una isla bella, tal vez en el Caribe. Estos hombres eran dueños de propiedades casi inverosímiles para cualquier persona corriente.

Había fotos de él con la familia en Australia. Cartas donde los hijos le decían, "Papi, estamos cansados de vivir solos, necesitamos que estés con nosotros. Parecemos extraños".

De todas sus mujeres, había varias fotos de una modelito que lo traía loco. Ella lo regañaba, mandaba en él: "¿Cómo es esto? ¿Vamos a estar juntos o no vamos a vivir juntos? ¿Cómo es la cosa?", le decía en una grabación.

ISMAEL (Oficial superior)

El resultado fue la caída del objetivo y algunos de sus pistoleros, dados de baja como respuesta al ataque. La negra y otro narco fueron capturados.

¡La negra era un travesti!

Luego de la operación contra Víctor Manuel, el segundo Mellizo, viajamos a Bogotá, el general Óscar Naranjo citó a una conferencia de prensa en la Dirección de la Policía y en ella anunció la caída del bandido.

Para entonces habíamos llegado a un testigo que luego llamamos *el informante estrella*. El general Óscar Naranjo conocía con detalles la historia que le había contado ese hombre y en la conferencia de prensa, luego de anunciar la caída de Víctor Manuel, agregó:

—A su hermano, Miguel Ángel Mejía Múnera, alias *Pablo Arauca*, lo capturaremos en algunas horas porque sabemos dónde se encuentra.

Una estrategia para hacerlo mover del sitio donde se hallaba.

El resultado fue inmediato porque, efectivamente, a raíz de aquel anuncio, el bandido se trepó en una tractomula y emprendió camino.

Yo estaba en Bogotá con parte de mi gente y los demás se hallaban en la zona donde había caído el segundo Mellizo. Uno de mis agentes viajó a Cali en un avión de la Policía, allá tomó un carro y localizó a la tractomula a más de doscientos kilómetros, prácticamente llegando a Medellín. A eso de las ocho de la noche el vehículo tomó la vía que conduce a un pueblo llamado Barbosa.

Nosotros nos trasladamos de Bogotá a Medellín. A las ocho salimos con mi gente en siete carros, viajamos toda la noche y luego de amanecer alcanzamos al vehículo en plena ruta.

Unos kilómetros adelante de donde lo localizamos, el chofer se detuvo en un hotel y el oficial que iba siguiéndolo anunció que haría lo mismo, pero nosotros le dijimos que no.

—Descanse dentro de su carro.

El conductor de la tractomula durmió dos horas y reinició el camino.

Inmediatamente montamos el operativo en diferentes hoteles, en diferentes puntos claves a la espera de su paso. Unas horas después llegó a una estación de gasolina y se detuvo, yo le mandé a una persona a vigilarlo y él se quedó allí. Durmió nuevamente.

A las siete de la noche continuó el viaje y se detuvo una vez más en un motel a la orilla de la carretera.

Nosotros enviamos a una pareja de agentes a hospedarse en aquel lugar, les dieron habitación al lado de la del chofer, y un poco después entraron en comunicación con nosotros:

—Acaban de llegar dos camionetas. Se bajaron cuatro hombres.

—¿Qué hacen?

—Están hablando con el chofer de la tractomula —dijo la chica.

Permanecieron allí más de una hora.

La muchacha vio que en un momento dado se subió a la tractomula un joven y al lado de él una tercera persona, de bigote, con una pistola en la cintura.

—Están saliendo. Las dos camionetas van detrás —nos comunicó.

SEBASTIÁN (Inteligencia)

Ante el aviso de la chica partimos con Felipe en un carro blindado, alcanzamos al vehículo y continuamos con el seguimiento y a partir de allí lo marcamos hasta llegar a un punto donde fue interceptado, más de cien kilómetros adelante.

ISMAEL (Oficial superior)

El objetivo partió del motel, tomó la vía principal, yo tenía a mi gente ubicada en ventas a la orilla del camino, en casitas, y comenzaron a reportar a dos camionetas y al vehículo del objetivo desde cada uno de aquellos sitios.

Un poco después divisé las camionetas y la tractomula y coordiné el seguimiento

—Tal, sígala, un kilómetro adelante se aparta y lo releva Fulano, después Sutano…

SEBASTIÁN (Inteligencia)

Luego de la partida, Felipe y yo habíamos hablado con la Policía de Carreteras y unos pocos kilómetros adelante detuvieron a la tractomula, la revisaron y la dejaron continuar su camino. En la cabina iban el conductor, su ayudante y el Mellizo atrás, sentado en una silla amplia.

ISMAEL (Oficial superior)

Me encontraba en un punto estratégico y la vi pasar, me fijé en el chofer y en el tripulante, pero el tripulante no tenía bigote.

—¿Será? ¿No será?

A la altura de una "Y" el objetivo tomó la vía que conduce a Bogotá. Me acerqué a una patrulla de la Policía de Carreteras en un puesto de control y les dije:

—Yo soy Fulano de Tal. Estamos en un operativo. Vienen dos camionetas con matrículas tal y tal, marcas tales, colores tales, necesito que las detengan y las requisen.

Buscaba que dejaran sola a la tractomula. Ellos hicieron lo que les pedí, informaron que todos los ocupantes estaban armados aunque con documentos, y les dije nuevamente:

—Deténganlos ahí. Pidan antecedentes, demórenlos cuanto puedan.

La tractomula continuó adelante.

FELIPE (Oficial superior)

En un punto del camino se bajó el ayudante de la tractomula y compró Gatorade, Red Bull, bebidas energizantes, galletas, golosinas que no son típicas de ese gremio.

—¿Cuántos van en la cabina? —le pregunté a mi compañero.

—Yo veo dos.

—Yo también veo dos.

Antonio, nuestro jefe, estaba en la carretera con la mitad del grupo de comandos. Allí coordinó con la Policía local de una ciudad llamada Honda, los comandos se pusieron chalecos de la Policía de Carreteras y montaron un puesto de control en la entrada al municipio.

El lugar en el cual sería detenida la tractomula era una estación de gasolina escogida por el jefe, que tenía para él una historia especial. Exactamente en ese sitio salió nuestro grupo

de comandos uniformados con chalecos de la Policía de Carreteras y detuvieron al vehículo.

ISMAEL (Oficial superior)

Una vez se detuvo, un comando se dirigió al conductor.

—Sus documentos.

—No, pero ¿por qué me paran a mí?

Antes de él habíamos hecho detener a un camión similar,
y como respuesta continuamos haciendo lo mismo con los
vehículos pesados que iban apareciendo:

—¿Usted qué carga lleva?

—Bananos.

Abra.

La tractomula estaba vacía:

—¿Dónde lleva la cocaína?

—Yo no soy traficante. Yo no llevo cocaína. No llevo nada.

—¿No lleva cocaína? ¿Está seguro?… ¡Entréguenos la
cocaína!

—Señores, yo no llevo nada. Nada. Por Dios…

—¿Para dónde va?

—Para Cali.

—¿Para Cali? ¿Vacía?

—S…

—¿Cuántas personas van con usted?

—Solamente el ayudante.

Cuando se bajó el ayudante, le pregunté:

—¿Dónde está la otra persona?

—¿Cuál?

—La de bigote. Aquí viene uno de bigote.

El de bigote no aparecía y Antonio, nuestro jefe, dijo:

—Registremos milímetro a milímetro.

Buscábamos y no encontrábamos. ¿Dónde estará? Levantamos cuanto pudimos, lo movimos todo, no hallamos nada, pero nos causaron curiosidad dos cosas: una, que allí había bastante comida, y dos, un par de botas untadas de barro sobre el piso.

—¿De quién son esas botas?

—De nosotros.

Les miré los pies y eran más grandes.

Permanecimos allí como una hora, una hora y media al cabo de la cual le dijimos al conductor que apagara nuevamente el motor. Cuando se bajó por primera vez le habíamos ordenado lo mismo, pero él lo había vuelto a prender.

Corrió el tiempo. Ahora llevábamos dos horas y media en aquel punto, pero nosotros seguíamos deteniendo camiones y tractomulas para que el chofer no se pusiera demasiado nervioso.

—¿Cuál es el problema conmigo? Yo ya les mostré mis documentos, ya les mostré esto y aquello, déjenme ir. Yo no sé nada de cocaína. Yo no trafico con eso. Por favor... —dijo el hombre.

—¿Cuál es la prisa?

—Mucha. Necesito hablar con su jefe.

—¿Para qué?

—Para que me dejen prender la tractomula.

—¿Por qué?

—Porque se le agota la batería.

—Jefe, el chofer dice que se le agota la batería —le comenté y él respondió:

—No.

Empezó a llover a chorros y nosotros, ya no más puesto de control, ya no más detener camiones, nos recogimos a esperar que escampara y metimos a dos de nuestros muchachos dentro de la cabina de la tractomula y cerramos la puerta.

—Quédense muy callados. Silencio absoluto.

Veinte minutos después abrieron y uno de ellos nos dijo:

—Alguien se está asfixiando adentro, respira con mucha dificultad. Allí hay alguien escondido.

En ese momento el chofer habló:

—Se está ahogando ese *man*.

Habían pasado cerca de tres horas, volvimos a mirar por todos los rincones, nada; a golpear en las esquinas, nada.

Cuando entramos una vez más a la cabina y nos movimos hacia donde están localizados el camarote y la nevera, vimos que en una de las esquinas sobresalía una arista casi imperceptible. Allí había un escondite. Nosotros nunca pensamos que alguien se encontrara dentro de un espacio tan insignificante, tan reducido.

Se acercó nuestro jefe, esperamos allí y unos segundos más tarde vimos que en aquel sitio se abría una pequeña puerta y el bandido salía pálido, con la respiración convulsionada. Estaba prácticamente asfixiado.

FELIPE (Oficial superior)

Cuando el tipo se bajó de la tractomula preguntó quién era nuestro jefe en tono amenazante, como reclamándole por la muerte de su hermano, pero el jefe se le paró al frente y le dijo:

—Yo no le tengo miedo a usted. A los bandidos yo no les tengo miedo. He librado muchas guerras y la suya es la primera. A su hermano se le dio de baja porque se enfrentó. Y si usted se enfrenta, también le damos de baja.

Vimos que el tipo se aplacó y respondió luego:

—Los felicito, gracias por respetar mi vida…

Luego, cuando entramos a la sala de juntas de la Escuela de Aviación de la Policía, Pablo Arauca volvió a hablarle a nuestro jefe:

—General, quiero hacerle un regalo.

Sacó la imagen que llevaba en un escapulario, con ella una llave para abrir esposas, y se la entregó.

(Con esa hubiera podido escapar).

Finalmente nuestro jefe le dijo:

—Usted escogió un camino. Nosotros el nuestro: este es nuestro trabajo.

SEBASTIÁN (Oficial superior)

Antes de ser extraditado, Pablo Arauca me habló:

—Tengo mucho dinero y voy preparado psicológicamente para pagar veinticuatro años de cárcel en Estados Unidos… Pero no les voy a dar ni un dólar a los gringos… ¿Y sabe qué? Cuando salga me voy a comprar una isla y viviré allá mis últimos veinte o treinta años.

En ese momento parecía tener muy buen estado físico.

Más tarde, por información especial, supimos que mucho tiempo después de la extradición, todavía lo mantenían en "el hueco" de una cárcel por agresivo, sin ver la luz, sin escuchar a nadie, sin hablar con nadie. En aquel momento a la única persona a quien había delatado era a la Mona, preso en Colombia.

ANTONIO (General)

Acababa de suceder aquello del hombre podando árboles con una motosierra que encontró a un comando tendido entre la hierba, se fue retirando poco a poco y luego dio el aviso de nuestra presencia. De allí se nos había escapado una vez más Pablo Arauca.

Justo en ese momento me llamó mi general Óscar Naranjo y me dijo que viajara a Bogotá, Club de la Policía:

—Hay un señor que quiere hablar únicamente conmigo porque tiene mucho miedo, pero entrega buena información —comentó.

Unos minutos después llegaron un hombre y una mujer. Ella era una funcionaria pública que venía a dar fe de la veracidad de la historia que contaba aquel hombre:

—Yo soy la garante. No es que no crea en la Policía, sino que él ha visto mucha corrupción y sabe que puede fallecer si da un pequeño paso en falso.

La señora se apartó y nos dejó solos.

Mi general le dijo inicialmente que la Policía tenía grupos especializados que perseguían a Los Mellizos y que habláramos los tres. Yo comandaba esos grupos.

El informante dijo que sí:

—¿Entonces…?

—Quiero entregarles a uno de Los Mellizos.

Se trataba de una persona de unos cuarenta, cuarenta y cinco años, perfil de hombre del campo, fuerte, y empezó a contar qué sabía de Los Mellizos.

Yo lo escuchaba, afirmaba y confirmaba luego de cada frase. Todo lo que decía era verdad. Citaba nombres de gentes que existían, lugares exactos, cosas precisas sobre aquella organización.

—¿Cómo nos lo va a entregar? —le pregunté.

—A bordo de una tractomula que tiene una caleta o escondite muy bien camuflada. Él se mueve mucho y yo sé que ustedes le han llegado muy cerca, pero ha logrado huir, por ejemplo, de Santa Marta o del Magdalena Medio específicamente en ese vehículo.

ISMAEL (Coronel)

—Mire —continuó—, la tractomula lo recogió el mismo día que se escapó en el peaje de El Copey y lo llevó desde la planicie que rodea a la Sierra Nevada, hasta Chía, cerca de Bogotá a cientos de kilómetros de montañas.

Allí buscaron una casa con una gran zona verde, rodeada por una malla con electricidad y más allá un cordón de casas de gente pobre adiestrada para avisar con pitos, ladridos de perros, latas, gritos, tablas, cacerolas, si veían a alguien sospechoso en los alrededores.

Pablo Arauca se quedó en esa casa con un bandido llamado el Pollo y el chofer se fue a guardar la tractomula en otro sitio.

Luego amplió la historia:

—Todas las veces que Pablo Arauca se les fue a ustedes, el mismo chofer lo sacó de cada zona en ese vehículo —y comenzó a hacer un recuento que, según Antonio, nuestro jefe, coincidía bastante con lugares y fechas aproximadas:

—El lunes —dijo el informante— la tractomula llevó a Víctor, el muerto, hasta Coveñas en la costa Caribe. El tipo se alojó en una finca con dos viejas y allí pasó la Semana Santa. Al martes siguiente lo transportó hasta tal lugar, en el centro del país, a cientos de kilómetros de allí.

Cuando contó aquello, vimos una oportunidad de oro, la comentamos entre los oficiales de Inteligencia —al grupo de operaciones no se le informa nada de esto— y llegamos a la conclusión, además lógica, que aquel hombre era el que tenía la brújula para volver sobre los pasos de Pablo Arauca.

ANTONIO (General)

—¿Por qué conoce tan bien los movimientos de ese vehículo? —le pregunté.

—Porque yo soy el que maneja, es decir, al que administra o da las órdenes para el trabajo de la tractomula. Por eso puedo entregarles a Pablo Arauca. Tengo una posibilidad casi del noventa por ciento de que cuando se vaya a mover me llame y yo se la tengo que enviar… Él me dice sáqueme, lléveme, recójame y si no lo puedo hacer yo, tengo la posibilidad de mandar a alguien a que lo haga. Pero yo manejo la información —como dicen ustedes— en tiempo real cuando están en movimiento…

—¿Cuál es la matrícula del vehículo?

—Ni la matrícula ni la descripción se las entrego a usted ni a nadie hasta que no me den plena garantía sobre mi seguridad.

—Esté tranquilo.

Hablando de Los Mellizos, nuestro informante contaba que había logrado vincularse a esa organización estando en Vijes, un pueblo en el occidente de Colombia, donde él tenía un camión y su papá un pequeño autobús, y vivían del transporte público.

Los Mellizos eran de una familia tan pobre como ellos, pero Víctor se fue para Estados Unidos y comenzó como panadero en Nueva York.

Luego, ambos llevaban sus propias porciones de cocaína, es decir, eran sus propias "mulas" y aprovecharon la panadería para comenzar a distribuir la droga. Aquello resultó un éxito y rápidamente fueron traficando con cantidades cada vez mayores.

Un par de años después y a sabiendas de que se trataba de una operación incierta y por lo tanto de grandes riesgos, Pablo Arauca lo lanzó al azar:

—Hermano, váyase para el Brasil, recoja una droga en tal parte y la transporta hasta tal sitio. Allá tengo los contactos.

El informante se fue a Río de Janeiro, le entregaron quinientos kilos de cocaína en un camión y desde luego cayó en una trampa que le tendieron los socios del Mellizo. Fue capturado y terminó en una cárcel.

No obstante, esperó a que Pablo Arauca se hiciera cargo de su defensa, o se interesara por él, o por lo menos preguntara cómo había sucedido aquello, pero no: lo había dejado abandonado a su suerte.

Desde luego, este hombre tenía algún dinero porque había estado en el negocio de la droga, con él se administró su propia defensa y gracias a un vericueto jurídico logró salir de la cárcel un par de años después y se vino con un resentimiento muy grande. Ese fue su primer problema con Pablo.

Con el dinerito que le quedó, regresó a Vijes, compró un bus viejo y se lo dio a su padre.

Estando allí apareció Víctor y lo invitó a que trabajara nuevamente con ellos. Como le iba mal en lo del transporte, regresó y se sumó, ahora como conocedor de la organización.

En aquella charla llena de historias y precisiones, regresamos al tema inicial y él hizo un recuento ya más pormenorizado de los sitios hasta los cuales le habíamos llegado a Pablo Arauca.

—¿Ellos qué dicen de eso?

—Que alguien los entregó porque se trataba de movimientos secretos. Le echan la culpa a un cura, a un profesor, a un abogado, a este, al otro…

—Bueno, ¿y ahora, cómo nos va a entregar al Mellizo?

—Yo lo llamo a usted y le informo por dónde va la tractomula.

(En ese momento digamos que me dañó mi operación, porque yo estaba planeando llegar a un punto determinado con helicópteros, comandos…)

—¿Pero usted también va a Caucasia? —le pregunté.

—Sí, claro. Allá está Víctor, pero ese es buena gente. Él me salvó la vida. A ese no se lo voy a entregar.

(Estaba confirmando el sitio donde se encontraba).

—Les repito que al que quiero entregar es a Pablo Arauca.

Pensó unos segundos y luego empezó a contar sus roces con el bandido, por los cuales él le dijo una primera vez a su hermano Víctor que lo matara.

—Hay que salir de ese hombre. Hay que matarlo ¡ya!

El informante le pidió a Víctor que le perdonara la vida y este se la perdonó.

Más tarde Pablo Arauca volvió a ordenar que lo asesinara, y por segunda vez Víctor desobedeció. Desde luego, este hombre guardaba un resentimiento muy grande, pero muy grande, y eso lo había hecho venir hasta nosotros.

—¿Cómo se mueven Los Mellizos en sus zonas?

—Mire: a la gente que va a subir hasta allá, la recogen en la carretera principal, en Tarazá, y la transportan en un campero viejo.

Cuando dijo "campero viejo", me fui para atrás.

—¿Cómo es el grupo de seguridad de Víctor?

—Anda con cinco guardaespaldas…

—Pero, ellos acostumbran a rodearse de gente de mucha confianza…

—No, la de confianza es la cocinera —dijo, la describió, pensó unos segundos y repitió—: Yo no le estoy dando información de Víctor. Yo del que le estoy hablando es de Pablo Arauca.

—Bueno, usted está confirmándonos que conoce bien esa organización, aunque, cualquiera abre un periódico y sabe lo que usted nos está diciendo. Yo entiendo que el tema ahora es una tractomula, pero, un momento: nosotros estamos operando contra todos los bandidos. Si el segundo Mellizo cae, cae.

—Bueno, pues… Usted está en lo suyo.

Continué indagando y me dio los nombres de algunas fincas y me habló de pequeños puertos de río… Yo tenía el mapa en la cabeza.

—¿Y cómo se puede llegar a tal puerto?

—Por esta vía o por esta otra, aunque por aquí es más demorado porque…

Mi general Naranjo sonreía porque aquella operación no la conocía con minucias, y me dijo:

—A partir de ahora este señor es enteramente suyo.

—Bueno —continué con el informante— lo único que no me convence es por qué usted no nos describe la tractomula y no nos dice el número de la matrícula.

—Bueno. La matrícula es… es… AKH 560, cabina blanca con una virgen pintada en cada uno de los costados.

Desde ese momento comenzamos a identificarla como la Cinco Sesenta.

Luego habló de su recompensa, de la posibilidad de sacar a su familia del país —unas veinte personas—, y yo le dije que eso no lo ofrecía la Policía, pero que le garantizaba ayuda.

Volvimos al tema de la tractomula:

—Necesito verla para creerle —le dije.

—La va a ver —respondió.

En ese momento estábamos en búsqueda de Víctor, el segundo, pero a la vez, detrás de Pablo Arauca. Yo tenía que regresar a la zona de operaciones y dejé un oficial para que lo cuidara:

—Nadie, absolutamente nadie puede saber que él existe, así lo llame mi general Naranjo. Nadie puede saber de él… Y sólo nos comunicaremos por este teléfono —le dije al oficial.

Pasó algún tiempo y no se supo más de Pablo Arauca. Finalmente cayó su hermano Víctor, y el informante le comentó al oficial:

—Con la operación que desgraciadamente ustedes le acaban de hacer a Víctor y ese aviso del general Naranjo en la televisión, Pablo Arauca se va a mover. Debe estar en tal parte.

ISMAEL (Coronel)

El resultado fue inmediato pues tan pronto terminó la conferencia de prensa un hombre de Pablo Arauca llamó al chofer de la tractomula y nuestro informante nos dio la onda.

En aquel momento el conductor no tenía con qué pagar el combustible para trasladarse desde Cali —al occidente del país—, hasta aquel punto, *el informante estrella* le dio el dinero que necesitaba, y nos dijo:

—Sigan a la tractomula que detrás de ella van a encontrar el punto donde debe recoger a Pablo Arauca.

ANTONIO (General)

Efectivamente, comentó:

—Pablo Arauca acaba de pedir la tractomula que está en Cali. En cosa de minutos debe partir para recogerlo por los lados de Medellín.

Bueno, lo cierto es que empezaron a correr las horas y finalmente contactamos a la tractomula antes de entrar a esa ciudad, cuando el oficial me llamó:

—Tengo a la Cinco Sesenta. Aquí la voy llevando. Voy detrás de ella.

—¿Seguro?

—Seguro.

Transcurrieron un par de días y no hubo ningún movimiento. Al tercero nos comunicamos con el informante. Dijo que pronto iba a suceder algo. Yo estaba en una reunión en Bogotá y salí hacia Medellín por tierra y a lo largo del trayecto me comunicaba con Ismael.

Efectivamente, la tractomula acababa de partir, venía por la misma vía y a unas tres horas de Bogotá montamos guardia en una estación de servicio de gasolina, el mismo punto donde varios años atrás había cazado al asesino material de Luis Carlos Galán, un importante líder político.

Esa es una estación muy grande, un paradero de tractomulas, y sobre la vía hay varios reductores de velocidad. Al lado de la estación le pedí al comandante de la Policía local que montara un retén sobre una curva de la carretera, de manera que no impidiéramos el tránsito de vehículos.

Estuve allí unos minutos, resolví tomar nuevamente la vía en sentido contrario, y unos kilómetros adelante vi la tractomula, la miré bien: blanca, nueva, bonita, una virgen pintada sobre cada uno de los costados, y pensé: "Esto se acabó".

Llovía muy fuerte, pero la tractomula venía volando. En el retén ordené que detuvieran a la primera que apareciera, y luego a la del objetivo. Esperamos unos segundos y por fin la vimos. Fue entrando, fue entrando. Cuando llegó ordené que dejaran continuar a la anterior y requisaran a la de la virgen.

—Busquen un cargamento de cocaína —les dije.

El conductor empezó a dar explicaciones, pero dejó el motor prendido.

Me comuniqué con el informante y me explicó palabra por palabra:

—Si dejan prendido el motor de la tractomula, le están suministrando aire al compartimento donde se esconde Pablo Arauca.

Di la orden de que un oficial subiera a la cabina y apagara el motor, pero el conductor protestó:

—No, ¿cómo se le ocurre? Este vehículo me está fallando. Si usted lo apaga, ¿quién lo empuja luego para volver a prenderlo?

—¡Apáguelo!

Yo los miraba desde el lado opuesto de la carretera. La luminosidad de la estación de servicio era buena, lográbamos verlo todo muy bien, y cuando lo apagaron, tanto el chofer como su ayudante se pusieron nerviosos.

—Suéltenos que nosotros no llevamos nada. Nosotros no sabemos de cocaína. Déjenos ir…

Teníamos que dejar al tipo un buen tiempo sin aire, pues pensaba que si lo sorprendíamos pronto, le quedaría la suficiente agresividad para salir disparando.

Pasó una hora, la Policía del lugar no sabía qué estaba sucediendo y en ese momento puse al frente al Grupo de Operaciones al mando Raúl y alrededor gente vestida de civil, les pedí que revisaran el vehículo pero que no fueran a entrar a la cabina.

El chofer habló con Raúl:

—Déjeme prender el motor. Si no lo prendo no me recarga la batería.

Luego le dije al oficial que tomara las llaves del vehículo. Continuó lloviendo muy fuerte, ya debían haber transcurrido dos horas desde cuando la detuvimos. Esperé unos minutos más, me bajé de mi carro, me paré allí para resguardarme de la lluvia, el conductor me miró extrañado y le manifesté a Raúl:

—Entren y empiecen a buscar un escondite.

El seguro para abrir la pequeña puerta de la caleta estaba en el llavero del chofer, pero no se trataba de llegar al objetivo de forma inmediata, primero, para proteger al informante y segundo, para minar el estado físico de Pablo Arauca. Por eso, el pretexto seguía siendo un cargamento de cocaína.

Según el informante, aquella caleta también la utilizaban para esconder droga, pero la verdad es que no era nada fácil encontrarla. Tenía que ser un escondite muy pequeño, muy reducido… Muy bien hecho.

Nuestra gente continuaba buscándola, empezaron a utilizar destornilladores, palancas, otras herramientas, pero ya se escuchaba al tipo respirando con dificultad y en ese momento, casi a las tres horas, resolví abrir utilizando el control.

Pablo Arauca salió rígido, entumecido, le quitamos la pistola, cruzamos un par de diálogos y luego de escucharme, la agresividad se le volvió silencio. Bajó la cabeza y un minuto después dijo:

—Yo iba para el entierro de mi hermano. Si me hubiera tenido que matar con ustedes en el cementerio, yo me hubiera hecho matar. Iba para allá.

Objetivo 4

Acercarse a las historias de estas bandas es asomarse a un mundo en el cual los episodios parecen de novela negra tropical, como los nombres de los personajes y de los mismos lugares: Macancán, La Popis, Cucaracho, Pirarocú, Clavocaído, Guacamayo... Acandí, Chigorodó, Zapzurro, Capurganá, Cabo Tiburón...

En esta narración, como corresponde hoy a cualquier bandido en nuestro medio, a Daniel Rendón Herrera, el cabecilla de los rufianes, sus inferiores le dicen 'Don' Mario.

El escenario del relato es el Golfo de Urabá en el Caribe, en el noroccidente de Colombia, un punto estratégico en las puertas de América Central y La Florida, por donde penetra una parte del arsenal procedente de las mafias de México, desde Miami productos químicos para fabricar drogas, pero a la vez salen cargamentos de cocaína buscando a Estados Unidos y Europa, universo de viciosos.

ISMAEL (Coronel)

¿Por qué intensificamos la búsqueda de 'Don' Mario? Porque hacía un par de semanas había aparecido en la televisión diciendo que una banda de criminales conocida como La Oficina de Envigado se había comprometido con otros delincuentes a matarlo. Dijo que él los había "capturado", los hizo confesar y los devolvió. Pero no puso en libertad a dos policías que estaban con ellos. A esos los mató.

Mario daba su parte de victoria y finalmente desafiaba a las autoridades y lanzaba amenazas de muerte contra el general Óscar Naranjo, director de la Policía.

Como respuesta, con Antonio, nuestro jefe, decidimos enfilar baterías en esa dirección.

Ya habíamos tenido una investigación contra el tal Mario, contábamos con algunas informaciones, más o menos teníamos indicios sobre la zona donde se encontraba, sabíamos algo acerca de su banda… Se hablaba de ciento cincuenta, de doscientos hombres en torno al Golfo de Urabá.

Para recolectar más información desplazamos gente de nuestro grupo hacia aquella región, montando diferentes fachadas, venta de licores, técnicos en comunicaciones, expertos en maderas… El delincuente tenía el control del Golfo y se apoyaba mucho en dos personas muy allegadas, los hermanos Úsuga —Darío, alias *Mauricio*, y Juan de Dios, alias *Giovanni*—, que se movían como segundo y tercero dentro de la banda.

Mauricio manejaba la parte financiera y de narcotráfico, y Giovanni se encargaba de lo que llaman los bandidos la parte *militar*. Él mandaba en la zona, tenía gente en puntos estratégicos del Golfo y recibía información permanente de cada uno.

Nosotros ahora empezábamos a conocer el sector, los cabecillas, los mandos medios, más o menos el perfil de cada uno y los analizábamos, tanto por observación como por control.

¿Qué encontramos de Mario? En aquel momento nuestra referencia eran la imagen, la voz y algunos detalles que habíamos detectado en aquel video, pero no sabíamos mucho más, porque, entre otras cosas, delegaba funciones en los Úsuga y él se ubicaba muy en segundo plano.

Mauricio, a quien Mario le tenía más confianza, era serio, trataba bien a sus delincuentes según lo fuimos sabiendo, no era bebedor, no era mujeriego. En cambio a Giovanni le gustaban la botella, las mujeres jóvenes, viejas, gordas o flacas, feas o lo que ellos llaman bonitas y, además, era aficionado a las riñas de gallos. A la vez que íbamos conociéndolos conseguíamos informantes.

La campaña duró en total un año y medio, porque cuando se desencadenó lo de Los Mellizos, ya llevábamos cinco meses detrás de Mario y su banda.

Nosotros habíamos conformado un grupo de once oficiales y a cada uno le dimos un blanco. Cuando apareció el video por televisión, llamé a Rodrigo, el oficial que se encargaba de Mario, pero haciendo un balance, realmente contaba con una información salida muy de la base. Hasta ese momento, él había tenido informantes que apenas conocían generalidades de la banda.

Por tanto, activamos todo cuanto teníamos en aquel momento. Incluso, mandamos a Urabá informantes de casos como el de Los Mellizos, aprovechando que algunos conocían la zona, otros tenían relación con el bajo mundo del lugar, otros eran gente normal y podían moverse por donde quisieran.

La estrategia buscaba que como entre bandidos se conocen o se van conociendo, detrás de sus confidencias aparecen de forma espontánea nuevas pistas y nuevas fuentes de información. La meta era llegar, paso por paso, a puntos cada vez más avanzados.

Total, mandamos a unas treinta personas, y en Medellín trabajamos por intermedio de una empresa que presumiblemente acababa de premiar a un par de jóvenes por su eficiencia y por tanto los enviaba a una excursión al Golfo con sus respectivas esposas.

Para montar esa operación tuvimos que esperar a que les creciera el cabello y mientras tanto fuimos montando las fachadas.

Ellos permanecieron allá quince días. Se trataba de conocer la zona, estudiar y recorrer las vías de acceso, los posibles puntos estratégicos del objetivo, algunos de los movimientos de su gente, rutinas, costumbres, lugares que pudieran frecuentar…

Los jóvenes premiados eran comandos del Grupo Antiterrorista que, desde luego, viajaban como cualquier visitante: salieron de Medellín, donde los recogió un carro local, los llevó al aeropuerto, volaron en línea comercial a Apartadó, área del Golfo, allí los recibió un taxi expresamente contratado por la agencia de turismo que los guiaba, los transportó hasta la ribera del Golfo, allí tomaron una lancha y atravesaron hasta Acandí.

Ellos llevaban equipos electrónicos y cuando llegaron a su destino se encontraron con un grupo de ocho bandidos armados con fusiles que tomaban nota de quiénes arribaban.

Ellos hacían caminatas, fogatas, como cualquier grupo común y corriente, salían a bañarse y finalmente comprobaron hasta qué punto el sector estaba controlado por la banda de Mario. Igualmente que el objetivo se hallaba en algún rincón de esa zona.

En tanto, un informante de Acandí atravesó el Golfo y fue recogido en la banda oriental por otro de nuestros muchachos que se movía como mecánico, y nos dio una información muy completa respaldada por un plano marcando dónde estaba ubicado el objetivo.

Ese era el eje de la información pero no se había constatado si realmente estaba o no estaba allí, porque los turistas no podían acercarse al punto señalado para verificarlo. Por ejemplo, el segundo día habían salido a caminar, y les salió al paso un grupo de bandidos:

—Este sector no es para visitantes. Regresen a su playa —dijeron.

Como complemento enviamos parejas de Inteligencia a cada uno de los pueblos y lugares importantes para los bandidos, de manera que prácticamente saturamos aquella zona.

ANDRÉS (Analista)

Acababa de caer en manos de la Policía un delincuente apodado HH o Carepollo y comenzó a hablar de la banda criminal de Mario. Él contaba una serie de historias y aspectos que para nosotros eran desconocidos, pues aunque se trataba de una organización fuerte, no se le había trabajado mucho por ser relativamente nueva.

En efecto, él fue quien nos mostró a la banda como tal y empezó por describirlos uno a uno. Los "cabecillas militares" —decía— son los hermanos Úsuga, ex guerrilleros pero también ex paramilitares y ahora traficantes de cocaína, muy cercanos al capo.

En la escala, debajo de ellos se mueven familiares de los Úsuga que manejan el narcotráfico y el control de las rutas en la zona del Golfo de Urabá. Hablaba del Flaco, Tito, Vegueta y nuevamente de los tales cabecillas militares, como dicen ellos, Giovanni y Mauricio o sea los Úsuga.

También nos describió a Moñablanca, Gavilán, Mateo…

Además este hombre nos dio una serie de rastros e iniciamos el trabajo de Inteligencia de abajo hacia arriba en la escala de maldades, y después de un proceso largo y detenido llegamos de forma concreta hasta las cabezas de aquel "mando militar": los Úsuga.

Lo importante es que con la información que nos aportó Carepollo tuvimos una idea un poco más aproximada a lo que era la banda de Mario.

Inicialmente teníamos pocas referencias de él: sabíamos que era hermano de un paramilitar llamado el Alemán, desmovilizado de lo que llamaban el Bloque Centauros en la inmensa llanura al oriente de los Andes, pero surgió una guerra entre bandidos y Mario huyó hacia las costas del Golfo de Urabá —zona de su hermano el Alemán— y se llevó con él a los Úsuga y a otro joven. Como los Úsuga eran naturales de Urabá, conocían la zona.

Mario se embarcó en Santa Fe de Ralito en el tema de la "desmovilización" de los paramilitares a propósito de una ley llamada de Justicia y Paz, pero en pleno proceso regresó con su gente a la zona del Golfo y allí se abrió al tráfico de cocaína utilizando la máscara de los paramilitares reinsertados en la sociedad.

Como primera medida, la banda empezó a controlar la salida de cocaína por el Golfo, cobrando *gramaje*: un impuesto criminal por cada gramo que sea exportado.

Mediante este sistema, Mario y su banda comenzaron a tomar cada vez mayor fuerza. Por otro lado, controlaban el negocio de la madera de un árbol llamado teca, dentro de cuyas exportaciones camuflaban cocaína, y cuando adquirió cierto poder económico se dedicó a manejar directamente el negocio del narcotráfico.

Al comienzo sabíamos una parte de la historia.

Luego iniciamos el estudio de algunos documentos que había contra él por el delito de narcotráfico y nos apoyamos en unas líneas —aportadas por varias fuentes— buscando llegar a Darío Úsuga, alias *Mauricio*, y a Juan de Dios Úsuga, *Giovanni*.

Después de muchos intentos, en un primer momento llegamos a una mujer a quien le decían Camila, encargada de manejar las finanzas de Mauricio, pero trabajándola supimos que, además, era amante de uno de los guardaespaldas del bandido y por ahí empezamos ya a acercarnos a la estructura. Es que los primeros controles fueron muy vagos, gente que les servía como transportadora, que les hacía favores, pero realmente no formaban parte de la organización como tal.

Yo estaba en el Centro de Operaciones en Bogotá y el primer contacto con la banda fue a través de Camila, ubicada en Urabá. En ese momento nuestros recursos eran limitados, tanto en personal como en medios porque se estaban trabajando simultáneamente otros objetivos de alto valor.

Gracias a ella tuvimos acceso a otros cabecillas bajo el mando de los Úsuga como Nicolás, Darío, Tubo… Bueno, en un momento dado nosotros llegamos a conocer la estructura de forma parcial, y por eso no aparecía Mario. Es que hasta ahora todo empezaba y terminaba en los hermanos Úsuga.

Le dimos varias vueltas al caso tratando de subir en la escala, a buscar el vínculo que tenía Mauricio o que tenía Giovanni con Mario y no lo encontrábamos, entre otras cosas porque Mario nunca aparecía.

Después de casi un año de haber trabajado en esto llegué a pensar que ese *man* no existía, o no estaba en el país, y definitivamente no me explicaba qué sucedía con él. Es que yo empezaba a controlar al que estaba más arriba en aquel momento, trabajaba buscando sus vínculos y siempre terminaba en un techo que era Mauricio.

Ya a mediados del año siguiente vi que era necesario replantear el trabajo hasta que de pronto apareció una pequeña luz: un guardaespaldas le dijo a Giovanni:

—Le mandaron un casete para que lo escuche.

—¿Qué manda decir?

—Que bien, que sigan así, que es importante que continuemos con el control de la zona —pero no se supo por dónde lo había enviado. Simplemente apareció el casete.

Eso nos confirmó que sí, que sí existía la cabeza de la banda y la información que manejábamos en ese momento era que el líder se llamaba Mario, pero… Es que nosotros, hasta no ver no creer. Sabíamos que era él pero durante el primer año nunca supimos que alguien le dijera Mario sino el Viejo.

Entonces, después de analizar una vez más las cosas y volver a intentarlo a partir de aquella luz comprobamos de forma definitiva que sí, que realmente había alguien por encima de Mauricio.

Una tarde, uno de los mensajeros dijo:

—Mandó decir la Vieja que prendan los radios de HF.

Luego todo siguió igual y hablé con Antonio, nuestro jefe, y le dije:

—No hallo nada, no sé más, ayúdeme.

Ya había terminado el capítulo de Los Mellizos y el jefe entró a orientarme y me envió a Carlos, otro analista para que trabajara conmigo. Bienvenido. Es un hombre de gran experiencia. Es que… El trabajo de Inteligencia no puede tener el menor viso de egoísmo y hay momentos en los cuales uno dcbe aceptar que, hasta cierto punto, existen límites, que uno no está viendo más adelante.

Carlos preguntó qué había y le hice un recuento formal de la historia: tengo a los hermanos Úsuga que se hacen llamar Mauricio y Giovanni. Manejan la parte financiera y de narcotráfico…

Pero nuestro trabajo no consistía en manejar la estructura a través de diez, quince personas de la base. El objetivo era claro: buscar la captura de Mario.

Con Carlos empezamos nuevamente.

CARLOS (Analista)

Entré un mes de junio, un año después del comienzo del caso, y empezamos por evaluar la información que se tenía, apoyados en la experiencia del trabajo con las otras bandas, y dije:

—Tratemos de buscar a una persona cercana a Mario.

Los controles continuaron igual sobre Mauricio y Giovanni, pero empezamos a darnos cuenta de que ellos dos utilizaban a una persona a quien mandaban llamar temprano, o le decían:

—Llégueme esta noche y sale mañana temprano.

Esa persona respondía:

—Hágame un favor: ténganme listas las grabaciones o las cartas y nosotros vamos a recibirlas.

En ese momento, aunque ya teníamos una referencia suya, al mensajero no lo veíamos como la persona más allegada al objetivo. Más bien lo catalogábamos como una ficha, digamos, un poco lejana: "Entréguenme el casete o entréguenme la carta".

Sin embargo, cuando lo analizamos mejor encontramos que se trataba de una persona muy, muy sigilosa, extremadamente cuidadosa en todo: no hacía comentarios, tenía varios medios de comunicación y nunca utilizaba palabras como *patrón, señor, jefe*, absolutamente nada de eso.

Y el asunto era más difícil porque este hombre se comunicaba hoy por un lado, mañana por otro y, claro, nadie tenía una referencia más o menos estable para localizarlo. Lo llamaban Nelson.

Desde luego sabíamos que estaba en el Golfo y notamos que la persona detrás de él era alguien que tenía el poder para controlar a Giovanni y a Mauricio: un *man* realmente importante, por lo cual estuvimos detrás de Nelson unos cuatro meses: hombre muy complicado, ya le digo. No sabíamos nada de su esposa, no sabíamos nada de su mamá, no sabíamos del papá, no teníamos idea de quién era él.

De todas maneras empezamos a tenderle un círculo a través de las menciones que algunas veces se hacían de él, a pesar de que se perdía dos días, tres días, de pronto no volvía, aparecía por cualquier lado y lo único que decía era:

—Les mandó saludes. Les llevo una carta suya —y volvía a desaparecer una semana, una semana y media.

Sin embargo, habló con otro sujeto y le dijo:

—Voy para allá.

Y nosotros coincidimos: hay que enganchar a ese sujeto. ¿Por qué le avisó que iba para allá si el día anterior había recogido CD, cartas y mensajes?

Bueno, luego de varios días de trabajo establecimos que "Voy para allá", significaba, voy para donde está la cabeza de la banda. Y el que había respondido la llamada era alguien de la base, una persona, digamos, del décimo nivel que más tarde supimos se trataba de Repollo.

Al día siguiente a las cuatro de la mañana, Nelson llamó a Repollo y le preguntó:

—¿Está listo?

Iba conduciendo un carro y tenía que estar dirigiéndose hacia el jefe de la banda. Día de celebración porque luego de cuatro meses encontrábamos algo más o menos concreto.

Repollo se encontraba en una finca en el área del Golfo de Urabá. Él le daba acceso a Nelson. Pero encima de aquel se movía una serie de personajes que no habíamos conocido antes y más tarde encontramos que su superior era un cabecilla a quien le decían Guacamayo.

Guacamayo controlaba una zona llamada Manuel Cuello en la banda oriental del Golfo.

Cuando nos dimos cuenta de estas cosas, apareció el Cabezón, un viejito de esos que no le generan a nadie sospechas, y en un análisis verificamos que había personas más importantes como Repollo, que le cumplía órdenes a Guacamayo.

Al viejito Cabezón le decían: "Traiga las mulas" o "Necesito comprar comestibles…".

"Sí, claro. Arriba necesitan esto… Arriba necesitan aquello…".

El viejito también le obedecía a Guacamayo y a medida que íbamos desenredando aquel ovillo sentíamos que estábamos acercándonos a la cima.

Parece sencillo, pero a los dos meses de trabajo en torno a esta fauna encontramos que Cabezón era la persona que le llegaba a alguien importante, aunque en ese momento no sabíamos de quién se trataba.

Ahora: ¿por qué mulas? Con seguridad se movían en alguna zona escarpada y era necesario trepar.

Nelson seguía anunciando CD, cartas, pero primero pedía acceso a Repollo. Él a un tal Mello y este respondía:

—Tranquilo que ya viene para acá el Cabezón.

Efectivamente el Cabezón —el viejito— bajaba de algún lugar, recogía a Nelson y se perdían.

La rutina nos llevó pronto a una conclusión sencilla: el mensajero efectivamente estaba llegando hasta donde se encontraba Mario, pero el problema era que Cerro Azul, así se llama el lugar, es muy extenso y la antena que nos daba acceso de sonido estaba en otra montaña llamada Yoky.

Bueno, ya sabíamos que el objetivo estaba allí, que existía, pero ¿exactamente en qué punto? Nuestro dilema era cómo llegarle y eso creo que fue lo más difícil de nuestro trabajo.

Bueno, pues hubo un momento en que el Cabezón le dijo a Nelson:

—Tráigame a dos personas que necesito. Son ese par de carpinteros que hay en la última calle del pueblo, dígales que tienen que venir a trabajarle al Viejo. Pero no es la semana entrante, ni mañana. No. Es hoy mismo.

Efectivamente, los carpinteros subieron, pero no les permitieron utilizar teléfonos celulares, ni teléfono fijo en alguna cabina cercana, ni nada de comunicaciones.

No obstante, hay una parte crítica en los seres humanos que son los sentimientos hacia sus familias y los *manes* subieron, se ubicaron en el sitio —era la misma antena—, pero una tarde se alejaron del punto por algo de su trabajo y se comunicaron con las familias. Comentaban que ya habían hablado con el Viejo y que ahora comenzaban a construir una cabaña.

La segunda vez, el carpintero estaba hablando con su esposa y de pronto se alteró:

—Llegó el Viejo, llegó el Viejo —y se calló.

Empezaron a subir madera, herramientas, utensilios en las mulas de Cabezón y nuestro jefe Ismael mandó un avión plataforma y comprobó que efectivamente en el cerro habían aplanado la cima y allí ya se encontraban la madera, algunas columnas, algunas vigas y una mula. Habíamos localizado el sitio. En ese momento llevábamos un poco más de un año de actividad.

Como complemento fueron enviadas parejas de Inteligencia a cada uno de los pueblos y lugares importantes para nosotros.

ANDRÉS (Analista)

Ahora teníamos tres frentes de trabajo. Uno, el que los bandidos llamaban la parte "militar"; otro, la cabaña, y el tercero, el círculo familiar de algunos de ellos.

Bueno, la historia es que una mañana, los de la cabaña empezaron a organizar algo:

—Que compren un ponqué, ojalá sea negro, que compren platos, cubiertos, suban vino, busquen al cura.

Y por el lado de los "militares", Giovanni le dijo a uno de sus hombres:

—Que compren un pantalón talla tal, y una camisa XL.

—¿De qué clase?

—Camisa blanca y pantalón elegante. Así los quieren.

Luego supimos que estaban subiendo a un cura y a más bandidos: alguien se iba a casar. Pero el cura no quería ir porque pensaba que lo iban a matar. Entonces lo secuestraron: lo agarraron dos *manes*, lo subieron a una moto, más adelante lo pasaron a una mula:

—P'alante, hermano. ¿Cómo que no va?

—¿Para dónde me llevan? Dios y Señor mío…

—Para un matrimonio y no joda más.

Efectivamente, uno de los Úsuga, el tal Mauricio, dijo más tarde:

—Yo voy a ser el padrino.

¿Quién se iba a casar? Pensamos que el Viejo.

En efecto, el tipo se casó esa misma tarde con una mujer joven, mucho menor que él, de unos veinticinco años, y el bandido de unos cuarenta y siete. A esta la quería más que a las otras cuatro, pues luego supimos que tenía cinco, conocidas.

Esta se llamaba Catalina y le decían la Gomela —por joven—, pero con las anteriores había tenido únicamente hijas y la Gomela le había dado un niño.

Bueno, pues la tal Gomela fue la que hizo la faena:

—Usted se casa conmigo, hermano. Se casa o se casa —le dijo una noche del mes de noviembre y él respondió que sí, que bueno:

—Perfecto, traiga al cura —respondió.

Y ella:

—Sí, que traigan a un cura, un ponqué, ropa decente para este hombre, que venga Giovanni, que llamen a Mauricio… Ah. Y me traen un mariachi, necesito meterle música a esta joda.

Nosotros teníamos comunicación con Gloria, la mamá de la Gomela, y ella mencionó un par de días antes que su niña se iba a casar con el Viejo, que se iba a preparar, que la niña iba a manejar al tipo porque a ellas no se les podía escapar.

Luego le dijo a la Gomela:

—Hija, me invita al matrimonio. Yo tengo que ver eso.

Desde luego, nosotros ya teníamos el antecedente, pero cuando lo del ponqué negro y el mariachi y "la joda", la muchacha no le avisó a la mamá porque, después supimos, tuvieron lo que llaman un pálpito, es decir, un presentimiento:

—Es una vieja bruja —había dicho el Viejo, y se lo creyeron.

Después del matrimonio, la Gomela le narró la historia y "la vieja bruja" comenzó a llorar.

—Pero ¿fue una fiesta normal? —preguntó.

—Sí, mami, pero de blanco. De-blan-co.

Había bajado al pueblo principal en la costa del Golfo, consiguió una costurera y, claro, "tela, tijeras y aguja, pero todo en silencio", según le contaba a su mamá.

Una vez le llevaron el traje hasta la montaña y los zapatos y esas cosas, organizó la rumba un sábado a las seis de la mañana y a las seis de la tarde el Viejo ya estaba arreglado.

—Venga, mijo, arrodíllese y jura, no joda —le había dicho cuando llegó el cura.

Como eso lo organizó la muchacha en cuestión de horas, Antonio, nuestro jefe, no alcanzó a ordenar el envío de un avión, ni gente. Nada.

CARLOS (Analista)

¿Cómo llegamos a "la vieja bruja", a la Gomela y a esos nuevos ejemplares?

Bueno, pues resulta que Nelson, el hombre de las cartas y los CD, era el único de nuestros contactos con acceso al objetivo. El otro era Santiago, un primo de la Gomela: le decían Lentejo, lo localizamos y él nos dio la ubicación de "la vieja bruja".

El cuento es que Nelson se comunicaba mucho con Lentejo y como este era primo de la muchacha, él le llevaba las razones del objetivo. Así penetramos a dos de los círculos un poco más altos de la banda.

Lentejo se encargaba de pagarle la mensualidad a la mamá de la muchacha, para no volverle a decir "vieja bruja", le pagaba la mensualidad a la Gomela, les pagaba a las hijas del Viejo y a las cuatro mujeres que hacían cola detrás de la Gomela.

Nelson le entregaba el dinero, le hacía la lista y Lentejo, el primo, viajaba a los puertos de Cartagena, Barranquilla, luego a Medellín, y cumplía con su tarea.

Bueno, pues hasta ese momento no supimos que alguien le dijera 'Don' Mario, pero con el casamiento confirmamos que ni era un misterio, ni tampoco había duda. Él era el Viejo.

ANDRÉS (Analista)

Entonces se había hecho el reconocimiento aquel del avión que divisó árboles derribados, un terreno abierto y allí la madera, la mula… Días después realizamos otro y ya estaba construida la cabaña. En ese vuelo el avión hizo un giro, entró por otro costado de la montaña y localizó una casucha ubicada *a las seis*, es decir, a espaldas de la construcción.

Luego se realizó uno nocturno para captar focos de calor y ubicar por lo menos a una parte de los bandidos.

En el vuelo diurno se tomaron fotografías, se hicieron los reconocimientos sobre puntos precisos por la dificultad del terreno, se preparó la operación, pero de un momento a otro desaparecieron los bandidos.

ISMAEL (Coronel)

Supimos que Mario se estaba cambiando de sector, pues la lancha atravesó el Golfo, llegó a un pueblo de la banda derecha y luego se internó en la zona selvática buscando un punto llamado Marimonda.

En aquel momento apareció como informante un músico que le compuso una canción y tenía que llevarle los CD. Pero como no querían que él llegara directamente hasta el escondite de Mario, un día lo llevaban a un punto, al día siguiente a otro, y luego a otro para despistarlo. Finalmente él logró entregar los tales CD.

FELIPE (Oficial superior)

Logramos contactar a una persona que pertenecía a un grupo de música popular que conocía al objetivo. Como siempre, estos bandidos buscan aumentar su imagen y crear una historia que perdure en el tiempo con base en sus actos delictivos y por intermedio de la música emular esos actos.

El cantante, una persona amante de los caballos, de mujeres famosas en su región, de reinas populares, de actrices de la televisión en la provincia, accedió a colaborar con nosotros. Mario le había encomendado que le compusiera una canción destacando su calidad de jefe que tenía contra las cuerdas al Estado, y le repitió que debía destacar que él era un héroe criollo.

Empezamos a tratar al cantante, a madurar la idea, él comenzó a componer la canción, nos la mostraba y de acuerdo con ciertos detalles que conocíamos le dábamos unos toques para que fuera más interesante y así lograr que Mario recibiera al cantante para luego nosotros capturarlo.

Él terminó la canción y se contactó con la persona que llegaba directamente a donde el bandido buscando que lo atendiera en la banda oriental del Golfo de Urabá, donde se encontraba en esa época.

Le dijeron que fuera a una de las poblaciones de esa zona, nosotros le entregamos un vehículo con dispositivos de rastreo y dentro de morrales, zapatos, camisas, cosas que él iba a llevar, instalamos una serie de equipos de alta tecnología que nos permitían establecer en qué punto se encontraba el informante.

El músico tenía confianza con Mario, además era muy buen cocinero y Mario disfrutaba con algunos platos de comida típica hechos por él. Una tarde nos propuso:

—Si quieren yo les preparo una buena comida, le pongo algo y los dejo a todos dormidos.

—La idea no es mala pero, a lo mejor, toda la banda no va a comer y los demás pueden desquitarse con usted. No. Eso no.

Bueno, se ejecutó nuestro plan inicial y él viajó al Golfo, a más de seiscientos kilómetros de Bogotá.

Nosotros nos ubicamos a corta distancia de aquel punto teniendo en cuenta el peligro de filtración de información y la existencia de personas corruptas en diferentes instituciones del Estado, y eso nos impedía eventualmente coordinar una operación desde la zona.

El mismo grupo de oficiales que habíamos estado en la operación de Los Mellizos nos trasladamos a aquella base al mando de Antonio y de Ismael.

Éramos unas setenta personas incluidos grupos de comando, investigadores, tres helicópteros artillados y algunos más pequeños como apoyo en la base, esperando órdenes.

Para confirmar que el músico nos estuviera diciendo la verdad, teníamos sobre él una serie de controles técnicos y todo resultaba muy cierto. Él realmente estaba en contacto con personas de la banda de Mario.

En la ciudad que escogimos como base, la rutina era madrugar, hacer deporte, prepararnos físicamente, la gente de comandos estaba en alistamiento y los seis oficiales con mayor jerarquía y mayor conocimiento de lo que se planificaba nos reuníamos a rastrear los movimientos de la fuente y a esperar su llamada.

A través del músico comenzamos a conocer a unas personas muy interesantes y el trabajo llegó hasta un punto que nos hizo creer que estábamos en cercanías de Mario.

Una de ellas hablaba muy parecido a como se expresó el objetivo cuando apareció por televisión desafiando a la Policía y amenazando al director, el general Óscar Naranjo.

Pero resulta que nuestra fuente se emborrachaba todas las noches, andaba con mujeres de la región, no nos contestaba el teléfono, utilizaba el carro que le habíamos dado para andar de parranda y nosotros desesperados por que le dieran acceso a Mario.

Completamos quince días sin operar, con los helicópteros en tierra, y para agilizar las cosas nos enviaron un avión que ubicara ciertos objetivos mediante análisis de señales.

Con esa ayuda localizamos varios puntos, establecimos exactamente dónde estaban los contactos del supuesto Mario en aquella zona y a los ocho días de haber llegado a la base, cuando ya íbamos a lanzar la operación, apareció el borracho:

—Espérenme. Ya me reuní con un emisario de 'Don' Mario.

—¿Cómo?

—Véngase.

—No. Yo no puedo ir.

Nos embarcamos en uno de los helicópteros y volamos hasta un punto muy cercano a las coordenadas que manejábamos en ese momento y localizamos al borracho.

—¿Qué sucedió?

—Llegó un emisario, yo le conté, le dejé escuchar la grabación de la canción y quedó encantado. Debemos quemar mil canciones en CD porque él me va a recibir.

Algunas cosas coincidían con lo que sabíamos, nos devolvimos a nuestra base, analizamos la situación y la conclusión fue que debíamos esperar. Nos tocó darle dinero al borracho para que quemara la canción y confiamos en que el plan se cumpliera.

Pero teníamos en contra la publicidad que se le estaba dando al delincuente: todos los días él salía a través de los medios de prensa, o salían una o dos noticias suyas:

Que 'Don' Mario mató, que está vinculado con algunos políticos importantes, que va a denunciar persecución, que secuestró, que el gobierno de Estados Unidos se pronunció contra él, que amenazó nuevamente al director de la Policía y a varios oficiales…

Bueno, por fin le dijeron al borracho que subiera a lo alto de una colina y nosotros alistamos la operación: gente de Inteligencia, grupo de comandos, pilotos, alisten sus máquinas y nosotros en nuestra Sala de Crisis, pendientes de los movimientos del objetivo.

Desde nuestra base estábamos a unas dos horas de vuelo que es bastante, pero al borracho no lo dejaron entrar hasta donde se encontraba el bandido por el ambiente que se había creado en torno a su captura, y en ese momento no quería darle la cara a nadie.

Sin embargo, el músico entregó los CD y tuvo que irse.

No obstante, nuestro jefe decidió atacar en el punto hasta el cuál había llegado el músico. Nosotros continuábamos viendo en nuestras pantallas los movimientos que se presentaban y la fuente nos reportó que no había visto al bandido, pero que con él estaba una persona de su confianza.

Comenzó el desplazamiento y cuando se estaba elevando uno de los helicópteros artillados se le estalló la llanta trasera. Eso no había sucedido nunca, pero los técnicos nos explicaron que como estaba allí parado hacía tantos días, el clima, la humedad ambiente, la lluvia, habían generado que el sistema de frenos más o menos se pegara y cuando empezó a rodar, la llanta quedó bloqueada, la fuerza la arrastró y se estalló.

Ese era el día que habíamos esperado, no pudimos salir y solamente con dos helicópteros artillados resultaba crítico cumplir la operación calculada, según ciertos protocolos de seguridad.

La llanta no se podía cambiar allí mismo porque se trata de piezas especiales, vienen con cierto tipo de aire, hay que ayudarse con gatos hidráulicos para no sé cuantas toneladas… Lo de la llanta es algo muy, muy atípico, pero son las cosas de Dios. Él está con nosotros, pero a lo mejor la operación no hubiese sido tan exitosa como lo esperábamos.

El reemplazo de la llanta demoró tres días mientras enviaban las piezas y venían los repuestos desde Bogotá, venían los técnicos, se hacían las pruebas necesarias... Ya llevábamos dieciocho días en esa zona.

ISMAEL (Coronel)

Un poco después comprobamos que realmente existía Marimonda como uno de los paraderos del objetivo en la banda derecha del Golfo, según las referencias de varias personas de la región. Se trataba de una finca y desde luego empezamos a hacer una serie de seguimientos, a realizar tomas aéreas, a buscar la manera menos complicada para llegar allá y a los pocos días llegamos a ese punto.

Era otra cabaña de madera y allí encontramos a un hombre con una señora cuidando la finca que realmente había sido del Alemán, el hermano de Mario, porque encontramos libros y algunos apuntes hechos por aquel.

No dimos con el objetivo, pero apareció algo curioso: que el hombre que cuidaba tenía registrada en su teléfono una comunicación entre el Alemán y Mario. Como contra aquel muchacho no había ningún requerimiento lo dejamos libre, pero antes obtuvimos alguna información y nuevos números telefónicos.

Más tarde supimos que Mario había cruzado hasta un lugar, más o menos al frente de aquel punto y se escondía en otra finca. No obstante, una madrugada abandonó el sitio y se subió al cerro Yoky, en otro sector al sur de la banda derecha del Golfo, y ordenó que todo el mundo cambiara sus teléfonos.

Una vez en el costado de la cadena de montañas montó un esquema de seguridad en un diámetro de aproximadamente treinta kilómetros para contener el paso de gente hacia el punto que ocupaba. En ese momento vimos que era difícil capturarlo...

¿Qué tiene de malo Urabá para este tipo de labores? Si usted mira en un mapa, prácticamente Turbo, Necoclí, Apartadó —los centros principales de la región— están ubicados a la orilla del mar; por la derecha pasa la carretera, luego se extiende la costa de la selva y más allá la sierra. Allí se asoma el cerro Yoky.

Desde luego, cuando nuestra gente intentaba burlar el anillo de seguridad se encontraba con los bandidos bien camuflados que daban la voz de alarma.

En esa situación estuvimos prácticamente tres, cuatro meses. El objetivo se movía de cerro en cerro por entre una vegetación bastante espesa. Tanto sobre la carretera como por cuantos caminos cruzaban la región, todo vehículo que pasara era monitoreado por los bandidos. Hacia el oriente del Golfo prácticamente él era el dueño de la zona y desde luego se sentía mucho más seguro que en cualquier otro sector.

Pero, además, como había despojado a la gente de sus tierras en un área considerable, tenía más control y, claro, hablaba duro: "Yo soy el dueño, yo...".

Bueno, ahora la situación había cambiado bastante y nos vimos abocados a emplear nuevas estrategias. Al comienzo pensamos en un informante que llegara a los pies del bandido más allá de su esquema de seguridad.

ANDRÉS (Analista)

Aquellos vuelos sobre una explanada con árboles derribados en la cima de una montaña habían echado a perder los planes y desde el Centro de Operación retomamos el hilo de los rastros, pero una vez más, comenzando por los que se movían en la base de la escala. Quienes nos dieron nuevamente algunas luces fueron los carpinteros.

En ese proceso nos llegó la información de que el Viejo había decidido cambiar su esquema de seguridad. Hasta entonces supimos que andaba con quince hombres, que aquellos *manes* se estaban comunicando con otras personas sin que el bandido lo supiera, pero finalmente terminó enterándose de tanta desorganización. ¿Qué hizo? Cambió a toda su gente y contrató a mujeres, y así, rodeado de bandidas estuvo solo con ellas tal vez una semana y luego mandó a llamar a Cuca.

Nosotros calculamos que las loras lo podrían vender con cierta facilidad y nuestras cartas eran en ese momento esperar.

En tanto, Cuca se convirtió en enlace entre Mario, Nelson el de las cartas, y el Cabezón, o sea el viejito de las mulas. A partir de ese momento Cuca pasaba a ser el más cercano al objetivo.

CARLOS (Analista)

Por esos días hubo una reunión de Antonio, nuestro jefe, con Ismael, con los oficiales de Inteligencia y con el analista, y tomaron la determinación de operar. Se le presentó el caso a mi general Óscar Naranjo:

—El *man* está ubicado en tal sitio —y él dio luz verde.

Pero cuando ya estaban listos los comandos de Raúl, los Hombres Jungla, todos los cuerpos de la Policía destacados para la operación, se nos perdió el objetivo.

FELIPE (Oficial superior)

Bueno, muy poco después nos llegó otra información muy importante: ubicamos al objetivo en un punto aparentemente cercano al que ocupaba antes. Se hacía referencia a una casa ubicada en la cima de una montaña.

Pedimos nuestro avión, este nos dio las coordenadas y lanzamos la segunda operación, pero la diferencia de tiempo que nos separaba de aquel punto era grande: dos horas de vuelo, más o menos.

Estos helicópteros artillados son fortalezas pero no tienen sillas. Por dentro son un rectángulo de unos cuatro por tres metros, en los cuales se tienen que sentar quince o dieciséis personas con equipos, con fusiles, con ametralladoras, con lanzagranadas, con morteros… Una verdadera lata de sardinas: uno sentado con las piernas abiertas y detrás otro, y más atrás otro, de manera que usted no puede moverse un centímetro… Cada uno entra a presión. Sí. Es una lata de sardinas.

Cuando se iban acercando al punto, los pilotos descendieron y empezó un vuelo rasante, casi lamiendo las copas de los árboles y, desde luego, la nave planeaba en el sentido de los accidentes geográficos: subiendo colinas, bajando cañones, para evitar que el ruido se propagara y lograr una mayor sorpresa.

Eso generaba turbulencia en la aeronave y a la vez en la boca del estómago. Bueno, llegamos al punto y como sucedía cuando lo de Los Mellizos, encontramos la ropa de marca y el televisor plasma en medio de una selva.

La casa era un rancho de madera con dos habitaciones, una sala, entradas por delante y por detrás, un pasillo grande al frente, todo muy humilde, muy pobre, desnudo.

El objetivo se nos alcanzó a ir, el borracho ya había salido del juego y concluimos que en ese momento ya no contábamos con Inteligencia puntual para sostener la operación y nos retiramos.

RAÚL (Oficial superior)

Veníamos trabajando sobre este objetivo desde tiempo atrás. Los Comandos Antiterroristas hicimos varias operaciones de asalto aéreo llegando en helicópteros sobre áreas ya determinadas, con indicaciones muy puntuales, muchas veces apoyados por comandos de Operaciones Especiales, la unidad donde nosotros habíamos sido instructores.

Buena parte de esas operaciones se habían realizado entre el Golfo de Urabá y los límites con Panamá, otra zona dominada por el bandido y en la que también se sentía a gusto.

Allí el problema de las operaciones helicoportadas era que, primero, este hombre como bandido de alta peligrosidad tenía muchos oídos y muchos ojos en diferentes puntos de la geografía dominada por él, como los de los controladores aéreos en los aeropuertos de la región, los de algunos miembros de la misma Fuerza Pública, los de gente de la región, campesinos, ganaderos… De manera que cualquier movimiento de la Policía se lo reportaban de forma inmediata.

Por este motivo, resultaba casi imposible lograr la captura mediante una operación en helicóptero porque siempre los Black Hawk y los UH60, se escuchan más o menos dos minutos antes de que lleguen al blanco.

Dos minutos en aquellas zonas selváticas, con ríos, con cañadas, representan mucho tiempo para huir. Además, ellos ya tienen sus rutas de escape determinadas.

Son gente sagaz y por eso, cuando llegábamos, encontrábamos la comida caliente, las camas revolcadas, la ropa a un lado y también sus juguetes sexuales. Estos bandidos generalmente son depravados y este, como Los Mellizos, utilizaba no solamente diversos aparatos sino que en sus escondites encontrábamos ropa negra para sadomasoquismo, antifaces, chalecos, látigos, esposas… Con su dinero tienen acceso a modelos y a reinitas pre-pago, pero también a mujeres, como dicen, comunes y silvestres.

ANDRÉS (Analista)

Sabíamos que Mario se estaba acostando con una de las guardaespaldas. Sexta mujer conocida, pero sexta de turno. Como dicen, entretención de un par de días.

¿Qué sucedió?

Coincidiendo con la reunión, el ejército hizo una operación en la sierra, cruzaron por una senda cercana a la cabaña en construcción y, desde luego se generó un sobresalto del demonio, Mario se alejó un tanto de las bandidas, incluida la diva, y una noche cogió su mula y se perdió.

A raíz de aquello, ellas se emborracharon:

—El Viejo ya no está.

—El Viejo se marchó.

—Dijeron que se fue para los lados de Panamá.

Y nosotros: "¿Se fue?".

Consultamos a través de varias fuentes, y sí, señor: "Se fue". Lo perdimos. Allí ya no estaba Catalina, la Gomela. La había sacado del lugar unos quince días antes y ella terminó en Medellín.

Lo cierto es que nuevamente perdimos el rastro del objetivo cuando estábamos a punto de operar.

RAÚL (Oficial superior)

Las cosas parecieron recobrar posibilidades un poco más tarde, cuando unas personas fueron a nuestra base y nos dieron una probable ubicación de Mario: nuestro bandido continuaba en la zona del Golfo de Urabá costado occidental.

Esa región era bien conocida por nosotros y sabíamos de antemano que la topografía era inhóspita: selva cerrada, terreno inundable, pantanos, ciénagas, inmensos charcos en las zonas bajas y escarpado en cuanto uno se acerca al límite con Panamá, en un punto llamado Palo de las Letras.

Comenzamos por hacer nuevos reconocimientos desde el aire y reclutar ciertas fuentes para que nos sirvieran como guías una vez penetráramos en la zona. Con nuestros equipos y la tecnología con que contamos podemos llegar a cualquier sitio, pero es importante tener conocedores que dominen la región, sobre todo para evitar el cruce por lugares poblados.

Llevábamos más o menos una semana en la planeación y definitivamente la gente de Inteligencia logró confirmar que el bandido se hallaba en ese sector del Golfo, y pese a las dificultades o, digamos, a las características especiales del terreno, a nosotros nos parecía una maravilla porque nos facilitaba muchísimo nuestro accionar de comandos.

Comenzamos a estudiar nuevamente nuestros archivos de imágenes, cartas del terreno, estudios topográficos y en un reconocimiento de campo que hicimos en la nueva zona comprobamos que allí se tenía la facilidad de las comunicaciones: había dos repetidoras controladas por algunas instituciones del Estado y sabíamos que algunos de sus miembros recibían bonificaciones de la banda criminal. Eso era malo, pero a la vez bueno para nosotros.

Bueno porque se facilitaban las comunicaciones, pero malo porque los bandidos también se beneficiaban. Entonces empezamos a buscar una alternativa para contrarrestar la situación.

Con ingenieros de la Policía instalamos una red propia, que se demoró más o menos un mes en comenzar a operar al máximo y enviamos expertos a las diferentes estaciones locales donde instalaron repetidores, desde luego cumpliendo aparentes actividades de Policía corriente.

Una vez instalada aquella red y gracias a reuniones con personas relativamente cercanas al objetivo, más o menos confirmamos y reconfirmamos la zona aproximada por la que ahora se movía el bandido. Desde luego, no había unas coordenadas exactas.

El jefe tomó la decisión de combatirlo de manera frontal.

Una vez culminó el trabajo previo fueron comprometidas varias unidades como el Comando de Operaciones Especiales, la Dirección Antinarcóticos con su servicio aéreo y con los Hombres Jungla, la Dirección de Inteligencia con sus equipos de señales y la Dirección de Investigación Criminal por la parte investigativa y el área de operaciones especiales. Todos, cuerpos élite de gran experiencia.

Nos trasladamos a Medellín, base inicial de operaciones, pues ahora contábamos con tres puntos, ya no al occidente sino en el costado opuesto del Golfo, hasta los cuales, al parecer, se había movido el bandido.

El principal era un campamento en lo alto de una serranía a unos dos mil doscientos metros sobre el nivel del mar y los otros dos a menor altitud: un par de fincas, una muy cerca de la costa y otra en el talud de la serranía.

La operación fue planificada en tres fases: la primera, un asalto inicial a los tres puntos ya determinados, en la cual se calculaba que tendríamos solamente un cincuenta por ciento de probabilidades de éxito, puesto que los helicópteros se escuchan de lejos en aquellas soledades y porque la información con que contábamos no era exactamente muy puntual.

Segunda fase: se iba a determinar un cuadrante de más o menos, quince por diez kilómetros, donde estaban emplazadas las bases de nuestras comunicaciones. Ese iba a ser saturado en las partes altas, tanto haciendo bloqueos en las vías de acceso como por los corredores de movilidad, con la intención de presionar al bandido para que en sus movimientos cometiera algún error.

La tercera era muy lógica: una vez el objetivo cometiera el error haríamos una infiltración para llegarle hasta el sitio donde se encontrara.

Bueno, se lanzó la primera fase desde la ciudad de Medellín a bordo de varios helicópteros: dos se dirigían al punto principal, un campamento de los bandidos en un lugar más o menos determinado, y otros hacia una de las fincas en la zona de la costa. Los restantes buscarían la cabaña en el talud de la montaña.

Cada nave iba acompañada por dos helicópteros medianos.

Se hizo la operación, tuvimos un contacto en la zona del campamento en la serranía y allí encontramos una serie de caletas o escondites para guardar cosas, túneles con ropas del bandido, muebles rústicos con la comida que frecuentemente él consumía, pero no lo alcanzamos allí.

Sin embargo, capturamos a tres personas que pertenecían a su esquema de seguridad y confirmamos que efectivamente el tipo sí había estado allá, pero por el sonido de los helicópteros había escapado.

De inmediato se llevó gente hasta la casa de recreo cerca de la costa y a la del talud de la montaña, una finca, más de campesinos que de recreo. Estábamos descartando posibilidades.

Desde luego el mayor esfuerzo se hizo en la casa de la serranía, donde además de los tres hombres capturados se incautó armamento y una computadora con información valiosa para las áreas judicial y de inteligencia.

CARLOS (Analista)

La escapada del bandido nos afectó un tanto porque ahora no sabíamos a dónde recurrir de forma inmediata. Es cierto, teníamos a Nelson, el mensajero, pero él no decía nada. Teníamos también a Lentejo, el sobrino de la mujer, pero tampoco hablaba. ¿Qué hacíamos?

Bueno, pues finalmente logramos comunicarnos con Cuca, que una mañana resolvió abrir la boca:

—Me va a llamar el Viejo.

Pero el Viejo no mandó por Cuca sino por los carpinteros que se habían quedado en el cerro construyendo la cabaña. Ellos decían que Mario no era mala persona. A toda la gente del sector le mandó construir pequeñas cabañas de madera, buscando que vivieran un poco mejor. Esa era una forma de ganar su confianza y lograr que lo protegieran.

Los carpinteros ya habían construido varias y finalizaba diciembre, de manera que Mario le dijo a uno de ellos:

—Recojan sus herramientas, los necesito en otro lugar.

Ellos bajaron a las inmediaciones del Golfo y esperaron un nuevo aviso.

Bueno, pues casi al mismo tiempo apareció otro personaje que resultó importante para nosotros. Le decían Serafín y venía a cumplir las funciones de Nelson, el de las cartas.

Desde luego, Serafín era parecido a Nelson: se comunicaba por diferentes medios, cambiaba todos los días de sitio antes de dormir, algunas veces lo encontrábamos, otras no lo ubicábamos por ningún lado, era muy sigiloso. Sin embargo, siempre llegaba a Necoclí.

Serafín ubicó allí a uno de los carpinteros y le dijo que había
llegado el momento para el viaje. Luego llamó a la mamá y le
contó que se iba para "el otro lado", es decir, a la orilla opuesta
del Golfo. Durante varios días salía, supuestamente se embar-
caba en un bote y navegaba hasta Acandí. En los primeros
viajes, pasó primero a uno de los carpinteros y luego al otro.

—Don Mario está allá —le dijo al primero.

Nosotros iniciamos entonces otro proceso. Teníamos que
tratar de enganchar nuevamente a los bandidos y tres semanas
después o algo así, logramos hacer contacto con algunos y así
fueron apareciendo más personajes de cuento: Pirarocú, Clavocaído, La Sapa, Guacamayo, el Mello, Vegueta, Repollo…

Supuestamente estaban construyendo allí una cabaña más;
nos conectamos con una de las bandidas que habían trabajado
para Mario y luego con cuatro personas más, y efectivamente
confirmamos que el objetivo se encontraba en inmediaciones
de Acandí hacia la frontera con Panamá.

ANDRÉS (Analista)

Por Inteligencia sabíamos que Mario tenía una casa en
Acandí, donde anteriormente se refugiaba su hermano, el paramilitar conocido como el Alemán: refugio sobre un islote en
un mar muy agresivo y ruidoso al chocar contra los acantilados,
especialmente en las horas de la tarde.

Desde luego, pensamos que si el objetivo llegaba a ese punto
no buscaría la casa del hermano, pero una de nuestras teorías
era que tenía que moverse muy cerca de allí; lo más probable
era que saliera por esos lados a beber y a organizar rumbas.

CARLOS (Analista)

Nuevamente el interrogante era cómo llegarle al punto y entonces Ismael dijo:

—Mandemos gente a Acandí, eso es playa, fin de año, excursión, turistas.

Envió a varias parejas de muchachos, ellos recorrieron el lugar y lo memorizaron casa por casa, rincón por rincón, igual los alrededores hasta donde les permitían ir en plan de turismo y además, recorrieron otros paraísos más al norte llamados Zapzurro, Capurganá, Cabo Tiburón…

Antes que a ellos, el jefe había enviado a una de las muchachas de nuestro grupo, también como turista, y ella había identificado las lanchas de una empresa que utilizaban los bandidos para moverse de una orilla a la otra en pleno Golfo.

Una de las instrucciones que llevaban los turistas era verificar todo lo que se moviera en esas lanchas, qué rutas cubrían, entre cuáles puntos exactos se movían, dónde fondeaban, pero nos mató el que en esa orilla no operaba señal y no se podían comunicar con nosotros.

Sin embargo, la chica navegó hasta el pequeño puerto de Capurganá, al norte de Acandí, y allí encontró señal. De ese punto me llamaba:

—Tío, ¿qué hay? Aquí están llegando los peces.

—Ubique a Macancán, que debe ser un negro, alto fornido. Él llega a la playa con alguna frecuencia a recoger cosas.

—¿Negro? ¿Fornido? Aquí hay cualquier cantidad. Todos son negros. A todos los veo fornidos.

Dentro de los controles establecimos que los bandidos estaban utilizando comunicaciones a través de radio de dos metros, y ya teníamos localizado a Cuca, el que se movía más cerca del objetivo. Por radio le decían Bogotá Tres.

Eso nos imponía enviar un escáner, es decir, un radio para escuchar frecuencias de dos metros, pero ¿cómo íbamos a hacer para camuflarlo? Se trataba de un radio pequeño, sí, pero las antenas eran grandes.

Bueno, pues otros de nuestros muchachos lo llevaron. Aunque eran técnicos electrónicos se presentaron como empleados de una firma de comunicaciones muy conocida y dijeron que su misión era verificar la señal que emitía una antena instalada en el lugar.

Cuando llegaron allá se presentaron:

—Ella es una ingeniera y él, otro ingeniero. Vienen a mejorar las comunicaciones.

—Perfecto.

En ese momento los turistas ya habían ubicado a Bogotá Tres, es decir a Cuca, el que se movía más cerca del objetivo.

Una vez localizadas varias personas, un veintitrés de diciembre enviaron uno de los aviones y los ubicó a todos en la playa, formando una "U" en torno a un punto:

—¿Mario?

Yo decía "Imposible, ese *man* qué va a estar en la playa. ¿Cómo diablos va a estar Mario bronceándose?".

—No. Mario les dio permiso a sus bandidos, pero él no debe estar ahí —respondió Andrés.

Los bandidos fueron ubicados más o menos a las diez de la mañana, los helicópteros despegaron a las once y los aviones se elevaron a eso de las dos de la tarde en Cartagena de Indias, un sitio realmente apartado, pero ideal para no despertar suspicacias. El vuelo hasta Acandí se demoraba cerca de dos horas.

Pero ese mismo día, esa misma mañana los muchachos de las comunicaciones "se quemaron", como dicen, porque un teléfono público en el lugar estaba interceptado por los bandidos y estos descubrieron nuestros movimientos cuando la chica nos llamó de ese punto. Y no se comunicó con un celular sino con un teléfono fijo en el Centro de Operaciones.

Lo cierto es que las naves y los comandos llegaron al punto indicado, y nada. Los bandidos habían desaparecido una vez más. Allanaron la cabaña que se encontraba en construcción en aquella zona y como no hallaron nada, se trasladaron a otra que, según los bandidos, estaba terminada.

Llegaron allí pero aún no la habían habitado. Estaban montando una serie de tanques para surtirse de agua dulce y la casa se levantaba en un lugar con una vista impresionante que, además, dominaba los cuatro puntos cardinales. Los carpinteros y sus trabajadores se habían ido, era víspera de Navidad.

De todas maneras el objetivo había cambiado de zona posiblemente por el vuelo de los helicópteros sobre la playa y, desde luego por la llamada telefónica de la chica. Más tarde contaron que una hora antes habían sospechado que la Policía planeaba una operación en esa localidad y que, efectivamente, Mario había estado allí bronceándose.

Aquel día el cabecilla de los delincuentes, o "jefe militar", contaba:

—Nos tocó salir en carrera de esa playa. El Viejo todavía anda en fuga y tenemos que esperarlo.

FELIPE (Oficial superior)

Nuestros analistas con sus controles habían encontrado un contacto importante que al parecer estaba con el objetivo. Por problemas de seguridad en el manejo de la información, no lanzamos la operación desde el mismo sitio de la vez anterior, porque aparentemente alguien estaba filtrando datos y por orden de Antonio, se lanzó la operación desde la nueva base. Volamos primero de Bogotá a Cartagena de Indias, cinco horas dentro de las cajas de sardinas.

Como los dos superiores del grupo, Antonio e Ismael, no podían movilizarse —mi general, porque había acabado de contraer matrimonio, y el otro, por molestias físicas— enviaron a tres oficiales para que lideráramos la operación: Aníbal, Camilo y yo.

Aníbal es piloto, maneja muy bien el tema de planeación de operaciones aéreas, y nosotros la parte investigativa, somos quienes decimos qué se debe hacer. Sin embargo, nuestro jefe suspendió en parte su luna de miel y tuvo que alcanzarnos en Cartagena. Llegó más o menos el dieciocho de diciembre.

Desde allí comenzamos a hacer sobrevuelos y a determinar ubicaciones en las playas, banda izquierda del Golfo de Urabá, al frente de donde se había realizado la operación anterior.

Ahora éramos cuatro oficiales además de sesenta hombres de comandos y varios helicópteros en Cartagena, temporada alta de turismo, esperando a que surgiera una información clave para atacar.

Los oficiales estábamos todo el día juntos, por lo cual los vínculos de amistad entre nosotros se alimentan con cada operación, con cada actividad: desayunábamos juntos, almorzábamos juntos, cenábamos juntos. Compartíamos todo el tiempo, esperando el momento indicado y las comunicaciones nos daban muchas ideas de que en ese sitio del Golfo estaba el objetivo, pero no podíamos confirmarlo y tampoco queríamos quemar ese cartucho hasta no estar ciento por ciento seguros.

Alrededor del veinte de diciembre el avión hizo un sobrevuelo y logró ubicar uno de los puntos que nosotros le habíamos dado como referencia.

Transcurrieron varios días y otro avión, el que necesitábamos ahora para una operación muy específica estaba en los talleres de mantenimiento, pero luego de la intervención del director de la Policía para que agilizaran la reparación, la nave llegó al punto que necesitábamos.

El veintitrés de diciembre estábamos almorzando en Cartagena y apareció en una playa del Golfo —en el pequeño puerto de Acandí— la persona más cercana al objetivo a quien estábamos esperando para atacar.

Partimos y en la zona acometimos sobre dos puntos: la playa y una casa aún sin terminar de construir, en la cota más alta de aquella zona, con la vista más bella que se pueda imaginar… Más bella y, desde luego, más estratégica.

Por la diferencia de tiempos y distancias entre Cartagena y el objetivo, no logramos consolidar los planes: otra operación fallida. El tipo alcanzó a escaparse nuevamente, pues unos minutos después dijo uno de los bandidos:

—Cayeron donde estaba el Viejo, pero hacía un momento él había salido de allí.

Estamos hablando de una región selvática en la cual, si usted no tiene unos elementos de información puntuales, no es tan sencillo como buscar a alguien en otro lugar. La selva es inmensa y muy dura para trabajar en ella.

Nuevamente en ceros.

Nos sacaron del área a eso de las siete en un vuelo con visores nocturnos. Esa misma noche nos recogió un avión en la pista de otro pueblo. Allí llegamos cansados, embarrados, con hambre, con sed, nos sentamos en la misma pista de aterrizaje y al poco tiempo llegó un avión Caraván que tiene capacidad para unas veinte personas. Era el veintitrés de diciembre.

Seleccionamos quiénes nos íbamos y el resto del grupo se quedaba en ese lugar para ser transportado al día siguiente a Bogotá. Llevaríamos un par de minutos después de despegar, sonó un timbre agudo y empezó el técnico a correr por todo el avión, y miraba por una ventana, miraba por otra y resultó que se estaba incendiando un motor.

El avión logró girar y aterrizó nuevamente.

CARLOS (Analista)

Una vez más estábamos en el punto de partida. Permanecimos desconectados de la banda más o menos un mes, tiempo en el cual estuvimos buscando a alguien, buscándolos, buscándolos y finalmente nuestro apoyo fueron algunos datos vagos que teníamos en torno al tal Serafín, hombre de su confianza, y gracias a ellos logramos controlar a la mamá y a la hermana para tratar de ubicarlo.

Cuca, el hijo del carpintero, tampoco aparecía, todo el mundo seguía escondido, hasta que, a los treinta y tantos días, a finales de enero, apareció finalmente Serafín que le había entregado su trabajo a otra persona y ya no tenía tanta importancia.

Ahora el hombre era Tito —sobrino de los Úsuga—, un cabecilla financiero que entró a custodiar al objetivo.

ISMAEL (Coronel)

A los tres meses de haberse ido, reapareció *el informante estrella* y nos dijo que había hablado con una mujer a la que empezamos a llamar *la enfermera*, y le pedimos que la hiciera subir hasta donde se hallaba Mario, pues él no podía llegar allá de un momento a otro.

—Perfecto, mañana le voy a decir que lo haga —dijo, y luego contó que ella había aceptado.

Pero la mujer no sabía que el informante trabajaba con nosotros. Él le dijo que quería trabajar con Mario y le pidió que lo ayudara hablando por él.

Efectivamente, unos días después recogieron a la mujer y como yo tenía gente en muchos puntos sobre la vía, controlamos el carro, pero finalmente no llegó a uno de aquellos puntos. Habían salido de la carretera y entraron con ella camino de la serranía a partir de una finca donde tomaron mulas y siguieron trepando, según se lo contó después al informante.

Ella fue, regresó y le dijo:

—Ya lo recomendé, el *man* dice que en otra ocasión sí, pero que por ahora no porque la situación está muy tenaz.

Nosotros verificamos que realmente la mujer tenía acceso al objetivo.

—Ya les he dicho que ella es la única que tiene acceso al sitio. Necesitamos llegar a ese punto, dijo el hombre.

Esa tarde volvimos a hablar con él:

—Le voy a decir a la muchacha que trabajo para ustedes que sigamos en esa onda.

Lo que planeábamos era que ella llevara un dispositivo y lo colocara al lado del objetivo, pues había dicho que regresaría a los quince días y el informante insistió:

—Esta mujer hace algunos años fue mi *amiga* y es una de las pocas personas que conocen el gran secreto de Mario: para tener sexo con él durante, que sé yo, horas, ella le aplica primero una inyección en…

Desde luego, antes de que regresara la mujer alistamos una mochila con el dispositivo que nos iba a dar la ubicación exacta del bandido. Eso solamente lo sabíamos Antonio —nuestro jefe—, *el informante estrella* y yo.

Se aproximaba la segunda subida de *la enfermera* y en uno de los arrebatos el informante le contó que trabajaba para nosotros, que había entregado a Los Mellizos, que iba para el exterior protegido y que recibiría un dinero como recompensa.

Parece que la mujer cerró los ojos unos segundos:

—¿Cómo así? ¿Qué es eso? —preguntó extrañada.

Silencio.

Palideció un poco, luego salió camino de la serranía llevando la mochila sin imaginarse lo del dispositivo, pero una vez arriba le contó a Mario lo que le había dicho *el informante estrella*. Entre otras cosas, ella había subido con el fin de delatarlo.

CARLOS (Analista)

Tito, quien había reemplazado a Serafín, también era despierto, sagaz y mantenía tan bien custodiado a Mario que no permitía que nadie más llegara hasta él. El tipo mandaba a sus dos secretarios a llevar mensajes desde la banda oriental del Golfo, al norte, en una zona llamada La Cenizosa, a orillas de un lago de agua dulce, donde estaban ubicados ahora.

Gracias a Serafín nos habíamos ido reencontrando con la banda y luego apareció en el reparto otro personaje de aquella cartelera de nombres: Marihuano, un mensajero en moto.

La verdad es que el objetivo no se sentía seguro cerca de aquel lago, porque por allí cruzaba todos los días el Ejército, porque estaba ubicado sobre una vía de acceso con bastante tráfico, porque extrañaba la soledad de la jungla... Además era una planicie, él no estaba acostumbrado a ese tipo de terrenos, y dije:

—El *man* está débil, no tiene suficiente gente de confianza.

Bueno, lo cierto es que cuando íbamos a operar en aquel sitio hubo una filtración y de un momento a otro el objetivo decidió huir:

En ese momento Marihuano le dijo a Tito:

—Hermano, tenemos que alistar un carro para hacer el movimiento...

Tomaron el camino de Cerro Azul, pero se detuvieron quince días en un par de fincas antes de llegar al sitio. En la primera hizo una reunión y los cabecillas celebraron la llegada del capo.

En aquel punto estaba ubicado Mauricio (Úsuga) y luego de unos días, el objetivo salió para las montañas, exactamente a la cima del Yoky, donde se encontraba la cabaña sin terminar.

Desde luego no había escogido esa zona para asentarse, pero sin embargo se quedó un tiempo en la región.

Para entonces ya habíamos localizado a Cuca a través de la esposa, y gracias a ella, a la mamá, al papá y, además, a Camilo, un joven tan indisciplinado que unos días después le contó a un amigo que estaba feliz porque ahora andaba hombro a hombro con el objetivo.

—Ese *man* no se separa un segundo de Don Mario —le contó más tarde el amigo a otro amigo.

Por esos días el capo dijo que necesitaba formar un grupo de seguridad más sólido y se reunió con el zoológico que lo rodeaba. Allí estaban Nelson, Serafín, Cuca, pero volvió a crecer el cartelón con Camilo. Se trataba de un sobrino del capo de quien no habíamos tenido referencias, pero estuvimos en contacto con él un par de días, sólo dos días, y le dije a nuestro jefe:

—Ese es el que nos va dar la ubicación de Mario. Estoy seguro.

—Esperemos.

La historia es que, aunque estaba totalmente prohibido, el muchacho se escapaba del grupo por las noches y se comunicaba con una novia tan inquieta como la de las inyecciones, que vivía en Necoclí.

Sucede que Camilo acostaba a Mario y como este prohibía llevar celulares a la zona donde se encontraba, cuando alguien salía o entraba a la cabaña lo hacía requisar. Sin embargo, el muchacho envolvió muy bien un aparato dentro de una bolsa plástica y lo enterró al pie de un árbol, a unos quinientos metros de la vivienda. Desde allí llamaba a Necoclí y desde la primera noche la parejita estuvo mucho tiempo en una actividad tan severa como puede ser la de *Gokú*. Sexo a larga distancia entre el árbol y el pueblo.

Eso ya es novela roja.

Así estuvimos varias noches y finalmente le informamos a nuestro jefe que se estaban dando todas las condiciones para enviar un avión y establecer las coordenadas del árbol del arrebato. Realmente Camilo había resultado una referencia tan certera como se lo habíamos anunciado.

RAÚL (Oficial superior)

Lanzamos entonces la segunda fase. Empezamos a saturar el cuadrante ya determinado con aproximadamente doscientos cincuenta Hombres Jungla en grupos pequeños. Teníamos más o menos veinticinco patrullas de cinco equipos cada una.

La intención era que hicieran presencia en la zona y presionaran al bandido que ahora tenía que hallarse en ese sector.

En aquella actividad duramos más o menos tres días hasta cuando empezamos a tener resultados, pues fueron surgiendo informaciones según las cuales el tipo, efectivamente había salido del campamento de la primera fase y huido hacia donde nosotros habíamos planificado el cuadrante. Esta zona era para él un terreno de mucha confianza porque lo conocía más o menos bien y allí tenía varias propiedades.

Efectivamente, resultó así.

Bueno, pues pronto cayó dentro del cuadrilátero y allí la saturación de fuerza lo desesperó. Al tercer día la gente encargada de su seguridad empezó a dar señales, y ya por fuentes humanas y por medios técnicos empezamos a tener una idea más clara del sitio donde se encontraba.

Entonces empezamos a tratar de desconcertarlo moviendo las patrullas de un lado para otro, recogiéndolas en los helicópteros durante las noches y ubicándolas en otros puntos dentro del área demarcada.

La estrategia era colocar un equipo de hombres cerca de donde imaginábamos que él estaba y eso duró más o menos cuatro días, es decir, llevábamos siete días en la zona moviendo a nuestra gente, otros haciendo labores de vecindario, mirando las fincas, casas, en una palabra, haciendo presencia y desde luego, mucha presión en la zona.

Creo que fue el séptimo día cuando se generó una comunicación de uno de sus hombres de confianza con una novia o algo así, que vivía en un pueblo cercano.

Mario tenía mucha disciplina en la parte militar. Él mismo se cercioraba de que su sistema de seguridad funcionara, en todo momento estaba presionando a su hombres para que fueran muy cautos en la seguridad y por consiguiente les tenía prohibido cargar celulares. Tanto así que él llegaba, enfrentaba a dos o a tres de sus hombres y los hacía requisarse entre ellos para verificar que no llevaran equipos de comunicación.

Pero el hombre de la noviecita escondía un celular y cuando llegaban a un sitio nuevo, lo primero que hacía era esconderlo en alguna parte boscosa y por las noches se escapaba y llamaba a la mujer. Gran detonante para iniciar nuestras acciones.

Las coordenadas que obteníamos estaban en tiempo real, pero la demora para llegar al punto nos perjudicaba: debíamos ir caminando durante las noches, infiltrados en una zona supremamente ondulada, difícil de recorrer y eso tomaba cierto tiempo, de manera que cuando llegábamos, los bandidos ya se habían movido.

Así duramos otro par de días, es decir, llevábamos nueve jornadas, varias comunicaciones largas del hombre con la mujer aquella y tres cambios de escondite del bandido.

El día diez despegó el avión, ubicó a Camilo y nuestro jefe sonrió:

—Esta vez sí no se nos escapa. Le voy a ubicar en ese punto a quinientos hombres —dijo.

Hizo alistar helicópteros, Hombres Jungla, comandos del Grupo Antiterrorista y un grupo del Escuadrón Móvil de Carabineros.

El avión había sobrevolado el lugar cinco días antes, pero el de la operación amaneció con un tiempo pésimo, nubes cerradas y un cielo tan aparatoso que no permitía que despegara buscando ubicar el blanco con absoluta precisión.

Bueno, de todas maneras esto coincidió con la Semana Santa, igual que cuando cayeron Los Mellizos, y como eran días festivos, con ese pretexto nuestro jefe anunció que saldríamos a descansar.

Pero los que iban en plan de "descanso" realmente partieron hacia la zona de la operación. Nuestro jefe no olvidaba la filtración en La Cenizosa, de manera que si alguien sospechaba de nuestro propósito, esta vez lo habíamos puesto fuera del juego.

Se cumplieron los planes y los hombres cayeron cerca de la cabaña en construcción y, claro, allí no encontraron nada, pero uno de los helicópteros que volaba como apoyo dio un giro y vio a cinco personas que corrían, se ocultaban en la vegetación y ametralló el lugar.

Justo en ese momento me llamó el jefe Ismael:

—Se nos escapó el objetivo —pero casi al mismo tiempo habló Camilo:

—Mamita, casi nos agarran. Nos ametrallaron, la cocinera va herida y nosotros avanzamos con el Viejo, que ni siquiera alcanzó a ponerse un pantalón. Va en pantaloneta… Vamos corriendo. Chao, mi vida. Yo estoy bien.

Los jefes habían comenzado a mover a la gente que tenían en el área y además, hicieron venir de Medellín a los comandos que faltaban y empezaron a hacerle un cerco.

ISMAEL (Coronel)

Mario andaba con ocho escoltas. Empezamos a controlar a uno de ellos porque siguiendo instrucciones del bandido, llamó a *la enfermera* para que regresara, pero sucede que ella, a su vez, le había dado ese número *al informante estrella*.

Era un avance grande para nosotros porque de los ocho guardaespaldas a este le gustaba hablar, y a hablar demasiado y decir cosas muy gráficas, y algunas veces, digamos, bastante rudas: es que todas las noches se comunicaba con su novia y jugaban al sexo a través del teléfono.

Colombia tiene millones de celulares, digámoslo, y en ese momento cazar a uno de los ocho que andaban con el objetivo era una lotería.

Ante el cerco cada vez más apretado, el objetivo pensó que por algún lado había filtración y se separó de los escoltas. Ellos se abrieron por diferentes sendas y dentro de nuestros anillos de seguridad empezamos a encontrar gente caminando, pero como no tenían órdenes de captura… De todas maneras confirmamos que se estaban retirando y él había quedado solo. Nuestro paso fue no dejarle entrar ni comida, ni, desde luego, gente.

Teníamos bloqueada la zona y el hombre andaba para arriba y para abajo, finalmente logró salirse de nuestro cerco y a eso de las seis de la tarde se encontró con una patrulla de Hombres Jungla:

—¿Usted para dónde va?

—Allí, para mi casa.

—¿Cómo se llama?

—Fulano de Tal —un nombre falso.

Iba en pantaloneta con unas botas de caucho. Parecía un hombre de la zona.

—Bueno, siga.

LIBARDO (Inteligencia)

En el sitio al que llegamos esta vez, el bandido tenía dos casas pequeñas: una eran la cocina y el baño, construcciones en madera con un toldo negro de plástico encima. A los lados les ponían plantas. Es decir, la jungla, pero él no dormía allí.

Al frente había un bosque y en lo alto de la colina el objetivo instalaba una pequeña carpa; en otra, un par de bandidos, y al frente, en un cerro más alto, permanecía el resto de sus hombres bajo una tercera carpa.

Ahora muestro hombre se estaba dando una paliza en plan de vagabundo.

El día que llegamos era un Jueves Santo y se les quedó allí, a punto de preparar un pargo rojo grandísimo que habían pescado sus secuaces para que almorzara.

Del escondite a la casa había túneles, pero también un desfiladero y al parecer se escapó por allí en pantaloneta.

De los siete u ocho escoltas cogimos a siete. Pero un poco después entendimos que el bandido había caído exactamente dentro del área que habíamos calculado.

CARLOS (Analista)

Nuestro trabajo fue concentrarnos cuanto más pudimos en la parte técnica para informarles a los mandos dónde podía estar el objetivo.

De todas maneras había gente cercana a Mario y gente de aquel pueblo llamado Manuel Cuello que teníamos controlada y esperábamos a que alguien nos diera una luz sobre el paradero del bandido.

Esa luz nos la dio el hombre que manejaba las mulas en ese lugar:

—Por aquí bajó uno de los escoltas del Viejo —dijo, y empezó a explicar por dónde iba y cómo eran los movimientos que hacían en ese momento algunos de los bandidos.

Nosotros les informábamos a los jefes y ellos iban moviendo a los comandos y a los helicópteros.

Estando en eso, Guacamayo, el cabecilla de esa zona, pidió que le tuvieran listos un cepillo de dientes, crema, una cuchilla de afeitar y un par de tijeras.

Le informamos al jefe que al parecer Guacamayo lo iba a proteger, y la esposa de Guacamayo comentó más tarde:

—Toca prepararle la comida y a él le gusta el pavo. Voy a hacerle un almuerzo bien cargado para que se fortalezca.

Guacamayo le respondió:

—Bien. Prepárele eso mientras voy a recogerlo.

Deberían ser las diez de la mañana del día siguiente, el tipo andaba buscando qué comer y nuestra gente detrás de él con los comandos, los Hombres Jungla, los helicópteros…

Continuamos midiendo los pasos de varias personas y durante el tiempo que duró la operación les estuvimos informando a los jefes de forma inmediata y con detalles cuanto sucedía en la zona.

RAÚL (Jefe de comandos)

Bueno, a esa altura me llamó nuestro jefe y me indicó una nueva coordenada, porque el tipo se había movido una vez más y nos fuimos en busca de aquel punto. Por aire movían gente para que los bandidos vieran movimiento permanente. Se trataba de crear una sensación de zozobra.

Nosotros nos movilizábamos a pie y luego de caminar unas cuatro horas, me llamó nuevamente el jefe y dijo que me necesitaba urgentemente en el puesto de mando que ahora estaba en el puerto de Turbo.

Le di nuestras coordenadas, esa misma noche nos recogieron en un helicóptero, fuimos con mi equipo y allí el jefe me dijo que estaba preocupado porque habían sabido que, según los hombres de seguridad de Mario, *la mamá estaba de recluta*.

Muy bien, la mamá era el tal Mario… Pero ¿*de recluta*? ¿Qué era *de recluta*?

En ese momento creímos posible que al bandido algún organismo del Estado le estuviera ayudando y de pronto iban a sacarlo de la zona, según conversaciones de funcionarios oficiales que se mostraban muy preocupados por la situación en la zona.

Por este motivo se crearon nuevas alertas y más controles, pero de forma coincidencial, por eso de la suerte, digo yo, el hombre de la noviecita la volvió a llamar y le habló de un punto a cuatro horas caminando de donde nos encontrábamos.

La orden fue cortar con lo que estábamos haciendo y encaminarnos hacia aquel blanco. Así lo hicimos.

Cuatro horas después llegamos al sitio. La coordenada pegaba exactamente en una zona boscosa a espaldas de la casa de una finca. Llegamos a eso de las doce de la noche, pero la finca estaba abandonada y como vi que el bosque era muy frondoso y físicamente no estábamos en nuestras mejores condiciones, tomé la decisión de dejar dos equipos emplazados en los costados de la casa y otro se dedicó a buscar con un sistema de rastreo en zigzag y establecí unos horarios.

Nos dividimos en dos equipos: uno debía quedarse en un punto mientras el otro se iba moviendo. Luego nos relevábamos para poder cubrir toda aquella zona que realmente era bastante complicada por la vegetación, la topografía, zonas inundadas…

En aquella región no hay electricidad por inhóspita, pero nos ayudábamos con nuestros equipos para visión nocturna y a eso de las tres de la mañana uno de mis hombres me informó por radio que a un costado del sitio donde nos encontrábamos, más o menos a un kilómetro, prendían y apagaban una luz.

Estos equipos son muy sensibles a cualquier luminosidad y los destellos se hacen muy evidentes, de manera que le ordené a uno de los equipos que se acercara al punto y nos informara qué observaban. Los demás continuamos con nuestra búsqueda.

Seguíamos con nuestro zigzag y a eso de las cuatro y media de la mañana me informaron que había una cuatrimoto pintada de camuflaje frente a la puerta de una pequeña casa.

—Es un alto al pie de una corriente de agua que va al mar. Desde aquí se ve el mar —dijo uno de los muchachos.

Les pedí que se acercaran de la manera más sigilosa posible y me informaran si había algún movimiento, qué más veían, si había animales, personas, otros objetos ajenos al campo.

Así lo hicieron y luego de una inspección por los alrededores informaron que no habían visto nada más, que no escuchaban nada fuera de la cuatrimoto en los alrededores de la casa.

—Permanezcan en el sitio mientras nosotros terminamos el zigzag —respondí.

A eso de las seis y media de la mañana me llamó el jefe. Lo escuché muy desmotivado. Dijo que reuniera a la gente pues habían tomado la decisión de cancelar la misión porque ya llevábamos casi once días y el desgaste era muy visible y el consumo de combustible de aviones, helicópteros y vehículos a esas alturas era difícil de coordinar. Los helicópteros tienen funciones adicionales y a esas alturas todo el mundo estaba presionando porque necesitaba a su gente.

ISMAEL (Coronel)

Una vez se alejó del puesto de control de los Hombres Jungla que lo habían interrogado, el hombre avanzó y se ubicó en la mitad de los dos anillos: el nuestro y el suyo, descendió hasta la base de una colina y se refugió en alguna casa de Las Mercedes. Así se llama esa zona.

Desde allí le dijo a uno de sus bandidos que se hallaba por fuera de nuestro cerco:

—Ayúdeme, estoy de *recluta*.

¿De *recluta*? Estoy de... ¿*Re-clu-ta*?

Bueno, pues avanzó, entró a otra finca en el mismo sector y allí empezaron a planear con un bandido cómo lo iban a sacar, vestido de mujer, vestido de soldado, en un caballo, en una lancha. Nosotros lo teníamos controlado.

Mario se separó del bandido, el bandido se alejó y un poco más adelante vio otro control de la Policía y antes de llegar inició un rodeo para escapar del retén y continuó bajando a grandes pasos.

En ese momento, Antonio, nuestro jefe, dijo:

—Necesitamos capturar a esa persona. Viene de hablar con el objetivo.

Nosotros estábamos retirados del segundo retén unos diez minutos por tierra, hicimos prender el helicóptero y tratamos de llegar a aquel control, pero nadie tenía visores nocturnos aparte del piloto y el copiloto, de manera que el hombre cruzó por detrás de nuestra base.

Ante aquella imposibilidad enviamos a Eduardo, un oficial superior, con una patrulla a localizarlo. Eran las doce y media de la noche y quien anduviera caminando por allí, a ese había que capturarlo.

Eduardo rastreó la zona un par de horas pero no lo encontró.

CARLOS (Analista)

En ese transcurso de tiempo apareció Vegueta, una de las fichas del narcotráfico. Le ordenaron trasladarse a Manuel Cuello:

—Usted tiene que sacar al Viejo.

En ese momento teníamos controlados a Repollo, al Mello y a Guacamayo, que manejaban esa zona.

El Mello esperó a Vegueta y le dijo:

—Encárguese de ubicar una lancha con dos tanques de combustible, porque la idea es que auxilie al Viejo, que anda totalmente rodeado. No hay por dónde más sacarlo, no hay por dónde echarle una mano a ese *man*. Lo único que nos queda es sacarlo de aquí.

Por su parte, Guacamayo se entrevistó con otros bandidos, esperaron cierto tiempo y finalmente llegó Tito, hablaron largo pero no precisaron dónde se hallaba Mario.

En un momento dado, el jefe Ismael llamó del mismo teléfono público en Manuel Cuello y le dijimos que ese era el que utilizaba la esposa de Guacamayo. Era un punto de referencia muy importante para nosotros:

—Desde donde usted nos está llamando, ojo, desde ahí exactamente era de donde le estaban mandando comida y algunos víveres a Mario.

En ese momento íbamos a cumplir dos años buscando al delincuente.

Justamente después de aquella llamada conocimos a Rufino, que empezó a pedir algunos medicamentos para el Viejo, y dijimos:

—Este tipo está cerca del bandido porque habla desde la cabina telefónica.

Posteriormente sobrevoló el avión y ubicó a Rufino, a Guacamayo y a la esposa de Guacamayo. Todos se encontraban en la misma área de la cabina.

Una vez lo informamos, los comandos siguieron avanzando y tratando de cerrar el cerco en torno a ese sitio.

CARLOS (Analista)

Antonio, nuestro jefe, me dijo:

—Esté pendiente porque en este momento los bandidos tienen que tocarse. Les vamos a dejar "un regalo" en tal finca.

El regalo eran Raúl y sus comandos.

Ellos se movieron con su gente hacia una casa que les parecía sospechosa. Al mediodía se elevó un avión plataforma y detectó a una mula cargada y a una camioneta con el motor prendido, sentado en ella un sujeto y al frente dos guardaespaldas.

Por la noche repitieron la operación y lo único que localizaron fue a la mula pero descargada. La camioneta se había marchado, y dijimos:

—No importa. Por ahí tiene que estar el *man*.

FELIPE (Oficial superior)

Esta operación se había empezado a planear con base en la experiencia de las anteriores, contando con los inconvenientes, con los aciertos y los desaciertos presentados y buscando que este no fuera a ser un susto más para el objetivo sino la estocada final.

Antonio tuvo en cuenta el nivel logístico, administrativo, operativo y en ella vinculó a casi todos los servicios especializados de la Policía Nacional, tanto grupos de combate, Hombres Jungla, comandos del Grupo Antiterrorista, Comando de Operaciones Especiales, Escuadrones Móviles de Carabineros. Alrededor de mil personas.

La idea inicial fue asaltar, pero aparte de asaltar, no repetir aquello de entrar y salir. "Esta vez vamos a entrar, vamos a saturar la zona y de esta forma lo podremos capturar", dijo el jefe.

Inicialmente pedimos el apoyo de un avión para que ubicara algunos objetivos específicos y lo hizo sobre una montaña. En un sobrevuelo, captamos imágenes, pero como la región es selvática tuvimos dudas: "¿Nos equivocamos? ¿Entramos mal? ¿Falló el avión?".

Hicimos la valoración y se tomó la decisión de atacar. Debíamos operar con la idea inicial y definimos cinco puntos exactos para atacar. Ya teníamos las coordenadas, lo teníamos todo en cuanto a cartografía y nos desplazamos inicialmente unas cien personas hasta el aeropuerto de Rionegro, unos quinientos kilómetros al noroccidente de Bogotá. Era la gente del primer asalto, el de mayor riesgo pero a la vez el de mayores probabilidades de consolidar el objetivo.

Durante dos días se hizo la planeación, se organizaron las cosas y finalmente salimos antes de las seis de la mañana. Primera luz del día.

Estábamos a una hora y media del objetivo, nuevamente vuelo rasante en la caja de sardinas y llegamos al punto de operación.

Cuando nos ubicamos sobre la montaña el helicóptero descendió, se posó arriba del punto haciendo un estacionario, pero las palas del aparato provocaron una turbulencia, abrieron la selva y nos encontramos con una vivienda cubierta por los árboles.

Además, habían hecho una especie de huerta sobre el techo con yerbas selváticas, de manera que fuera imposible identificarla desde el aire. Estaba totalmente camuflada y observamos a cinco personas armadas que nos empezaron a disparar. Antonio le dio orden al artillero para que abriera fuego y empezaron las ametralladoras a escupir ráfagas impresionantes con varios cañones a la vez que tumbaban árboles, y repelieron el ataque.

El primer grupo de comandos bajó por cuerdas. Encontraron fusiles, ropa, pero Mario, que estaba allí en ese momento, alcanzó a escapar.

Los bandidos decían que el tipo se había deslizado por una cañada cercana, que había dos personas heridas, entre ellas la cocinera, que el Viejo estaba en mal estado, que había tenido que escapar en calzoncillos y nosotros hicimos un análisis de la cartografía para mirar cuál podría haber sido la ruta de escape. En aquella casa encontramos unos túneles de aproximadamente cincuenta metros de longitud.

Avanzamos luego por la cañada, un terreno totalmente hostil, difícil de caminar por la pendiente, por las piedras sueltas, por el agua. Caminamos por allí unas cinco horas y salimos como para acostarnos a dormir ocho días. Terrible. Y no encontramos nada. Hacíamos paradas tácticas, utilizábamos el teléfono satelital, pedíamos más gente… Antonio llamaba y ordenaba, "Mándeme doscientos hombres, ubíquenmelos en tal punto, ubíquenme gente en tal otro". Coordinación permanente.

Sabíamos que teníamos que empezar a cerrar un cerco, a cerrar, a cerrar para ubicar a la gente que se había escapado y poder cogerla, pedimos el avión específico para esa operación pero un general de la Fuerza Aérea dijo que no lo permitía. Tenía que ir a bordo un oficial suyo.

Bueno, por fin logramos salir de la cañada, nos recogió un helicóptero y nos llevó a un punto más alto en la misma área de operación, en donde habíamos montado repetidoras para los radios. Allí estaba el puesto de mando en la misma área de operación, en lo alto de una montaña en medio de la selva.

En tanto, nuestra gente cerraba espacios y nosotros analizábamos lo que informaba el analista desde el Centro de Operaciones en Bogotá:

Que el Viejo se voló, que el Viejo está mal, que lo sacó un viejito con unas mulas por un sitio llamado Manuel Cuello.

—Bueno —dijo Antonio—, la prioridad es ubicar al personaje que lo sacó.

En aquel momento estábamos en la cima de una montaña en la que no había ni una casa, nada, y nos acostamos en el piso a mirar las estrellas. Eran aproximadamente las ocho de la noche, cansados, empapados, pensando qué hacer.

Unos minutos más tarde empezamos a escuchar disparos, un combate, pensamos que con los bandidos de Mario y en ese momento le dijeron a Antonio que llamara a mi general Óscar Naranjo a la Dirección de la Policía. Antonio le contó lo que había sucedido.

—Pero ¿ya casi? —preguntó él.

—Estamos cerca, mi general. Estamos cerca.

—Le voy a pasar al señor Presidente.

El Presidente dijo:

—Mi general, no deje ir esa presa, mi general. Transmítales mucha moral a sus muchachos, a ese tipo hay que capturarlo esta vez.

—Señor Presidente, necesito que usted autorice que ese avión salga ahora.

—¿Quién le está poniendo problema? Déjeme que yo organizo ese vuelo.

A la media hora estaba volando sobre nosotros. Ese era el avión que nos podía ubicar lo que necesitábamos.

Más tarde buscamos una casita de campo con piso de barro y tal, que quedaba por allí cerca, con ratones y cucarachas incluidas y allí dormimos.

Despertamos a las cinco de la mañana, empezamos a mover tropas y a buscar al hombre de las mulas en el sector que nos había señalado el avión, pero un grupo de Hombres Jungla que se había desplazado por la noche llegó al rancho y capturó a un señor.

Ese era el hombre de las mulas. Nos informaron y llegamos allá en un helicóptero.

—Cuéntenos qué ha sucedido.

—Sí, efectivamente yo saqué a dos personas de allí y las llevé hasta Manuel Cuello. Una señora estaba herida en una mano y el otro señor…

—¿Usted sacó a 'Don' Mario?

—No, a él no.

El señor nos dio algunos datos y continuamos el trabajo.

Luego de un tiempo breve apareció un sobrino de Mario, el que le cargaba el fusil, el que le cargaba el chaleco, el que le llevaba todo. A ese hombre lo ubicamos en otra montaña, mandamos a un grupo de comandos para detenerlo y nosotros nos trasladamos en el helicóptero.

—Cuéntenos.

—El Viejo se aporreó, pero no sé dónde está porque salió corriendo. Se fue con una persona. A nosotros nos despachó: "Yo me voy solo y ustedes, cada uno váyase por un lado. Después hablaremos", dijo. No sé nada más.

En ese momento Antonio tomó la decisión de salir hasta Necoclí para organizar mejor la información, ver dónde se hallaban ahora las patrullas, ubicarlas en los mapas y ordenar un nuevo ataque. De lo contrario estaríamos dando bastonazos de ciego.

Salimos con él, aprovechamos para comer algo, nos aprovisionamos y dormimos allí. Era la noche del Jueves Santo.

El avión nos había marcado una coordenada en otro sector que nos indicaba la posibilidad de que lo hubieran sacado por allí.

Nos fuimos para aquel sitio al día siguiente. Tres de la tarde. Un caserío supremamente pobre. Había un campo de fútbol sin grama, una escuelita en ruinas. Aterrizamos, hacía un calor endemoniado.

Nos distribuimos alrededor de la cancha, descansamos un rato, luego regresamos a la base, trabajamos hasta la medianoche reorganizando la operación, dormimos entre la una y las seis de la mañana del Viernes Santo y un poco más tarde el avión reportó otro punto en una montaña al oriente de allí y nos fuimos para ese lugar.

Aterrizamos y vimos a lo lejos a un sujeto con sombrero "vueltiao", típico del Caribe colombiano, en un caballo fino, con tres celulares en el bolsillo. Era alguien de los bandidos porque el punto había sido señalado por el avión, pero no pudimos hacer nada porque desapareció pronto en un terreno inhóspito sobre el talud de una montaña donde el desembarque había sido complicado.

Total, en esa zona se verificaron algunas casitas de campesinos, pero no encontramos nada especial.

Continuamos en el helicóptero y supimos que los bandidos estaban pidiendo medicinas, que debían llegar a un punto determinado y de allí subir hasta Manuel Cuello.

En los mapas Manuel Cuello era un arroyo, pero a la vez había una señal que le estaba "pegando" al avión cerca de la corriente de agua y partimos hacia ese nuevo punto. Allí encontramos una caseta, un campo de fútbol, un par de casas, un teléfono público, que particularmente era un árbol de mango y tocaba recostarse contra el tronco para que saliera señal.

Allí entrevistamos a varias personas y como hacían referencia "a los mangos", "a los mangos", preguntamos y un señor dijo:

—Váyanse por este camino y llegan allá.

Hicimos un nuevo sobrevuelo y nos retiramos de la zona.

Durante el día operábamos con los helicópteros, por las noches íbamos vestidos de paisanos a buscar a la gente que supuestamente estaba coordinando la salida de Mario en embarcaciones. Veinticuatro horas de trabajo.

Bueno, pues analizando la información que habíamos allegado durante las últimas horas, sacamos la conclusión de que el objetivo tenía que encontrarse en la zona de Manuel Cuello, el caserío del árbol y el teléfono.

Llegamos nuevamente allí, nos aproximamos a una casa en zona montañosa, y a eso de las seis de la mañana vimos algún movimiento.

RAÚL (Jefe de comandos)

A esa altura de la operación, nuestro jefe estaba desmotivado porque confiaba mucho en la información que nos habían dado y en este punto no habíamos encontrado nada. Al parecer, ya no teníamos una esperanza cierta.

Le comenté por radio que habíamos encontrado una casa campesina con una cuatrimoto al frente de la puerta, le dije que íbamos a inspeccionar el lugar y que si no encontrábamos nada, bueno, que nos recogieran los helicópteros para marcharnos de allí. Fin de la operación.

—De todas maneras, concédanos un compás de espera —le dije.

Acabé de hablar con él cuando me llamaron los comandos que observaban la casa:

—Salió un muchacho joven con una pistola en el cinto, y una muchacha, por cierto muy bonita, y van a tomar la cuatrimoto.

—Intercéptenlos, identifíquenlos. Ya voy para allá —les dije.

—Se trata de un muchacho con la piel llena, pero llena de tatuajes y una muchacha, realmente bonita, ambos de la región. No parece ser una prepago, sino alguien de algún pueblo cercano.

—¿Algo más?

—Sí. Entramos a la casa, registramos y encontramos una computadora, dos pistolas más, ropa de hombre, de marca, comida abundante en una nevera y una serie de elementos que nos indican que aquí estuvo recientemente el objetivo.

Les respondí que me estaba acercando, nos encontrábamos a unos cuarenta minutos. Cuando íbamos subiendo la montaña para buscar el sitio y vi a mis hombres en la casa y muy cerca el mar, pensé: "El bandido se nos fue por agua".

Es que la situación se prestaba. El sitio era estratégico en ese sentido.

Llegamos a la casa y encontramos a la muchacha, al muchacho y a tres niños. Revisé lo que habían encontrado mis hombres y le preguntamos primero a la muchacha de quién era la pistola que tenía el joven:

—Es mía —dijo, tal vez pensando que por ser mujer no cometía un delito.

—¿Y la moto?

—Es mía —respondió la muchacha, una joven de unos dieciséis años.

—¿Y la computadora?

—También es mía.

—¿Y la ropa nueva, masculina, de marca, empacada todavía en sus sobres, también es suya?

—No, esa es de mi papá que trabaja en la alcaldía de Turbo —dijo muy convencida de su papel.

Sin embargo, la casa era muy sencilla, muy sencilla, como la de cualquier campesino de la región.

—Pero su papá sí es muy cotizado, porque ustedes viven en esta casa, él usa ropa fina, de marca, usted tiene cuatrimoto...

—Sí. Es que en la alcaldía a él le va muy bien.

La muchacha era muy grosera, adiestrada, agresiva.

Al hombre lo habíamos separado de la muchacha y hablamos con él.

—¿Usted a qué se dedica?

—Soy peluquero.

Continuamos preguntándole y presionándolo y él insistía en que era el novio:

—¿Cómo se llama ella?

—Eh... eh... Mariela.

No conocía su apellido, no sabía nada más. Nosotros ya teníamos su tarjeta de identidad.

—¿Y de dónde viene su relación?

—Sí, yo la conozco, pero... pero... no somos novios.

Le pregunté por el bandido y bajó la vista:

—¿Mario? ¿Quién es él? Yo no sé nada de ningún Mario.

Le dije que no había problema. Que simplemente lo iba a poner a disposición de las autoridades judiciales ya que tenía un arma sin salvoconducto, una cuatrimoto de la que no exhibían ningún documento de propiedad y que no lo veíamos como a una persona de bien, y volví a hablar con la muchacha.

Ella preguntó por qué molestábamos tanto.

—¿Molestando? Acabamos de llegar.

—Bueno, es que ayer estuvieron aquí unos muchachos que deben ser compañeros de ustedes. Vinieron, pidieron agua, me pagaron para que les hiciera de comer, comieron, se quedaron un rato y luego de fueron.

En ese momento supe que se trataba de una patrulla de Hombres Jungla.

Me comuniqué y efectivamente había por allí dos grupos muy cercanos, al mando de dos capitanes. Ellos vinieron luego y confirmaron que habían estado allí la víspera porque llevaban una semana sin comer caliente y que por la noche volvieron a sus puntos.

—Ustedes están en una operación y no pueden descuidar los sitios de reacción. Es que a lo mejor el objetivo ha aprovechado algún descuido y se ha fugado del lugar.

En medio de mi disgusto los mandé a que hicieran una exploración entre la casa y la playa, a unos mil doscientos metros.

CARLOS (Analista)

Supuestamente a Mario lo iban a sacar de algún punto. A las once de la noche había salido Vegueta en un bote y llamamos al jefe Ismael:

—El hombre se voló.

—¿Por dónde?

—No lo sabemos, van en un bote.

Nosotros teníamos controlada esa zona de tal manera que si el objetivo cruzaba el cerco, iba en busca de la embarcación. La gente de Inteligencia se trasladó al lugar, hablaron con las personas que había por allí a esa hora pero decían que no habían visto nada.

De todas maneras, estuvimos toda la noche a la expectativa y a las cinco de la mañana del octavo día llamó nuestro jefe:

—¿Qué ha sucedido?

—Nada. Todo ha estado muerto.

—Bueno, si hoy no logramos algo, nos vamos a devolver porque la gente está cansada, está saturada, llevamos ocho días, hay gente que se está enfermando, se están agotando la comida, el agua. Vamos a devolvernos.

RAÚL (Jefe de comandos)

Los Hombres Jungla comenzaron a hacer su recorrido y unos minutos después uno de mis comandos me llamó y me dijo que "el peluquero" quería colaborar. Fui hasta allá:

—¿Qué sucede?

—No, hermano, déjeme ir y yo le ayudo.

—No, usted no está en condiciones de exigir nada. Simplemente ayúdeme y yo le ayudo también. Usted a mí no me interesa. Yo sé que usted es un peón en este ajedrez. Al que necesito es al rey

—…Noooo, nooo.

—Bueno. Dejemos las cosas así.

—Nooo. Un momento, un momento. El rey está en la palma. Está en la palma.

—¿Cómo?

Cerca de la casa había un lavadero de ropa y al lado del lavadero se levantaba una palmera, y recostadas contra el tronco una serie de tablas largas que desde luego bajaban al piso abriéndose y formando una especie de choza.

Miré a mis hombres y señalé la palmera con un movimiento de cabeza y justamente el hombre más bajo de mi grupo que se encontraba cerca de las tablas se agachó, miró y gritó:

—¡Aquí hay algo, detrás de las tablas hay algo, hay algo!

Corrí y cuando me acercaba el muchacho estaba retirando una de las tablas: lo primero que apareció fueron dos pies con unas medias blancas sucias.

Lo rodeamos, corrimos el resto de las tablas y allí estaba el bandido apoyado sobre los codos y las rodillas, la cabeza agachada, olía a su propio estiércol, a sudor, barbado, tembloroso y frente a su cara una pequeña bolsa de plástico con arroz frío, dos o tres trozos de plátano y un tarro con agua. Comía con las manos... Un hombre con los ríos de dinero que manejaba, con el poder que creía tener sobre la vida de la gente, con esa arrogancia, y allí, temblando como un niño.

Ahora lloraba, levantó un poco la cara y me miró:

—No me vaya a matar. Por favor, no me mate.

—Nosotros no lo vamos a matar. Vinimos solamente a capturarlo. Salga de ahí.

El hombre llevaba consigo una pistola, pero en ningún momento trató de utilizarla. Por el contrario, no tuvo ningún tipo de reacción. Simplemente temblaba de miedo. Le pregunté cómo había hecho para moverse hasta esa casita, pues nosotros teníamos controlada toda la zona.

—Estaba con veinte hombres en un campamento cuando me cayeron dos helicópteros...

Se refería a la primera fase de la operación, dio algunas explicaciones vagas, pero inmediatamente nos dimos cuenta de que no era un mal estratega. Se trataba de un perro viejo.

Cuando nosotros hacemos un asalto, medimos el curso de las acciones en caso de que la operación no sea efectiva y calculamos hacia dónde puede coger un objetivo. En este caso la ruta de escape tenía que ser por la parte boscosa de la serranía.

Efectivamente, él me dijo luego:

—Yo sabía que ustedes me iban a buscar en el bosque y por eso me fui solo por campo abierto, corriendo a través de un pastizal. Cada vez que los helicópteros se acercaban me lanzaba al piso y la misma hierba me cubría. Así logré salir de esa zona.

Lo que quería decir que, efectivamente, ingresó al área que nosotros queríamos. Se reunió con su gente dentro del cuadrante en la segunda fase de la operación. Por eso lo primero que dijo fue que lo dejaran solo con cuatro hombres. Andaban de noche, sin armamento, vestidos de campesinos, tres iban adelante por la ruta que él indicaba, y desde luego, le informaban por celular o por radio de dos metros hacia dónde debía dirigirse.

El séptimo día llegó hasta un punto donde vio que no podía seguir moviéndose en esa forma y lo que hizo fue continuar solo luego de citarse con su muchacho de confianza en la casita donde lo capturamos.

Luego de un par de palabras lo llevamos hasta la casa, le dimos agua y llamé a mi jefe y él me preguntó de forma inmediata:

—¿Usted por qué no ha llegado? Aquí estamos esperándolo, esta operación se acabó…

—Jefe, es que le tengo un detalle…

—¿Cómo así? ¿Cuál detalle?

—Aquí tengo a Mario. Tenemos al objetivo.

—Pero ¿Mario, Mario? ¿Daniel?

—Sí, señor. Aquí tengo a Daniel Rendón Herrera, alias *'Don' Mario*.

—¿Seguro?

—Se lo juro. Aquí lo tengo.

Yo escuchaba los gritos, las risas y él me decía:

—Cálmese. Cálmese.

—No. Cálmese usted, jefe. Cálmese que aquí lo tengo.

No me creían.

LIBARDO (Inteligencia)

El tipo salió temblando de miedo. Lo acostamos en el piso para requisarlo, luego lo llevamos a la casa:

—No me vayan a matar. No me vayan a matar.

No lo vamos a matar.

Temblaba como una gelatina. Pero como una gelatina.

—Yo sabía que un día me iban a capturar el Ejército o la Fiscalía, pero no la Policía. Gracias por respetarme la vida —dijo.

En esa operación, como apoyo iban Hombres Jungla, porque nosotros éramos un grupo pequeño. Los Jungla llevaban en esa casa tres días. Una vez lo capturamos, Mario dijo que como todo lo habíamos copado, sin dejar una senda, ni un camino libre, llegó un momento en el que se sintió muy encerrado y lo único que tuvo a la mano fueron la palma y las tablas. Allí llevaba tres días escondido.

El grupo de Hombres Jungla que estuvo en la casa fue clave porque neutralizó al bandido. Sin embargo, un poco más adelante se había apostado otro sobre el único camino de salida y él ya lo sabía.

Antonio, nuestro jefe, había movido a su gente como un ajedrecista.

RAÚL (Jefe de comandos)

Veinte minutos más tarde llegaron los jefes, todavía sin creer que después de tanto esfuerzo se nos hubiera dado un buen resultado.

Tan pronto le comuniqué a mi jefe, él había llamado a mi general Óscar Naranjo, director de la Policía, quien tomó su avión en Bogotá; en Turbo, a orillas del mar, lo esperaba un helicóptero y ahora estaba allí con nosotros. Cuando nos vio se le asomaron un par de lágrimas de la emoción.

Luego se le acercó al bandido, y le dijo:

—Usted es un asesino. ¿Cómo le va a responder al país por esos tres mil muertos que debe?

El bandido temblaba de miedo... Pero miedísimo.

Luego mi general le dijo:

—¿Usted sabe todo el mal que le ha hecho a este país? ¿Se acuerda de las palabras de aquel video que mostraron en la televisión amenazándome de muerte?

—Yo soy un humilde campesino —respondió el bandido—. Yo no soy lo que la gente dice... Señor, gracias por haberme respetado la vida.

ISMAEL (Coronel)

Capturamos a Mario y los medios de prensa lo informaron hasta la saciedad.

En ese momento yo tenía a un segundo grupo en Medellín trabajando contra otra banda criminal conocida como la Oficina de Envigado, pero no habíamos logrado arrestarlos.

A Mario lo capturamos a las siete de la mañana. Al jefe se le avisó a las siete y diez, y a las nueve los medios de comunicación lanzaron la noticia.

Los bandidos de Envigado se enteraron de la caída de Mario y como estaban en guerra con él, su jefe les dijo a los hombres:

—Sí, lo capturaron. Lo capturaron. Hay que celebrar. Nos vemos en el mismo sitio de la última vez.

En ese momento apareció un informante:

—Van a celebrar.

—¿Dónde?

—En tal sitio.

A las tres de la tarde empezaron a llegar a un conjunto de apartamentos. A las tres y media nos dieron la orden de penetrar y, sorpresa: encontramos allí a un tipo apodado Douglas, cabeza mayor de la Oficina de Envigado.

El mismo día habíamos capturado a los dos bandidos, que además, eran enemigos.

A Mario lo llevaron a una cárcel de "alta seguridad" llamada Cómbita, antesala de la extradición a Estados Unidos, y allí se encontró con el Mellizo Pablo Arauca:

—A usted lo delató el *informante estrella*, y a mí también me delató él. Ordenemos que lo maten.

—Y a *la enfermera* también.

—También.

Los bandidos ofrecieron dos millones de dólares para quien le diera muerte al informante, pero Comba, el jefe de un grupo de asesinos a sueldo, dijo que este andaba protegido por la Policía.

—No hay prisa —respondieron los de la cárcel.

El informante estrella seguía trabajando con nosotros luego de la captura de Mario, y una tarde dijo:

—El Mellizo Pablo Arauca tiene en tal punto un escondite con fusiles.

Allí encontramos a una señora de unos ochenta años cuidando a un niño.

—¿De quién es esta casa?

—De una señora.

—¿Dónde está ella?

—No sé.

El informante había dicho, busquen aquí, aquí y allá.

Encontramos doscientos fusiles AK47. Todo un arsenal.

Luego me dijo:

—En Tumaco —puerto sobre el océano Pacífico— Pablo Arauca tiene otra casa a nombre de un tercero y allí guarda droga.

Fuimos al lugar y encontramos nueve toneladas de cocaína.

Planeta

España
Av. Diagonal, 662-664
08034 Barcelona (España)
Tel. (34) 93 492 80 00
Fax (34) 93 492 85 65
Mail: info@planetaint.com
www.planeta.es

Paseo Recoletos, 4, 3.ª planta
28001 Madrid (España)
Tel. (34) 91 423 03 00
Fax (34) 91 423 03 25
Mail: info@planetaint.com
www.planeta.es

Argentina
Av. Independencia, 1668
C1100 Buenos Aires
(Argentina)
Tel. (5411) 4124 91 00
Fax (5411) 4124 91 90
Mail: info@eplaneta.com.ar
www.editorialplaneta.com.ar

Brasil
Av. Francisco Matarazzo,
1500, 3.º andar, Conj. 32
Edificio New York
05001-100 São Paulo (Brasil)
Tel. (5511) 3087 88 88
Fax (5511) 3087 88 90
Mail: ventas@editoraplaneta.com.br
www.editoriaplaneta.com.br

Chile
Av. 11 de Septiembre, 2353, piso 16
Torre San Ramón, Providencia
Santiago (Chile)
Tel. Gerencia (562) 652 29 43
Fax (562) 652 29 12
www.planeta.cl

Colombia
Calle 73, 7-60, pisos 7 al 11
Bogotá, D.C. (Colombia)
Tel. (571) 607 99 97
Fax (571) 607 99 76
Mail: info@planeta.com.co
www.editorialplaneta.com.co

Ecuador
Whymper, N27-166,
y Francisco de Orellana
Quito (Ecuador)
Tel. (5932) 290 89 99
Fax (5932) 250 72 34
Mail: planeta@access.net.ec

México
Masaryk 111, piso 2.º
Colonia Chapultepec Morales
Delegación Miguel Hidalgo 11560
México, D.F. (México)
Tel. (52) 55 3000 62 00
Fax (52) 55 5002 91 54
Mail: info@planeta.com.mx
www.editorialplaneta.com.mx
www.planeta.com.mx

Perú
Av. Santa Cruz, 244
San Isidro, Lima (Perú)
Tel. (511) 440 98 98
Fax (511) 422 46 50
Mail: rrosales@eplaneta.com.pe

Portugal
Planeta Manuscrito
Rua do Loreto, 16-1.º Frte.
1200-242 Lisboa (Portugal)
Tel. (351) 21 370 43061
Fax (351) 21 370 43061

Uruguay
Cuareim, 1647
11100 Montevideo (Uruguay)
Tel. (5982) 901 40 26
Fax (5982) 902 25 50
Mail: info@planeta.com.uy
www.editorialplaneta.com.uy

Venezuela
Final Av. Libertador con calle Alameda,
Edificio Exa, piso 3.º, of. 301
El Rosal Chacao, Caracas (Venezuela)
Tel. (58212) 952 35 33
Fax (58212) 953 05 29
Mail: info@planeta.com.ve
www.editorialplaneta.com.ve

 Grupo Planeta   Planeta es un sello editorial del Grupo Planeta   www.planeta.es